이것만 알자!

비상은 모두가 즐거운 배움의 길을 만듭니다.

배움이 필요한 모든 이들이 그 한계를 넘어설 수 있도록
비상은 더 넓은 세상을 향한 첫 걸음을 응원합니다.

한국에서의 전형 창출을 넘어 세계 교육의 패러다임을
바꾸겠다는 비상은 모든 이의 혁신적 성장에 기여합니다.

교육 문화의 질서와 유기적 융합을 추구하는 비상은
새로운 미래 세대의 행복한 경험과 성장에 기여합니다.

상상 그 이상

이것만 알자!

초등 과학

6학년

이것만 알자! **특징**

See
개념을 읽는 게 아니라
보면서 익힐 수 있게
시각적으로
만들었어요.

Easy

초등 6학년에서
알아야 할 **과학 개념**
42개만 뽑아
쉽게 알 수 있어요.

Fun
재미있는 퀴즈나
게임 형식의 문제로
놀이처럼 즐기면서
개념을 확인할 수 있어요.

Link
중학교와 초등학교의
연결고리를 찾고,
연계된 중학교 개념을
미리 볼 수 있어요.

구성

1 단원 도입

숨은 그림 찾기 활동을 하며 단원 내용을 미리 살펴봐요.

2 개념 학습

재미있는 개념 제목과 초등과 중등 개념 연결고리도 넣었어요. 그리고 생생한 탐구 동영상 QR 코드도 있어요.

3 개념 퀴즈

공부한 개념을 퀴즈 또는 게임 형식으로 즐기면서 확인해요.

4 생각 그물

빈칸을 채우며 개념 확인하고 잘 이해했는지 확인해요.

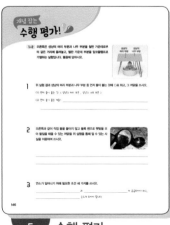

5 수행 평가

답을 쓰며 개념 평가하고 실력을 점검해요.

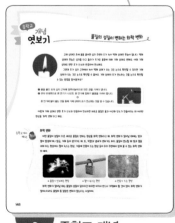

6 중학교 개념

초등과 연결된 중등 개념을 엿보며 과학에 대한 흥미와 자신감을 키워요.

특별 부록 [용어 찾아보기] 모르는 용어를 찾아요! [단원 평가] 잘 공부했는지 확인해요!

차례

초등 6학년에서 꼭 알아야 할
과학 개념 42개를 확인해요.

탐구심 강한   똑똑한

용감이와 용용이의
신나는 탐험 이야기

먼 옛날 기사를 꿈꾸는 용사 '용감이'와 그의 단짝 드래곤 '용용이'가 살고 있었어요.

어느 날 깊은 산속을 지나던 두 친구가 불빛에 이끌려 동굴 속에 들어가게 되었는데,

놀랍게도 그 동굴은 과거와 현재를 잇는 시간 탐험의 통로였어요.

과거에서 현재로 시간 탐험을 하게 된 용감이와 용용이에게 어떤 일이 벌어질까요?

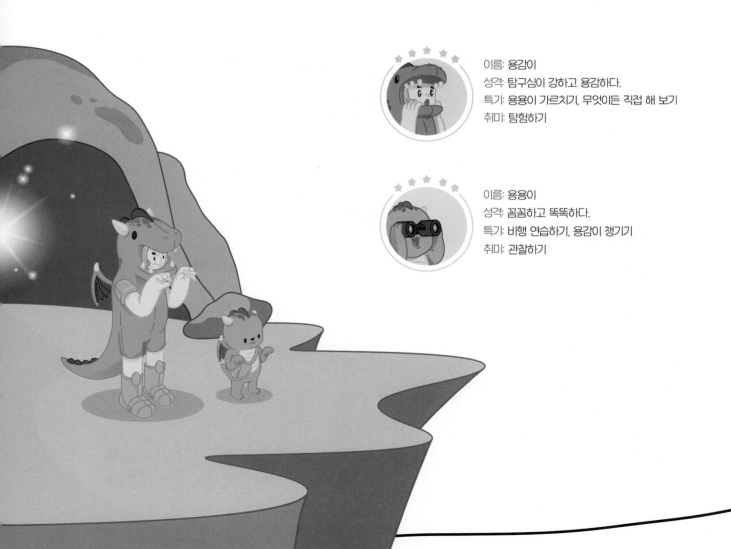

이름: 용감이
성격: 탐구심이 강하고 용감하다.
특기: 용용이 가르치기, 무엇이든 직접 해 보기
취미: 탐험하기

이름: 용용이
성격: 꼼꼼하고 똑똑하다.
특기: 비행 연습하기, 용감이 챙기기
취미: 관찰하기

1 지구와 달의 운동

이 단원을
들어가기
전에

지구와 달의 운동을 나타낸 그림입니다.
지구와 달 체험관에 숨은 동물을
모두 찾아보세요.

- ✔ 갈매기   ✔ 거북
- ✔ 나비   ✔ 토끼
- ✔ 뱀   ✔ 열대어
- ✔ 펭귄

정답과 해설은
2쪽에 있어!

01

하루에 한 바퀴, 지구의 자전!

🔥 지구가 자전축을 중심으로 하루에 한 바퀴씩 서쪽에서 동쪽(시계 반대 방향)으로 회전하는 것을 '지구의 자전'이라고 합니다.

달리는 기차에서 창밖을 보면 창밖의 풍경이 기차가 달리는 방향과 반대 방향으로 움직이는 것처럼 보이는 것과 같이, 🔥 지구가 하루에 한 바퀴씩 서쪽에서 동쪽으로 자전하기 때문에 하루 동안 태양과 달이 동쪽 하늘에서 서쪽 하늘로 움직이는 것처럼 보이는 거예요.

태양

낮

서

오후 12시 30분

오전 7시

오후 6시

동 남 서

하루 동안 태양의 위치 변화: 동쪽 → 남쪽 → 서쪽

지구가 자전하면서 태양 빛을 받는 쪽은 낮이 되고, 태양 빛을 받지 못하는 쪽은 밤이 됩니다. 이처럼 🔥 지구가 하루에 한 바퀴씩 자전하기 때문에 낮과 밤이 생기고, 낮과 밤은 하루에 한 번씩 번갈아 나타나요.

낮	밤
태양이 동쪽에서 떠오를 때부터 서쪽으로 완전히 질 때까지의 시간	태양이 서쪽으로 진 때부터 다시 동쪽으로 떠오르기 전까지의 시간

자전축

'자전축'은 지구의 북극과 남극을 이은 가상의 직선이야.

밤

동

저녁 11시   오전 1시
저녁 10시   밤 12시   오전 2시
저녁 9시
저녁 8시
저녁 7시
동   남   서

하루 동안 달의 위치 변화: 동쪽 → 남쪽 → 서쪽

재미있는 개념 퀴즈!

1 승우는 지구의 자전에 대한 바른 설명이 적힌 징검돌만 밟아서 징검다리를 건너려고 합니다. 승우가 밟아야 하는 징검돌을 따라 선으로 연결하세요.

2 길을 따라가 보면 지구가 자전하면서 우리나라가 어느 쪽에 있으면 낮 또는 밤이 되는지 알 수 있어요. 빈칸에 들어갈 말을 각각 쓰세요.

지구가 자전하면서 우리나라가 태양 빛을 받는 쪽에 있으면 우리나라는 ✏️ [　　] 이 되고,

태양 빛을 받지 못하는 쪽에 있으면 우리나라는 ✏️ [　　] 이 됩니다.

3 지구의 자전 때문에 나타나는 현상에 대한 ○✕ 퀴즈를 풀어 미로를 빠져나가 보세요.

○✕ 퀴즈

① 하루 동안 지구에서 보이는 태양의 위치는 달라지지 않습니다.

② 하루 동안 지구에서 보이는 태양과 달의 움직이는 방향은 같습니다.

③ 태양은 오후 12시 30분 무렵 남쪽 하늘에서 볼 수 있습니다.

④ 지구가 자전하기 때문에 하루 동안 달의 위치는 서쪽에서 동쪽으로 움직이는 것처럼 보입니다.

⑤ 지구가 자전하기 때문에 낮과 밤이 생깁니다.

일 년에 한 바퀴, 지구의 공전!

🔥 지구가 태양을 중심으로 일 년에 한 바퀴씩 서쪽에서 동쪽(시계 반대 방향)으로 회전하는 것을 '지구의 공전'이라고 합니다. 지구는 자전하면서 동시에 태양을 중심으로 일정한 길을 따라 공전하며, 공전 방향은 지구의 자전 방향과 같아요.

지구가 태양 주위를 공전하면 지구의 위치가 달라지고, 지구의 위치가 달라지면 한밤에 향하는 곳이 달라지므로 한밤에 보이는 천체의 모습이 달라져요.

우리나라 봄철의 대표적인 별자리

사자자리
쌍둥이자리
목동자리
오리온자리
처녀자리
큰개자리

동   남   서

목동자리, 처녀자리, 사자자리

우리나라 여름철의 대표적인 별자리

백조자리
거문고자리
목동자리
사자자리
독수리자리
처녀자리

동   남   서

독수리자리, 거문고자리, 백조자리

지구가 봄철 위치에 있을 때는 태양과 같은 방향에 있는 가을철 별자리를 볼 수 없어.

▲ 봄

▲ 여름

지구가 태양 주위를 공전하면서 계절에 따라 지구의 위치가 달라지기 때문에, 계절에 따라 밤에 보이는 별자리가 달라요.

어느 계절에 보이는 시간이 긴 별자리를 그 '계절의 대표적인 별자리'라고 합니다. 봄철의 대표적인 별자리인 사자자리는 겨울, 봄, 여름 세 계절에 걸쳐 볼 수 있어요. 이처럼 별자리들은 한 계절에만 보이는 것이 아니라 두 계절이나 세 계절에 걸쳐 보이지만, 태양과 같은 방향에 있는 별자리는 태양 빛 때문에 볼 수 없답니다.

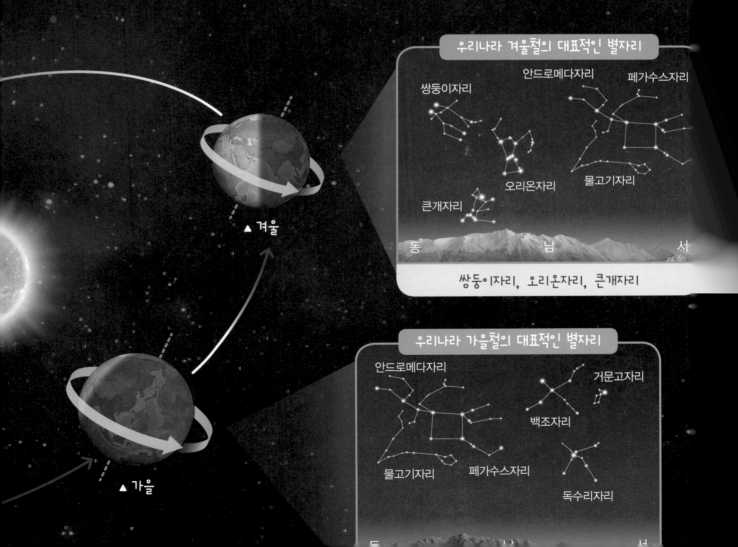

▲ 겨울

우리나라 겨울철의 대표적인 별자리

안드로메다자리
페가수스자리
쌍둥이자리
오리온자리
물고기자리
큰개자리

동   남   서

쌍둥이자리, 오리온자리, 큰개자리

▲ 가을

우리나라 가을철의 대표적인 별자리

안드로메다자리
거문고자리
백조자리
물고기자리
페가수스자리
독수리자리

날마다 모양이 조금씩 달라져, 달!

달은 스스로 빛을 내는 것이 아니라 태양 빛을 받는 부분만 빛을 반사하여 밝게 보여요. 또 달은 지구를 중심으로 일정한 길을 따라 공전하고, 지구도 자전과 공전을 하므로 태양과 지구, 달의 상대적인 위치에 따라 지구에서 보이는 달의 모양이 달라져요.

달의 위치에 따른 지구에서 본 달의 모양

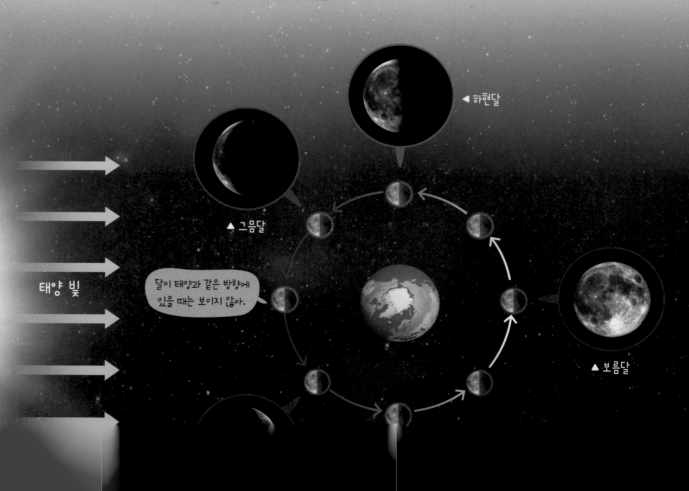

태양 빛

▲ 하현달

▲ 그믐달

달이 태양과 같은 방향에 있을 때는 보이지 않아.

▲ 보름달

🔥 달의 모양은 약 30일을 주기로 초승달, 상현달, 보름달, 하현달, 그믐달의 순서로 변해요.

달은 15일 동안 점점 커지다가 보름달이 되면 이후 15일 동안 점점 작아져.

초승달	상현달	보름달	하현달	그믐달
(음력 2~3일 무렵)	(음력 7~8일 무렵)	(음력 15일 무렵)	(음력 22~23일 무렵)	(음력 27~28일 무렵)
눈썹 모양의 달	오른쪽이 불룩한 모양의 달	공처럼 달의 모습이 모두 보이는 달	왼쪽이 불룩한 모양의 달	초승달의 반대 모양의 달

🔥 달은 서쪽에서 동쪽으로 날마다 조금씩 위치를 옮겨 가면서, 그 모양도 변해요.

[여러 날 동안 달의 위치 관측하기] 탐구 활동을 통해 여러 날 동안 같은 시각에 같은 장소에서 관측한 달의 위치를 확인해 봐요.

여러 날 동안 달의 위치 관측하기

[관측 시각: 태양이 진 직후 저녁 7시]

▲ 여러 날 동안 태양이 진 직후 같은 시각에 남쪽 하늘을 보면서 관측한 달의 위치와 모양 변화

재미있는 개념 퀴즈!

1 외계인이 우주선을 타고 미로를 빠져나가면서 만나는 글자들을 빈칸에 차례대로 쓰면 지구의 공전이 무엇인지 알 수 있어요. 빈칸에 들어갈 글자를 쓰세요.

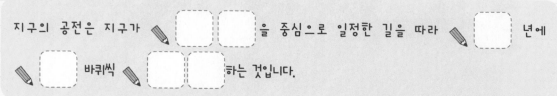

지구의 공전은 지구가 ✎ [ ] [ ] 을 중심으로 일정한 길을 따라 ✎ [ ] 년에
✎ [ ] 바퀴씩 ✎ [ ] [ ] 하는 것입니다.

2 한솔이는 계절에 따라 보이는 별자리가 다른 까닭을 한 문장으로 정리했어요. 오른쪽 글자판에서 글자를 가로나 세로로 연결하여 문장의 빈칸에 들어갈 천체 두 개를 찾아 ○표 하고, 빈칸에 알맞게 쓰세요.

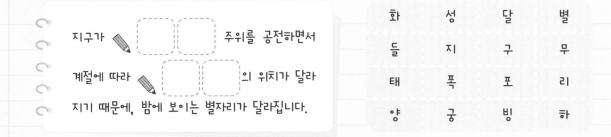

화	성	달	별
들	지	구	무
태	폭	포	리
양	궁	빙	하

지구가 ✏ ☐☐ 주위를 공전하면서 계절에 따라 ✏ ☐☐ 의 위치가 달라지기 때문에, 밤에 보이는 별자리가 달라집니다.

3 윤아는 음력 2일부터 여러 날 동안 저녁 7시 무렵에 같은 장소에서 남쪽 하늘을 보면서 달을 관측하여 그림으로 기록했어요. 그런데 그림들이 바닥에 떨어지면서 모두 흩어지고 말았어요. 먼저 그린 그림부터 순서대로 기호를 쓰세요.

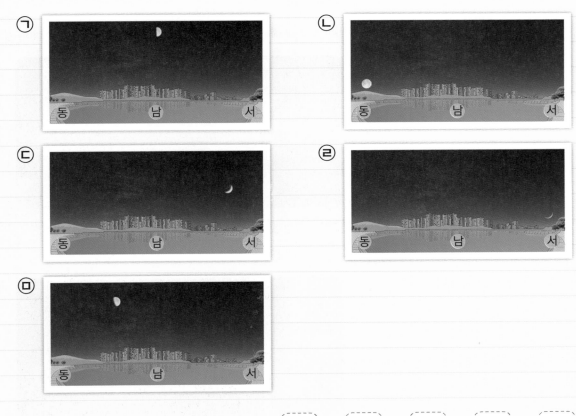

✏ ☐ → ☐ → ☐ → ☐ → ☐

생각 그물!

지구와 달의
운동

지구의 자전

뜻

지구가 ① [_____] 을 중심으로 ② [_____] 에 한 바퀴씩 서쪽에서 동쪽(시계 반대 방향)으로 회전하는 것

자전축
서
동

지구가 자전하기 때문에 나타나는 현상

· 하루 동안 태양, 달, 별이 ③ [_____] 쪽에서 ④ [_____] 쪽으로 움직이는 것처럼 보임.

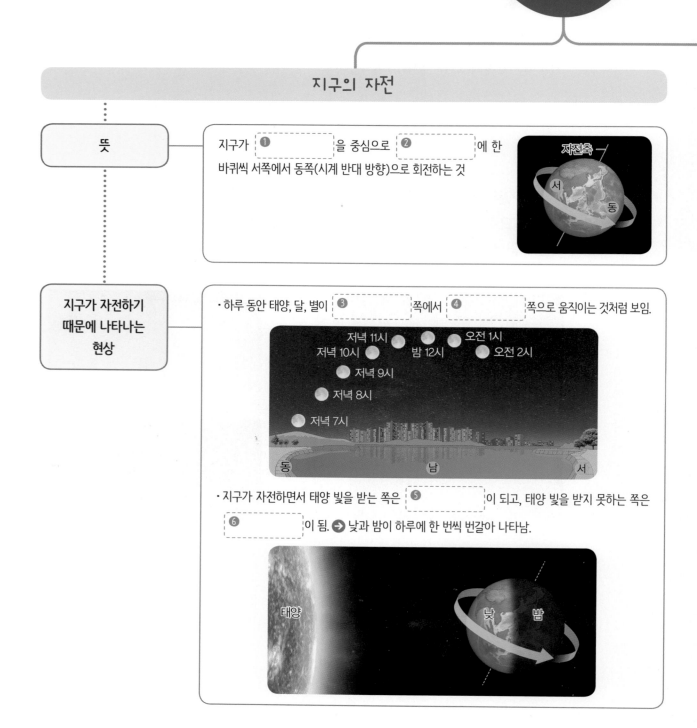

저녁 11시 밤 12시 오전 1시
저녁 10시 오전 2시
저녁 9시
저녁 8시
저녁 7시

동 남 서

· 지구가 자전하면서 태양 빛을 받는 쪽은 ⑤ [_____] 이 되고, 태양 빛을 받지 못하는 쪽은 ⑥ [_____] 이 됨. ➜ 낮과 밤이 하루에 한 번씩 번갈아 나타남.

태양 낮 밤

지구의 공전

뜻

지구가 ⑦ ⬚⬚⬚⬚⬚ 을 중심으로 일정한 길을 따라 일 년에 한 바퀴씩 서쪽에서 동쪽(시계 반대 방향)으로 회전하는 것

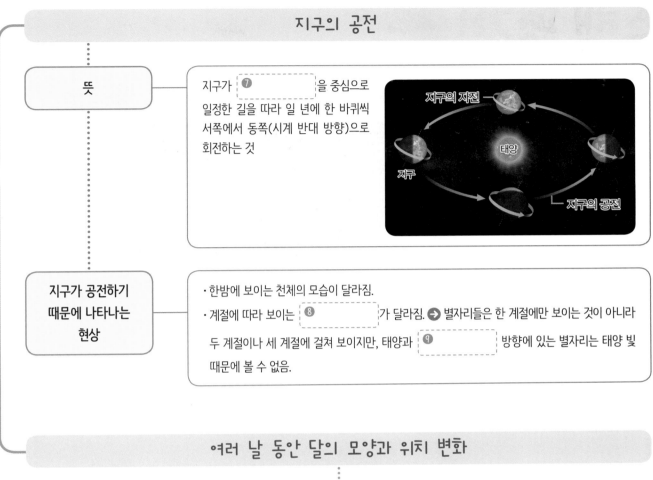

지구가 공전하기 때문에 나타나는 현상

· 한밤에 보이는 천체의 모습이 달라짐.
· 계절에 따라 보이는 ⑧ ⬚⬚⬚⬚⬚ 가 달라짐. ➡ 별자리들은 한 계절에만 보이는 것이 아니라 두 계절이나 세 계절에 걸쳐 보이지만, 태양과 ⑨ ⬚⬚⬚⬚⬚ 방향에 있는 별자리는 태양 빛 때문에 볼 수 없음.

여러 날 동안 달의 모양과 위치 변화

· 달의 모양은 약 ⑩ ⬚⬚⬚⬚⬚ 일을 주기로 변함.

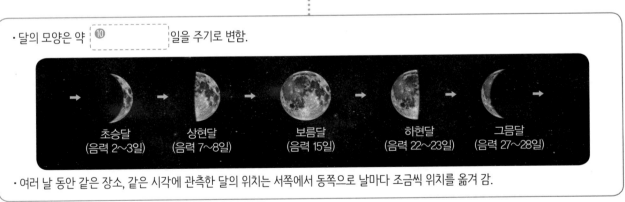

초승달 (음력 2~3일) → 상현달 (음력 7~8일) → 보름달 (음력 15일) → 하현달 (음력 22~23일) → 그믐달 (음력 27~28일)

· 여러 날 동안 같은 장소, 같은 시각에 관측한 달의 위치는 서쪽에서 동쪽으로 날마다 조금씩 위치를 옮겨 감.

개념 확인 체크! 체크!

☐ 지구의 자전과 지구가 자전하기 때문에 나타나는 현상을 이야기할 수 있어요. · 10~11쪽
☐ 지구의 공전과 지구가 공전하기 때문에 나타나는 현상을 이야기할 수 있어요. · 14~15쪽
☐ 여러 날 동안 달의 모양과 위치가 어떻게 달라지는지 이야기할 수 있어요. · 16~17쪽

수행 평가!

1 다음과 같이 태양 빛이 지구를 비출 때에 낮인 지역을 골라 기호를 쓰고, 그 까닭을 쓰시오.

(1) 낮인 지역: (   )

(2) 낮인 까닭: _____

_____

2 오른쪽은 계절에 따라 우리나라가 한밤일 때 가장 오랜 시간 동안 보이는 대표적인 별자리를 나타낸 것입니다. 계절에 따라 밤에 보이는 대표적인 별자리가 달라지는 까닭을 쓰시오.

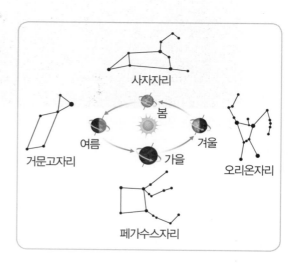

지구가 _____ 하면서 계절에 따라 _____

때문에 밤에 보이는 별자리가 달라집니다.

3~5 다음은 음력 2일 무렵부터 여러 날 동안 같은 장소에서 저녁 7시에 남쪽 하늘을 보면서 관측한 달의 모습입니다. 물음에 답하시오.

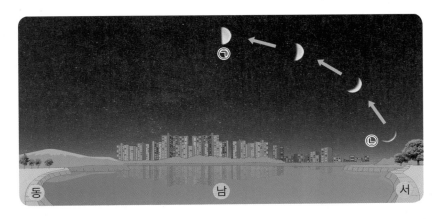

3 위 ㉠과 ㉡의 모양에 해당하는 달의 이름을 쓰시오.

㉠: (   )

㉡: (   )

4 위 ㉠ 달을 관측하고 7일 뒤에 관측할 수 있는 달의 이름과 모양을 쓰시오.

(1) 달의 이름: (   )

(2) 달의 모양: _____

5 위와 같이 여러 날 동안 같은 장소에서 같은 시각에 달을 관측하여 알 수 있는 사실을 쓰시오.

_____

_____

달이 자전과 공전하기 때문에 나타나는 일

여러 날 동안 달을 찍은 사진이에요. 보름달 사진을 기준으로 다른 달의 사진을 관찰하면 사진에 찍힌 달의 표면이 같다는 것을 알 수 있어요. 왜 지구에서는 항상 달의 같은 면만 보이는 것일까요?

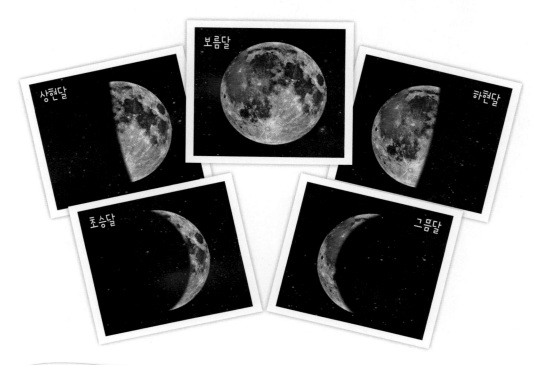

달의 자전과 공전

중학교에서 배워!

달도 지구처럼 자전하면서 동시에 공전도 해. 달이 자전축을 중심으로 약 27.3일에 한 바퀴씩 서쪽에서 동쪽으로 회전하는 것을 달의 자전이라고 하고, 달이 지구를 중심으로 일정한 길을 따라 약 27.3일에 한 바퀴씩 서쪽에서 동쪽으로 회전하는 것을 달의 공전이라고 해. 그런데 달의 자전 주기와 공전 주기는 약 27.3일로 같아서 달이 한 바퀴 자전하는 동안 한 바퀴 공전하게 되므로 항상 달의 같은 면이 지구를 향하게 돼. 그래서 지구에서는 항상 달의 같은 면만 볼 수 있는 거야.

만약 달의 자전 주기와 공전 주기가 다르거나, 달이 자전하지 않고 공전만 한다면 달의 모든 면을 볼 수 있을 거야.

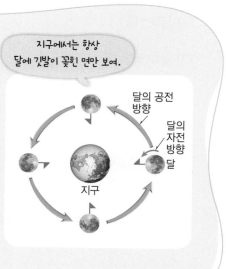

지구에서는 항상 달에 깃발이 꽂힌 면만 보여.

달의 공전 방향

달의 자전 방향

달

지구

2

여러 가지 기체

이 단원을
들어가기
전에

여러 가지 기체를 나타낸 그림입니다.
풍선으로 만든 자음자와 모음자를 이용하여
여러 가지 기체가 섞여 있는 혼합물인
'이것'이 무엇인지 알아맞혀 보세요.

정답과 해설은
5쪽에 있어!

공기는 여러 가지 기체가 섞인 혼합물!

🔥 **공기는 여러 가지 기체가 섞여 있는 혼합물이에요.** 공기는 대부분 질소와 산소로 이루어져 있으며, 공기에는 이 밖에도 이산화 탄소, 수소, 네온, 헬륨 등 여러 가지 기체가 섞여 있답니다. 공기를 이루는 여러 가지 기체가 우리 생활에서 다양하게 이용되는 경우를 살펴봐요.

산소

• 물질이 타는 것을 돕는 성질을 이용해 금속을 자르거나 붙일 때 이용됩니다.

• 숨을 쉴 때 필요한 성질을 이용해 잠수부나 소방관의 압축 공기통, 응급 환자나 우주 비행사의 호흡 장치에 이용됩니다.

• 운동 후 숨이 차거나 공기가 탁한 경우 사용하는 산소 캔 등으로 이용됩니다.

▲ 금속을 자르거나 붙일 때   ▲ 소방관의 압축 공기통   ▲ 산소 캔

이산화 탄소

• 물질이 타는 것을 막는 성질을 이용해 소화기에 이용됩니다.

• 톡 쏘는 맛을 내는 성질을 이용해 탄산음료를 만드는 데 이용됩니다.

• 위급할 때 순식간에 부풀어 오르는 자동 팽창식 구명조끼에 이용됩니다.

▲ 소화기   ▲ 탄산음료   ▲ 자동 팽창식 구명조끼

질소

- 식품의 내용물을 보존하거나 신선하게 보관 및 포장 하는 데 이용됩니다.
- 혈액, 세포 등을 보존할 때 이용됩니다.
- 비행기 타이어, 자동차 에어백을 채우는 데 이용됩니다.

▲ 질소 충전 포장   ▲ 비행기 타이어

수소

- 수소는 탈 때 물이 생성되고 오염 물질이 나오지 않는 청정 연료로, 수소 발전소에서 수소를 이용해 전기를 만듭니다.
- 수소 자동차, 수소 자전거 등에 이용됩니다.

▲ 수소 발전   ▲ 수소 자동차

네온

특유의 빛을 내는 조명 기구나 가게를 홍보하는 네온 광고에 이용됩니다.

▲ 조명 기구   ▲ 네온 광고

헬륨

- 비행선이나 풍선에 넣어 공중에 띄우는 용도로 이용됩니다.
- 목소리를 변조하거나 냉각제로 이용됩니다.

▲ 비행선   ▲ 헬륨 풍선

발생시켜 알아봐.
산소와 이산화 탄소의 성질!

기체 발생 장치를 이용하면 산소와 이산화 탄소를 발생시킬 수 있어요. [산소와 이산화 탄소
발생시키기] 탐구 활동을 통해 각각 발생시킨 산소와 이산화 탄소의 성질을 알아봐요.

산소와 이산화 탄소 발생시키기

탐구 돋보기

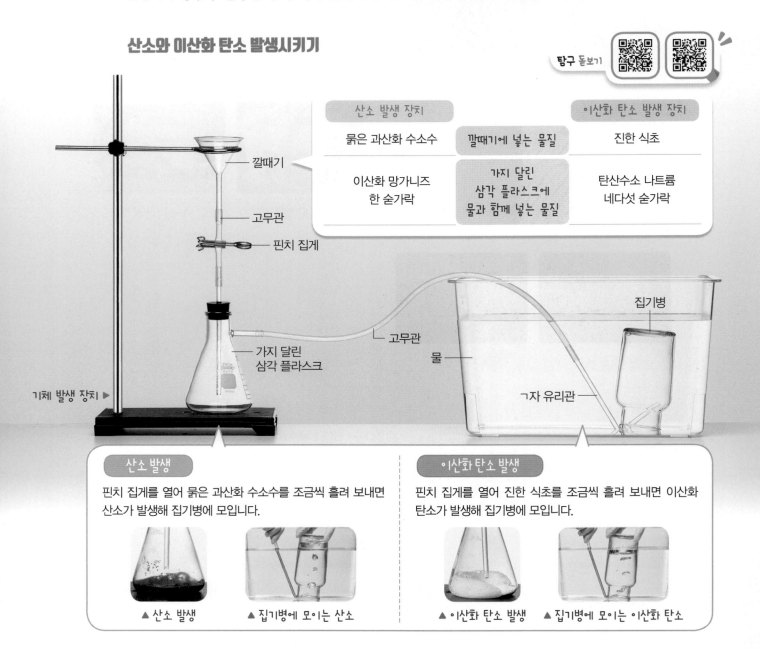

산소 발생 장치	깔때기에 넣는 물질	이산화 탄소 발생 장치
묽은 과산화 수소수		진한 식초
이산화 망가니즈 한 숟가락	가지 달린 삼각 플라스크에 물과 함께 넣는 물질	탄산수소 나트륨 네다섯 숟가락

깔때기

고무관

핀치 집게

가지 달린 삼각 플라스크

고무관

물

ㄱ자 유리관

집기병

기체 발생 장치 ▶

산소 발생

핀치 집게를 열어 묽은 과산화 수소수를 조금씩 흘려 보내면
산소가 발생해 집기병에 모입니다.

▲ 산소 발생   ▲ 집기병에 모이는 산소

이산화 탄소 발생

핀치 집게를 열어 진한 식초를 조금씩 흘려 보내면 이산화
탄소가 발생해 집기병에 모입니다.

▲ 이산화 탄소 발생   ▲ 집기병에 모이는 이산화 탄소

산소와 이산화 탄소의 성질 알아보기

산소의 성질

이산화 탄소의 성질

색깔 관찰

흰 종이

색깔이 없습니다.

색깔이 없습니다.

냄새 관찰

냄새가 없습니다.

냄새가 없습니다.

향불을 넣었을 때

향

향불의 불꽃이 커집니다.
➡ 다른 물질이 타는 것을 돕습니다.

향불이 꺼집니다.
➡ 물질이 타는 것을 막습니다.

금속과의 반응   **석회수와의 반응**

산소는 철, 구리 등의 금속을 녹슬게 합니다.

이산화 탄소가 든 집기병에 석회수를 조금 넣고 흔들면 투명하던 석회수가 뿌옇게 흐려집니다.

재미있는 개념 퀴즈!

1 다음은 공기를 이루는 여러 가지 기체가 우리 생활에서 다양하게 이용되는 모습입니다. 서로 다른 부분을 다섯 군데 찾아 아래 그림에 ○표 하고, 빈칸에 알맞은 말을 쓰세요.

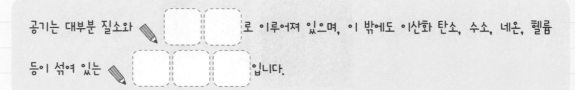

공기는 대부분 질소와 ✏️ [   ][   ] 로 이루어져 있으며, 이 밖에도 이산화 탄소, 수소, 네온, 헬륨

등이 섞여 있는 ✏️ [   ][   ][   ] 입니다.

2 도윤이는 다양한 해양 생물을 보기 위해 친구들과 수족관 앞에서 만나기로 했어요. 산소와 이산화 탄소에 대해 바르게 설명한 곳을 따라가 수족관에 도착해 보세요.

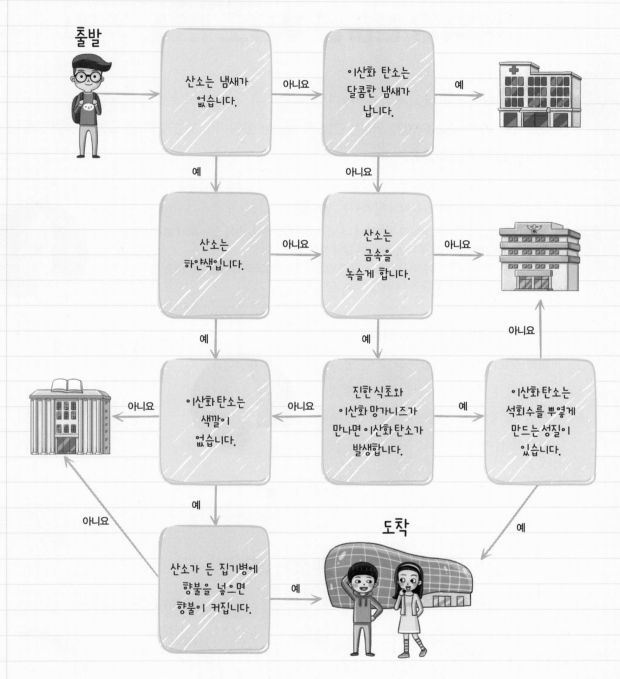

06

압력이 변하면 부피도 변해. 기체!

액체는 압력을 가해도 부피가 거의 변하지 않지만, 기체는 압력을 가한 정도에 따라 부피가 달라져요. 🔥 압력을 약하게 가하면 기체의 부피는 조금 작아지고, 압력을 세게 가하면 기체의 부피는 많이 작아집니다.

> **압력에 따라 기체의 부피가 달라지는 경우 예**
> • 비행기 안의 압력이 땅보다 하늘에서 더 낮기 때문에 비행기 안에 있는 과자 봉지가 땅에서보다 하늘을 나는 동안 더 많이 부풉니다.
> • 깊은 바닷속에서 잠수부가 내뿜는 공기 방울이 물 표면으로 올라갈수록 주위의 압력이 낮아지기 때문에 더 크게 부풉니다.

[압력 변화에 따른 기체와 액체의 부피 변화 관찰하기] 탐구 활동을 통해 공기와 물이 든 주사기의 피스톤에 압력을 가할 때 공기(기체)와 물(액체)의 부피 변화를 살펴봐요.

탐구 돋보기

압력 변화에 따른 기체와 액체의 부피 변화 관찰하기

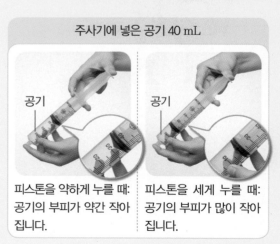

주사기에 넣은 공기 40 mL	
공기	공기
피스톤을 약하게 누를 때: 공기의 부피가 약간 작아집니다.	피스톤을 세게 누를 때: 공기의 부피가 많이 작아집니다.

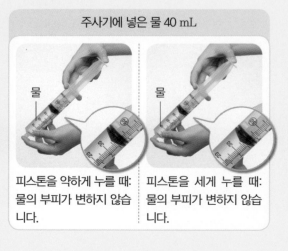

주사기에 넣은 물 40 mL	
물	물
피스톤을 약하게 누를 때: 물의 부피가 변하지 않습니다.	피스톤을 세게 누를 때: 물의 부피가 변하지 않습니다.

온도가 변하면 부피도 변해, 기체!

기체는 온도에 따라 부피가 달라져요. 🔥 온도가 높아지면 기체의 부피는 커지고, 온도가 낮아지면 기체의 부피는 작아집니다.

온도에 따라 기체의 부피가 달라지는 경우 예
- 물이 조금 담긴 페트병을 마개로 막아 냉장고에 넣고 시간이 지나면 페트병 안 기체의 온도가 낮아져서 부피가 작아지기 때문에 페트병이 찌그러집니다.
- 뜨거운 음식을 랩으로 포장하면 그릇 안 기체의 온도가 높아지면서 부피가 커지기 때문에 비닐 랩이 부풀어 오릅니다.

◀ 부풀어 오른 비닐 랩

냉장고 속에서 찌그러진 페트병 ▶

[온도 변화에 따른 기체의 부피 변화 관찰하기] 탐구 활동을 통해 입구에 고무풍선을 씌운 삼각 플라스크를 뜨거운 물과 얼음물에 넣었을 때 공기(기체)의 부피 변화를 살펴봐요.

탐구 돋보기

온도 변화에 따른 기체의 부피 변화 관찰하기

뜨거운 물이 든 비커에 넣기	입구에 고무풍선을 씌운 삼각 플라스크	얼음물이 든 비커에 넣기

뜨거운 물

고무 풍선

얼음물

삼각 플라스크 속 공기의 부피가 커져 고무풍선이 부풀어 오릅니다.

삼각 플라스크 속 공기의 부피가 작아져 고무풍선이 오그라듭니다.

재미있는 개념 퀴즈!

1 미로를 빠져나가면서 만나는 글자들을 차례대로 빈칸에 써서 문장을 완성하면 기체와 액체의 성질을 알 수 있어요. 빈칸에 들어갈 글자를 쓰세요.

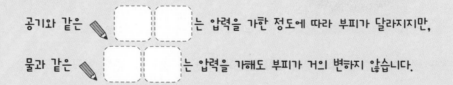

공기와 같은 ✏️ [ ][ ] 는 압력을 가한 정도에 따라 부피가 달라지지만,

물과 같은 ✏️ [ ][ ] 는 압력을 가해도 부피가 거의 변하지 않습니다.

2 마개를 닫은 빈 페트병이 바닷속 생물을 보러 가서 찍은 사진이에요. 깊은 곳에서 사진을 찍은 순서대로 번호를 쓰세요.

❶ 　　❷ 　　❸

✏️  [ ], [ ], [ ]

3 세 개의 불투명한 그릇 안에는 각각 얼음물, 20℃의 물, 50℃의 물이 들어 있어요. 직접 눈으로 보거나 손을 대지 않고 50℃의 물이 들어 있는 그릇을 찾는 방법을 바르게 말한 사람은 누구인지 쓰세요.

유리구슬을 넣었을 때 유리구슬이 가장 많이 떠오르는 그릇을 찾으면 돼.

은수

고무풍선을 씌운 삼각 플라스크를 넣었을 때 고무풍선이 가장 많이 부풀어 오르는 그릇을 찾으면 돼.

주원

나무 막대를 넣었을 때 색깔이 가장 진하게 변하는 그릇을 찾으면 돼.

예령

4 다음은 우리 주위에서 볼 수 있는 기체의 부피가 변하는 예입니다. 사다리를 타고 내려갔을 때 기체의 부피 변화에 영향을 준 조건이 바르게 연결된 것을 찾아 번호를 쓰세요.

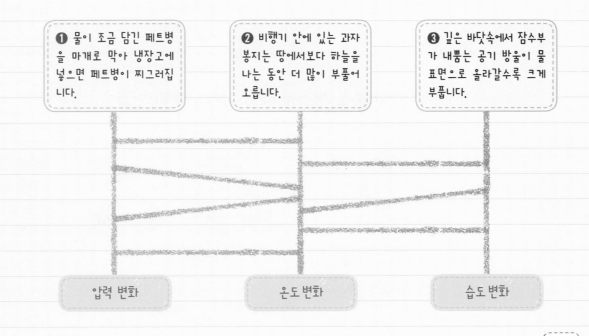

❶ 물이 조금 담긴 페트병을 마개로 막아 냉장고에 넣으면 페트병이 찌그러집니다.

❷ 비행기 안에 있는 과자 봉지는 땅에서보다 하늘을 나는 동안 더 많이 부풀어 오릅니다.

❸ 깊은 바닷속에서 잠수부가 내뿜는 공기 방울이 물 표면으로 올라갈수록 크게 부풉니다.

압력 변화   온도 변화   습도 변화

생각 그물!

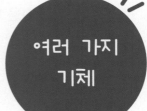

여러 가지 기체

공기

- 공기는 여러 가지 기체가 섞여 있는 <input>❶</input> 임.
- 공기는 대부분 질소와 산소로 이루어져 있고, 이 밖에도 이산화 탄소, 수소, 네온, 헬륨 등이 섞여 있음.
- 공기를 이루는 기체의 쓰임새

❷	이산화 탄소	❸
응급 환자의 호흡 장치, 소방관의 압축 공기통, 금속을 자르거나 붙일 때 이용 등	소화기, 자동 팽창식 구명조끼, 탄산음료의 재료, 드라이아이스 등	식품의 내용물 보존 및 보관, 비행기 타이어나 자동차 에어백 충전 등
수소	❹	헬륨
수소 발전을 통한 전기 생산, 수소 자동차 등	특유의 빛을 내는 조명 기구, 네온 광고 등	비행선이나 풍선을 띄우는 용도, 냉각제 등

압력과 온도 변화에 따른 기체의 부피 변화

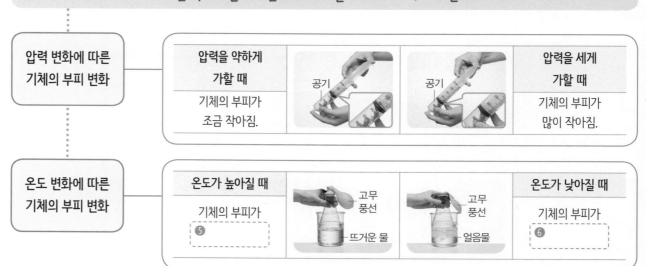

압력 변화에 따른 기체의 부피 변화	압력을 약하게 가할 때 기체의 부피가 조금 작아짐.	공기	공기	압력을 세게 가할 때 기체의 부피가 많이 작아짐.
온도 변화에 따른 기체의 부피 변화	온도가 높아질 때 기체의 부피가 ❺	고무 풍선 / 뜨거운 물	고무 풍선 / 얼음물	온도가 낮아질 때 기체의 부피가 ❻

산소의 발생 방법과 산소의 성질

산소의 발생 방법

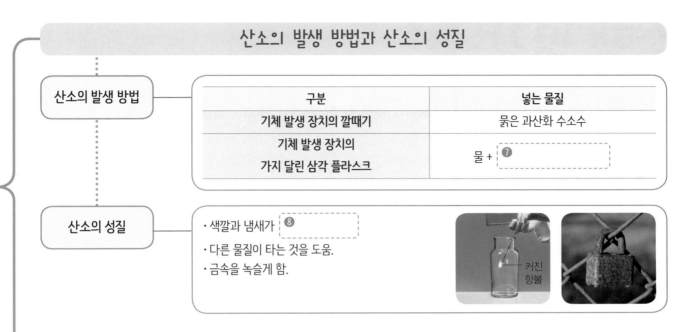

구분	넣는 물질
기체 발생 장치의 깔때기	묽은 과산화 수소수
기체 발생 장치의 가지 달린 삼각 플라스크	물 + ⑦

산소의 성질

· 색깔과 냄새가 ⑧

· 다른 물질이 타는 것을 도움.

· 금속을 녹슬게 함.

커진 향불

이산화 탄소의 발생 방법과 이산화 탄소의 성질

이산화 탄소의 발생 방법

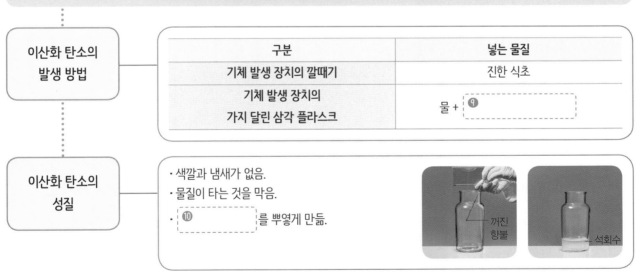

구분	넣는 물질
기체 발생 장치의 깔때기	진한 식초
기체 발생 장치의 가지 달린 삼각 플라스크	물 + ⑨

이산화 탄소의 성질

· 색깔과 냄새가 없음.

· 물질이 타는 것을 막음.

· ⑩ 를 뿌옇게 만듦.

꺼진 향불

석회수

개념 확인 체크! 체크!

☐ 공기를 이루는 기체의 종류와 쓰임새를 이야기할 수 있어요. • 28~29쪽

☐ 산소를 발생시키는 방법과 산소의 성질을 이야기할 수 있어요. • 30~31쪽

☐ 이산화 탄소를 발생시키는 방법과 이산화 탄소의 성질을 이야기할 수 있어요. • 30~31쪽

☐ 압력 변화에 따라 기체의 부피가 어떻게 달라지는지 이야기할 수 있어요. • 34쪽

☐ 온도 변화에 따라 기체의 부피가 어떻게 달라지는지 이야기할 수 있어요. • 35쪽

1~2 다음 기체 발생 장치를 이용하여 기체를 발생시키려고 합니다. 물음에 답하시오.

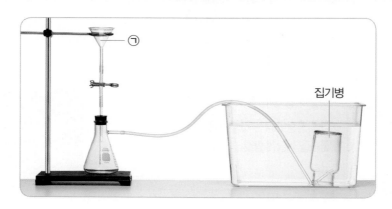

집기병

1 산소와 이산화 탄소를 발생시키기 위해 위 기체 발생 장치의 ㉠에 넣어야 할 물질의 이름을 각각 쓰시오.

(1) 산소를 발생시킬 때: (   )

(2) 이산화 탄소를 발생시킬 때: (   )

2 다음은 위 기체 발생 장치를 이용해 발생시킨 기체를 모은 집기병에 석회수를 넣고 흔들었을 때의 결과입니다. 집기병 안에 들어 있는 기체가 무엇인지 쓰고, 그렇게 생각한 까닭을 쓰시오.

석회수

(1) 기체: (   )

(2) 그렇게 생각한 까닭: _____

_____

3~4 오른쪽은 주사기 두 개에 각각 공기 40 mL, 물 40 mL를 넣고 주사기 입구를 손가락으로 막은 뒤, 피스톤을 세게 누른 모습입니다. 물음에 답하시오.

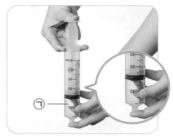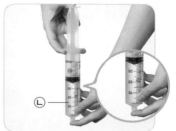

3 위 ㉠과 ㉡ 중 공기가 들어 있는 주사기를 골라 기호를 쓰시오.

(   )

4 위 실험 결과를 통해 기체와 액체에 압력을 가하면 부피가 어떻게 변하는지 쓰시오.

_____

_____

5 오른쪽과 같이 입구에 고무풍선을 씌운 삼각 플라스크를 뜨거운 물과 얼음물이 든 비커에 각각 넣고 고무풍선의 변화를 관찰하였습니다. 고무풍선이 부풀어 오르는 것을 골라 기호를 쓰고, 그렇게 생각한 까닭을 쓰시오.

(1) 고무풍선이 부풀어 오르는 것: (   )

(2) 그렇게 생각한 까닭: _____

_____

온도 변화에 따른 기체의 부피 변화, 샤를 법칙

탁구 경기를 하다가 실수로 탁구공을 밟아 찌그러진 적이 있나요? 탁구공은 얇은 플라스틱으로 만들어져 잘 찌그러지는데, 이때 찌그러진 탁구공을 쉽게 펼 수 있는 방법이 있어요.

탁구공을 뜨거운 물에 넣으면 돼요. 탁구공 안은 공기로 가득 차 있어서 뜨거운 물에 탁구공을 넣으면 탁구공 속 공기의 온도가 높아지고, 온도가 높아지면 탁구공 속 공기의 부피가 늘어나면서 찌그러진 탁구공이 펴진답니다.

중학교에서 배워!

샤를 법칙

압력이 일정할 때 일정량의 기체의 부피는 온도가 $1\,℃$ 높아질 때마다 $0\,℃$일 때의 부피의 $\frac{1}{273}$씩 증가해. 이것을 '샤를 법칙'이라고 해. 이때 기체 입자의 개수와 크기, 질량은 변하지 않아.

우리 주변에서 샤를 법칙과 관련된 현상을 찾아보면, 여름에 도로를 달리는 자동차의 타이어가 팽팽해지거나 열기구의 풍선 속 공기를 가열하면 열기구가 부풀면서 떠오르는 현상 등이 있어.

온도를 높임.
기체의 부피 증가

3

식물의 구조와 기능

이 단원을 들어가기 전에

식물의 구조와 기능을 나타낸 그림입니다.
텃밭에 숨은 그림을 찾아보세요.

- ☑ 종
- ☑ 칫솔
- ☑ 우산
- ☑ 옷걸이
- ☑ 부채
- ☑ 머그컵
- ☑ 아이스크림

정답과 해설은
8쪽에 있어!

식물을 이루는 기본 단위, 세포!

🔥 '세포'는 생물체를 이루는 기본 단위로, 모든 생물은 세포로 이루어져 있어요. 대부분의 세포는 크기가 매우 작아 맨눈으로 볼 수 없기 때문에 현미경을 사용해 관찰해야 한답니다. 광학 현미경으로 양파 표피 세포를 관찰해 봐요.

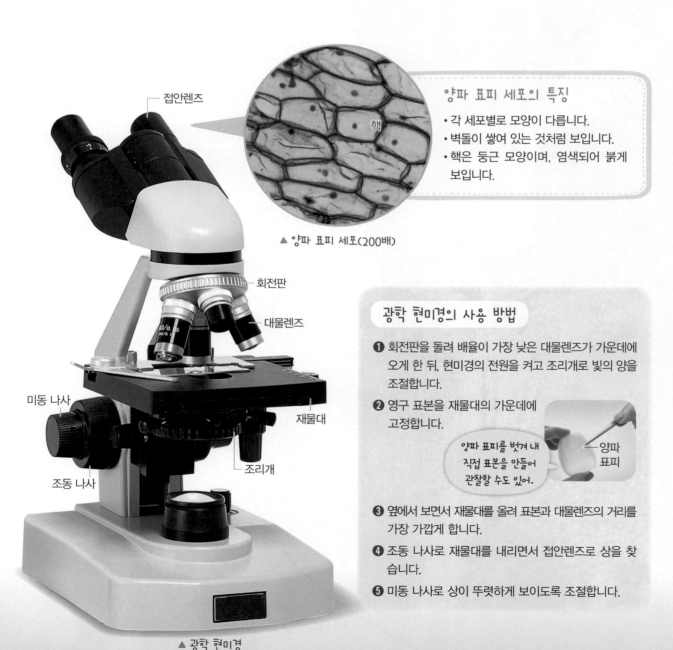

접안렌즈

핵

양파 표피 세포의 특징
• 각 세포별로 모양이 다릅니다.
• 벽돌이 쌓여 있는 것처럼 보입니다.
• 핵은 둥근 모양이며, 염색되어 붉게 보입니다.

▲ 양파 표피 세포(200배)

회전판
대물렌즈
미동 나사
재물대
조리개
조동 나사

광학 현미경의 사용 방법

❶ 회전판을 돌려 배율이 가장 낮은 대물렌즈가 가운데에 오게 한 뒤, 현미경의 전원을 켜고 조리개로 빛의 양을 조절합니다.
❷ 영구 표본을 재물대의 가운데에 고정합니다.

양파 표피를 벗겨 내 직접 표본을 만들어 관찰할 수도 있어. 양파 표피

❸ 옆에서 보면서 재물대를 올려 표본과 대물렌즈의 거리를 가장 가깝게 합니다.
❹ 조동 나사로 재물대를 내리면서 접안렌즈로 상을 찾습니다.
❺ 미동 나사로 상이 뚜렷하게 보이도록 조절합니다.

▲ 광학 현미경

46

🔥 세포는 크기와 모양이 다양하고 그에
따라 하는 일도 다릅니다.

▲ 잎의 뒷면 세포

▲ 꽃가루 세포

식물의 각 부분마다
세포의 생김새가
다르네.

동물도 식물과 마찬가지로 세포로 이루어져 있습니다. 식물 세포와 동물 세포의 구조를 비교해
볼게요.

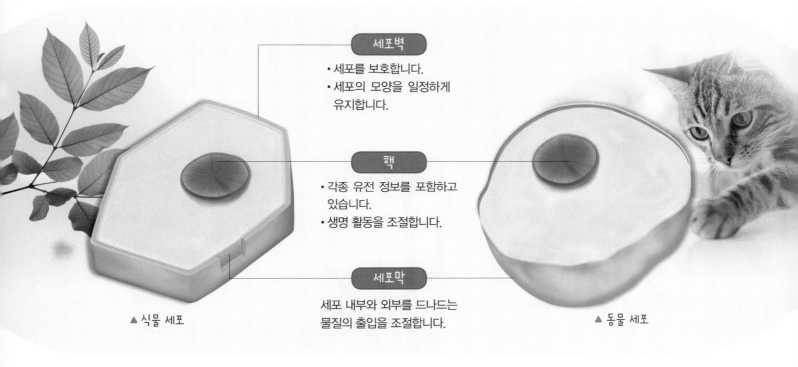

세포벽
• 세포를 보호합니다.
• 세포의 모양을 일정하게
유지합니다.

핵
• 각종 유전 정보를 포함하고
있습니다.
• 생명 활동을 조절합니다.

세포막
세포 내부와 외부를 드나드는
물질의 출입을 조절합니다.

▲ 식물 세포

▲ 동물 세포

🔥 식물 세포는 핵이 세포벽과 세포막으로 둘러싸여 있지만, 동물 세포는 핵이 세포막으로만
둘러싸여 있고 세포벽이 없어요.

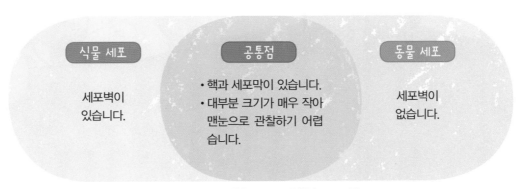

식물 세포
세포벽이
있습니다.

공통점
• 핵과 세포막이 있습니다.
• 대부분 크기가 매우 작아
맨눈으로 관찰하기 어렵
습니다.

동물 세포
세포벽이
없습니다.

▲ 식물 세포와 동물 세포의 공통점과 차이점

식물을 지지하고 물을 흡수해. 뿌리!

식물의 뿌리는 주로 땅속으로 자라기 때문에 눈으로 쉽게 관찰할 수 없지만, 🔥 뿌리는 땅속으로 뻗어 식물을 지지하고, 물을 흡수해요.

🔥 뿌리는 식물의 종류에 따라 생김새가 다양해요. 고추나 민들레처럼 굵고 곧은 뿌리에 가는 뿌리들이 난 것도 있고, 파나 강아지풀처럼 굵기가 비슷한 뿌리가 여러 가닥으로 수염처럼 난 것도 있어요. 뿌리에는 솜털처럼 가는 뿌리털이 나 있는데 뿌리털은 물과 닿는 뿌리의 면적을 넓혀 주어 물을 더 잘 흡수하도록 해 준답니다.

🔥 뿌리에 양분을 저장하는 식물도 있어요. 고구마, 당근, 무 등의 뿌리가 다른 식물에 비해 굵은 까닭이 바로 뿌리에 양분을 저장하고 있기 때문이에요.

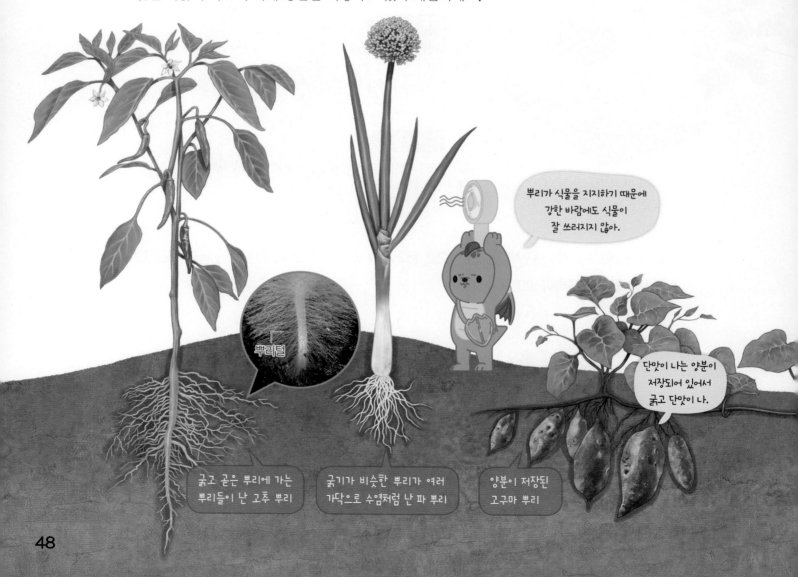

뿌리가 식물을 지지하기 때문에 강한 바람에도 식물이 잘 쓰러지지 않아.

단맛이 나는 양분이 저장되어 있어서 굵고 단맛이 나.

뿌리털

굵고 곧은 뿌리에 가는 뿌리들이 난 고추 뿌리

굵기가 비슷한 뿌리가 여러 가닥으로 수염처럼 난 파 뿌리

양분이 저장된 고구마 뿌리

물이 이동하는 통로, 줄기!

🔥 줄기는 뿌리에서 흡수한 물이 이동하는 통로 역할을 해요.
[줄기에서 물의 이동 알아보기] 탐구 활동에서 백합 줄기의 단면에 붉은 색소 물이 든 것으로 확인할 수 있어요.

탐구 돋보기

줄기에서 물의 이동 알아보기

붉은 색소 물에 4시간 동안 넣어 둔 백합 줄기

▲ 줄기의 가로 단면　　▲ 줄기의 세로 단면

➡ 줄기의 단면에서 붉은 색소 물이 든 부분은 물이 이동한 통로입니다.

🔥 줄기는 식물의 종류에 따라 생김새가 다양해요. 느티나무처럼 굵고 곧은 것도 있고, 나팔꽃처럼 가늘고 길어 다른 물체를 감거나 고구마처럼 땅 위를 기는 듯이 뻗는 것도 있어요.

🔥 줄기는 식물을 지지하고, 양분을 저장하기도 해요. 감자, 토란, 마늘 등이 줄기에 양분을 저장하는 식물이랍니다.

줄기의 겉은 꺼칠꺼칠하거나 매끈한 껍질로 싸여 있어서 해충이나 세균 등의 침입을 막고, 추위와 더위로부터 식물을 보호해.

◀ 다른 물체를 감는 나팔꽃 줄기

굵고 곧은 ▶ 느티나무 줄기

△ 땅 위를 기는 듯이 뻗는 고구마 줄기

양분이 저장된 ▷ 감자 줄기

재미있는 개념 퀴즈!

1 정글에서 길을 잃었어요. 세포에 대한 ○× 퀴즈를 풀어 위험한 정글을 빠져나가 보세요.

○× 퀴즈

❶ 모든 생물은 세포로 이루어져 있습니다.　　❷ 모든 세포는 하는 일이 같습니다.

❸ 세포는 크기와 모양이 다양합니다.　　❹ 동물 세포는 세포벽으로 둘러싸여 있습니다.

❺ 핵은 세포 내부와 외부를 드나드는 물질의 출입을 조절하는 역할을 합니다.

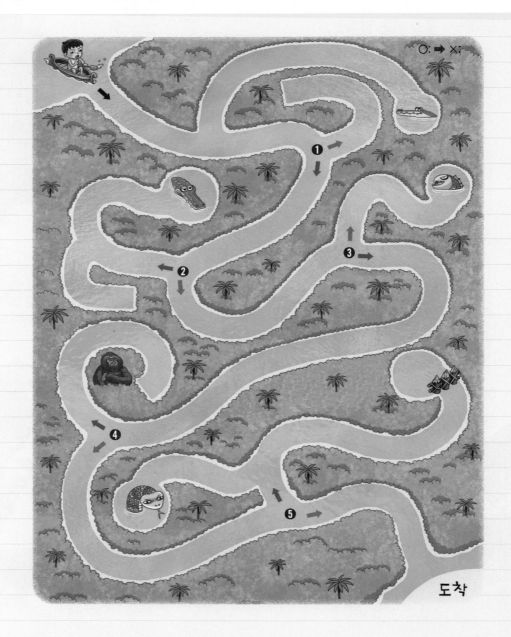

2 나리는 키우고 있는 반려동물의 먹이를 사러 채소 가게에 갔어요. 조건에 맞는 먹이를 사는 데 필요한 돈은 모두 얼마인지 쓰세요.

조건
• 뿌리에 양분을 저장하는 식물만 사야 합니다.
• 종류별로 하나씩만 사야 합니다.

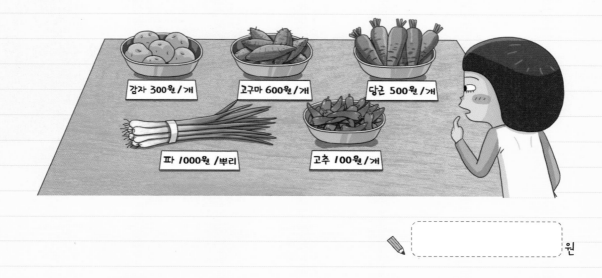

감자 300원/개   고구마 600원/개   당근 500원/개
파 1000원/뿌리   고추 100원/개

☐ 원

3 태윤이는 식물의 줄기에 대한 바른 설명이 적힌 징검돌만 밟아서 징검다리를 건너려고 합니다. 태윤이가 밟아야 하는 징검돌을 따라 선으로 연결하세요.

느티나무는 줄기가 가늘고 깁니다.
줄기는 땅속의 물을 흡수합니다.
도착
줄기는 식물을 지지합니다.
줄기는 물이 이동하는 통로 역할을 합니다.
줄기의 겉은 껍질로 싸여 있습니다.

광합성과 증산 작용을 해. 잎!

사람은 필요한 양분을 음식으로 얻지만, 식물은 빛을 이용해 스스로 필요한 양분을 만들어요. 🔥식물이 빛과 이산화 탄소, 뿌리에서 흡수한 물을 이용하여 스스로 양분을 만드는 것을 '광합성'이라고 하며, 광합성은 주로 잎에서 일어나요.

광합성 결과 잎에서 만들어진 양분은 줄기를 거쳐 뿌리, 줄기, 열매 등 필요한 부분으로 운반되어 사용되거나 저장됩니다.

빛

이산화 탄소 + 물
양분
녹말

> 잎 모양이 대부분 납작한 까닭은 양분을 만들 때 필요한 빛을 더 많이 받기 위해서야.

▲ 광합성과 양분의 이동

[잎에서 만든 양분 확인하기] 탐구 활동에서 광합성 결과 만들어진 양분이 녹말이라는 것을 알 수 있어요.

잎에서 만든 양분 확인하기

어둠 상자

❶ 고추 모종 두 개를 빛이 잘 드는 곳에 두고, 모종 한 개에만 어둠상자를 씌웁니다.

다음 날 오후

뜨거운 물   알코올   잎

❷ 큰 비커에 뜨거운 물을 담고, 알코올이 든 작은 비커에는 각 모종에서 딴 잎을 넣습니다.

유리판

❸ 작은 비커를 뜨거운 물이 들어 있는 큰 비커에 넣은 뒤 유리 판으로 덮습니다.

뿌리에서 흡수한 물은 줄기를 거쳐 잎에 도달하여 일부는 양분을 만드는 광합성에 이용돼요. 그리고 남은 물은 잎의 표면에 있는 작은 구멍인 기공을 통해 식물 밖으로 빠져나가는데, 이것을 '증산 작용'이라고 해요.

증산 작용은 뿌리에서 흡수한 물을 식물의 꼭대기까지 끌어 올릴 수 있도록 돕고, 식물의 온도를 조절하는 역할을 합니다.

증산 작용이 잘 일어나는 조건
- 햇빛이 강할 때
- 바람이 잘 불 때
- 온도가 높을 때
- 식물 안에 물이 많을 때
- 습도가 낮을 때

기공

▲ 기공 (1000배)

아이오딘-아이오딘화 칼륨 용액은 녹말과 만나면 청람색으로 변해. 성분이 녹말인 감자나 밥에 떨어뜨려도 청람색으로 변해.

탐구 돋보기

아이오딘-아이오딘화 칼륨 용액

❹ 잎을 꺼내 따뜻한 물로 헹군 뒤 아이오딘-아이오딘화 칼륨 용액을 떨어뜨립니다.

빛을 받지 못한 잎

색깔 변화가 없습니다.
➡ 녹말이 만들어지지 않았습니다.

빛을 받은 잎

청람색으로 변합니다.
➡ 녹말이 만들어졌습니다.

씨를 만들어, 꽃!

꽃은 식물의 종류에 따라 크기, 모양, 색깔 등의 생김새가 서로 다르지만, 사과꽃처럼 🔥 대부분의 꽃은 암술, 수술, 꽃잎, 꽃받침으로 이루어져 있어요.

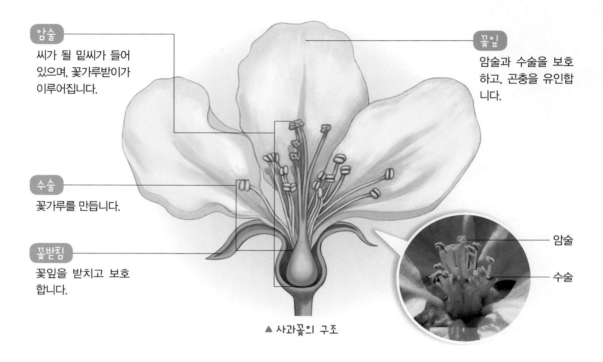

암술
씨가 될 밑씨가 들어 있으며, 꽃가루받이가 이루어집니다.

꽃잎
암술과 수술을 보호하고, 곤충을 유인합니다.

수술
꽃가루를 만듭니다.

꽃받침
꽃잎을 받치고 보호합니다.

암술

수술

▲ 사과꽃의 구조

수세미오이꽃과 같이 암술, 수술, 꽃잎, 꽃받침 중 일부가 없는 것도 있어요.

수술이 없어!

암술이 없어!

암술

암꽃

수꽃

수술

▲ 수세미오이꽃의 구조

🔥 꽃은 씨를 만드는 일을 해요. 꽃에서 씨를 만들려면 수술에서 만든 꽃가루를 암술로 옮겨야 하는데, 이것을 '꽃가루받이' 또는 '수분'이라고 합니다. 하지만 식물은 스스로 꽃가루받이를 하지 못 하므로 곤충, 새, 바람, 물 등의 도움을 받아야 해요.

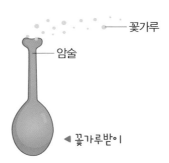

꽃가루

암술

◀ 꽃가루받이

다양한 꽃가루받이 방법

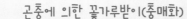

곤충에 의한 꽃가루받이(충매화)

예 코스모스, 매실나무, 사과나무, 연꽃 등

새에 의한 꽃가루받이(조매화)

꽃에 있는 꿀은 꽃가루받이를 돕는 동물을 불러들이는 역할을 해.

예 동백나무, 바나나 등

바람에 의한 꽃가루받이(풍매화)

예 벼, 소나무, 옥수수, 부들 등

물에 의한 꽃가루받이(수매화)

예 검정말, 물수세미, 나사말 등

씨를 멀리 퍼뜨려, 열매!

🔥 꽃가루받이가 이루어지고 나면 열매가 맺혀요. 열매의 생김새는 식물의 종류에 따라 다양하지만, 하는 일은 비슷해요. 사과 열매가 생겨 자라는 과정을 알아볼게요.

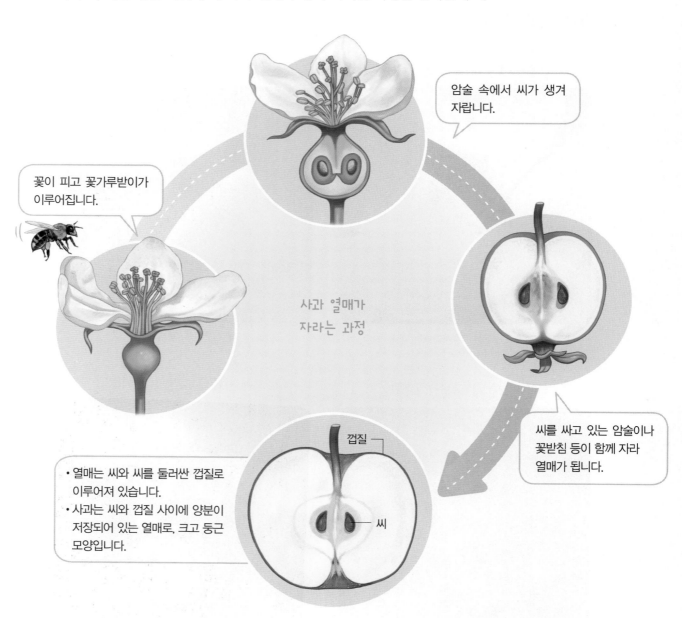

암술 속에서 씨가 생겨 자랍니다.

꽃이 피고 꽃가루받이가 이루어집니다.

사과 열매가 자라는 과정

씨를 싸고 있는 암술이나 꽃받침 등이 함께 자라 열매가 됩니다.

껍질

씨

• 열매는 씨와 씨를 둘러싼 껍질로 이루어져 있습니다.
• 사과는 씨와 껍질 사이에 양분이 저장되어 있는 열매로, 크고 둥근 모양입니다.

열매는 어린 씨를 보호하고, 씨가 익으면 멀리 퍼뜨리는 일을 하지요. 식물이 씨를 퍼뜨리는
방법은 열매의 종류에 따라 다르답니다.

식물이 씨를 퍼뜨리는 다양한 방법

동물이 열매를 땅에
저장한 뒤 찾지 못한 것이
싹이 트기도 해.

가벼운 솜털이 있어 바람에 날려서 퍼지는 씨
예 민들레, 박주가리, 버드나무 등

날개가 있어 빙글빙글 돌며 날아가 퍼지는 씨
예 단풍나무, 가죽나무 등

열매껍질이 터지며 튀어 나가 퍼지는 씨
예 봉숭아, 제비꽃, 괭이밥, 콩 등

동물에게 먹힌 뒤 똥으로 나와 퍼지는 씨
예 벚나무, 겨우살이, 찔레꽃, 참외 등

열매가 물에 떠서 퍼지는 씨
예 연꽃, 코코야자, 수련 등

동물의 털이나 사람의 옷에 붙어 퍼지는 씨
예 도깨비바늘, 가막사리, 도꼬마리, 우엉 등

갈고리가 있어
잘 붙어.

57

재미있는 개념 퀴즈!

1 각각의 잎에 아이오딘-아이오딘화 칼륨 용액을 뿌린 결과가 다음과 같을 때, 거짓말을 하고 있는 잎의 번호를 쓰세요.

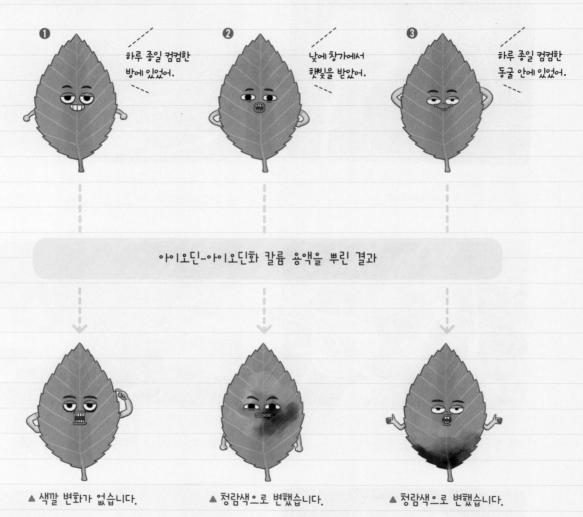

❶ 하루 종일 컴컴한 방에 있었어.

❷ 낮에 창가에서 햇빛을 받았어.

❸ 하루 종일 컴컴한 동굴 안에 있었어.

아이오딘-아이오딘화 칼륨 용액을 뿌린 결과

▲ 색깔 변화가 없습니다.

▲ 청람색으로 변했습니다.

▲ 청람색으로 변했습니다.

2 사다리를 타고 내려갔을 때, 꽃가루받이를 돕는 것이 바르게 연결된 식물은 무엇인지 쓰세요.

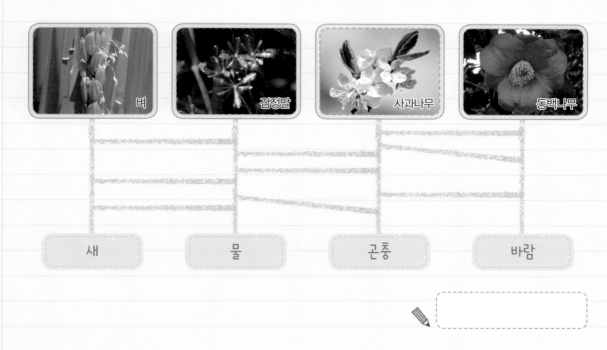

새   물   곤충   바람

3 미로를 빠져나가면서 만나는 글자들을 차례대로 빈칸에 써서 문장을 완성하면 열매가 하는 일을 알 수 있어요. 빈칸에 들어갈 글자를 쓰세요.

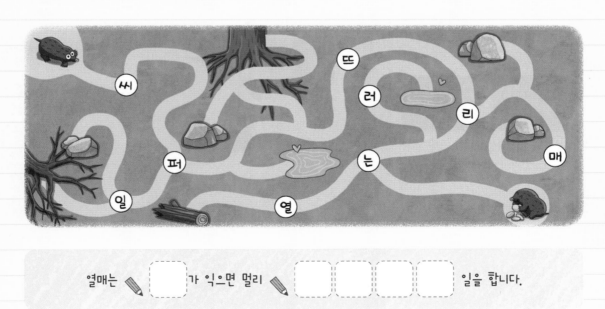

열매는 [   ]가 익으면 멀리 [ ][ ][ ][ ] 일을 합니다.

식물의 구조와 기능

뿌리

- 식물의 종류에 따라 생김새가 다양하며, 공통적으로 솜털처럼 가는 ❸ ....이 나 있음.
- 하는 일: 땅속으로 뻗어서 물을 ❹ ....하고, 식물을 지지하며, 양분을 저장하기도 함.

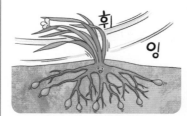

▲ 물을 흡수하고 식물을 지지하는 뿌리

▲ 양분을 저장하는 고구마, 당근 뿌리

줄기

- 식물의 종류에 따라 생김새가 다양하며, 공통적으로 겉이 꺼칠꺼칠하거나 매끈한 ❺ ....로 싸여 있어 식물을 보호함.
- 하는 일: 뿌리에서 흡수한 물이 이동하는 ❻ ....이고, 식물을 지지하며, 양분을 저장하기도 함.

붉은 색소 물에 4시간 동안 넣어 둔 백합 줄기 ▶

잎

빛
물 + 이산화 탄소
양분
녹말

- ❼ ....: 식물이 빛과 이산화 탄소, 물을 이용하여 스스로 양분(녹말)을 만드는 것으로, 주로 잎에서 일어남.
- ❽ ....: 잎에 도달한 물이 잎 표면에 있는 작은 구멍인 기공을 통해 식물 밖으로 빠져나가는 것
- 증산 작용은 뿌리에서 흡수한 물을 식물 꼭대기까지 끌어 올릴 수 있도록 돕고, 식물의 온도를 조절하는 역할을 함.

식물을 이루는 세포

- 모든 생물은 ❶ [_____]로 이루어져 있으며, 크기와 모양이 다양함.
- 식물 세포는 세포벽과 세포막으로 둘러싸여 있고, 그 안에 둥근 모양의 ❷ [_____]이 있음.

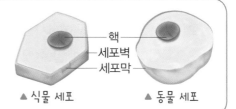

핵
세포벽
세포막

▲ 식물 세포   ▲ 동물 세포

꽃

꽃잎
암술
수술
꽃받침

- 대부분 암술, 수술, 꽃잎, 꽃받침으로 이루어져 있음.
- 하는 일: 꽃가루가 곤충, 새, 바람, 물 등의 도움으로 암술로 옮겨지는 ❾ [_____]를 거쳐 씨를 만듦.
- 꽃가루받이 방법

충매화

조매화

풍매화

수매화

열매

- 꽃가루받이가 이루어지고 나면 열매가 맺힘.
- 하는 일: 어린 ❿ [_____]를 보호하고, 씨가 익으면 씨를 멀리 퍼뜨림.
- 씨를 퍼뜨리는 방법

바람에 날려서 퍼지는 씨

날개가 돌며 날아가 퍼지는 씨

열매껍질이 터져 퍼지는 씨

동물에게 먹혀 퍼지는 씨

물에 떠서 퍼지는 씨

동물의 털에 붙어 퍼지는 씨

개념 확인 체크! 체크!

☐ 식물 세포의 구조와 특징을 이야기할 수 있어요. • 46~47쪽
☐ 뿌리와 줄기의 생김새와 하는 일을 이야기할 수 있어요. • 48~49쪽
☐ 잎이 하는 일을 이야기할 수 있어요. • 52~53쪽
☐ 꽃의 생김새와 하는 일을 이야기할 수 있어요. • 54~55쪽
☐ 열매가 하는 일을 이야기할 수 있어요. • 56~57쪽

1 오른쪽은 붉은 색소 물에 4시간 동안 넣어 둔 백합 줄기를 가로로 자른 단면 모습입니다. 이를 통해 알 수 있는 줄기가 하는 일을 쓰시오.

▲ 백합 줄기 가로 단면

_____

2~3 모종 두 개를 빛이 잘 드는 곳에 두고 한 개에만 어둠상자를 씌워 하루 동안 두었다가, 각 모종에서 딴 잎으로 다음 실험하였습니다. 물음에 답하시오.

❶ 알코올이 든 작은 비커에 각 모종에서 딴 잎을 넣습니다.

❷ 작은 비커를 뜨거운 물이 들어 있는 큰 비커에 넣고 유리판으로 덮습니다.

❸ 잎을 꺼내 따뜻한 물로 헹군 뒤 아이오딘-아이오딘화 칼륨 용액을 떨어뜨립니다.

2 위 실험 결과 빛을 받지 못한 잎과 빛을 받은 잎의 변화를 쓰시오.

빛을 받지 못한 잎은 _____, 빛을 받은 잎은 _____.

3 위 실험을 통해 알 수 있는 사실을 잎이 하는 일과 관련지어 쓰시오.

_____

_____

4~5 다음 사과꽃과 수세미오이 암꽃을 보고, 물음에 답하시오.

▲ 사과꽃

▲ 수세미오이 암꽃

4 위 사과꽃과 수세미오이 암꽃의 구조를 비교하여 차이점을 쓰시오.

_____

5 위 사과꽃의 꽃가루받이 방법을 쓰고, 사과꽃과 같은 방법으로 꽃가루받이가 이루어지는 식물의 예를 한 가지 쓰시오.

(1) 사과꽃의 꽃가루받이 방법: _____

(2) 다른 식물의 예: (   )

6 오른쪽 식물의 열매들이 공통적으로 하는 일을 두 가지 쓰시오.

• _____

• _____

▲ 단풍나무 열매

▲ 벚나무 열매

정답과 해설 10쪽

식물이 에너지를 얻는 방법, 호흡

형! 식물은 참 고마운 존재인 것 같아. 광합성을 통해 스스로 양분도 만들어 살아가면서 우리에게 식재료를 제공해 주잖아.

식물이 식재료만 제공해 주는 것은 아니야. 산소와 이산화 탄소를 내놓기도 해.

어? 식물이 광합성이나 증산 작용 말고 하는 다른 일이 있는거야?

중학교에서 배워!

응. 식물 세포에서 양분을 분해하여 생명 활동에 필요한 에너지를 얻는 과정을 **호흡**이라고 하는데, 광합성으로 만든 양분과 산소를 이용해서 에너지를 만들고, 이산화 탄소와 물을 내놓는 과정이야. 광합성은 엽록체가 있는 세포에서만 일어나지만, 호흡은 식물체를 구성하는 모든 살아 있는 세포에서 일어나. 그럼, 광합성과 호흡을 비교해 볼게.

광합성	구분	호흡
생성	양분	분해
저장	에너지	생성
낮(빛이 있을 때)	일어나는 시기	하루 종일
이산화 탄소 사용, 산소 발생	관련 기체	산소 사용, 이산화 탄소 발생

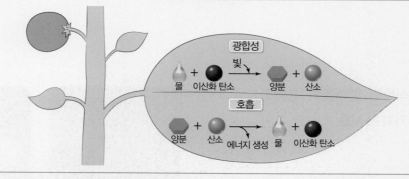

4 빛과 렌즈

이 단원을
들어가기 전에

빛과 렌즈를 나타낸 그림입니다.
마당에 숨은 과일을 찾아보세요.

- ☑ 바나나
- ☑ 수박
- ☑ 사과
- ☑ 체리
- ☑ 파인애플
- ☑ 딸기

정답과 해설은
11쪽에 있어!

14

여러 가지 빛깔. 프리즘을 통과한 햇빛!

프리즘은 유리나 플라스틱 등으로 만든 투명한 삼각기둥 모양의 기구로, 햇빛을 프리즘에 통과시키면 햇빛의 특징을 알 수 있습니다.

프리즘을 통과한 햇빛이 닿는 곳에 하얀색 도화지를 놓으면 햇빛이 하얀색 도화지에 여러 가지 빛깔로 나타나요. 이 모습을 통해 🔥 햇빛은 여러 가지 빛깔로 이루어져 있다는 것을 알 수 있어요.

◀ 프리즘

검은색 도화지

긴 구멍

손잡이가 있는 프리즘

하얀색 도화지

비가 내린 뒤 볼 수 있는 무지개와 유리의 비스듬하게 잘린 부분을 통과한 햇빛이 만든 무지개는 모두 우리 생활에서 햇빛이 여러 가지 빛깔로 나뉘어 보이는 경우랍니다. 사람들은 햇빛을 프리즘에 통과시켰을 때 나타나는 여러 가지 빛깔을 건물 내부 장식에 이용하기도 한답니다.

공기 중에 있는 물방울이 프리즘 구실을 하기 때문에 비가 내린 뒤 무지개가 생겨!

건물 천장의 프리즘을 통과한 ▶
햇빛이 나타내는 여러 가지 빛깔을
건물 내부 장식에 이용

경계에서 방향이 꺾여. 빛의 굴절!

빛은 공기 중에서 직진하지만, 빛이 공기 중에서 비스듬히 나아가다가 프리즘을 만나면 공기와 프리즘의 경계에서 나아가는 방향이 꺾여요. 뿐만 아니라 프리즘에서 공기 중으로 나아갈 때에도 프리즘과 공기의 경계에서 나아가는 방향이 꺾인답니다. 이렇게

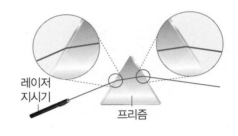

🔥 서로 다른 물질의 경계에서 빛이 꺾여 나아가는 현상을 '빛의 굴절'이라고 해요.

[공기와 물의 경계에서 빛이 나아가는 모습 관찰하기] 탐구 활동을 통해 빛이 공기 중에서 물로 비스듬히 나아갈 때뿐만 아니라 물에서 공기 중으로 비스듬히 나아갈 때에도 굴절하는 모습을 확인할 수 있어요. 또 빛은 공기와 유리, 공기와 기름 등과 같이 공기와 다른 물질이 만나는 경계에서도 굴절한답니다.

공기와 물의 경계에서 빛이 나아가는 모습 관찰하기

우유를 넣고 향을 피우면 빛이 나아가는 모습을 잘 관찰할 수 있어.

❶ 투명한 수조에 물을 반 정도 채우고, 우유를 네다섯 방울 떨어뜨린 다음 유리 막대로 젓습니다.

❷ 향을 피워 수면 근처에 가져간 뒤, 투명한 아크릴판으로 덮어 향 연기를 채웁니다.

❸ 레이저 지시기의 빛을 수조 위쪽에서 아래쪽으로 여러 각도로 비춥니다.

❹ 수조를 책상 바깥쪽으로 2~3 cm 뺀 다음 레이저 지시기의 빛을 수조 아래쪽에서 위쪽으로 여러 각도로 비춥니다.

빛이 굴절하는 까닭은 자동차가 나아가는 방향에 비유해서 설명할 수 있어요. 자동차가 포장 도로에서 일정한 속력으로 비스듬히 나아가다 잔디를 만나면 바퀴의 속력이 바뀌면서 나아가는 방향이 꺾이는 것처럼 🔥 **빛도 물질에 따라 나아가는 속력이 다르기 때문에 물질의 경계에서 굴절해요.**

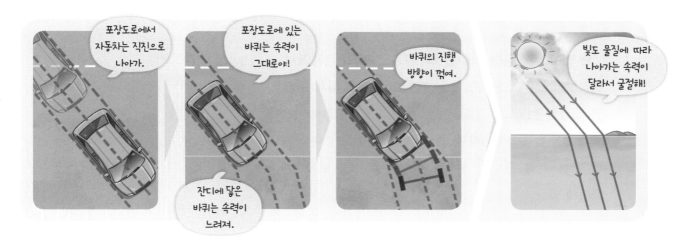

탐구 돋보기

빛이 공기 중에서 물로 나아가는 모습

빛이 물에서 공기 중으로 나아가는 모습

• 빛을 수면에 비스듬하게 비추면 빛이 공기와 물의 경계에서 꺾여 나아갑니다.
• 빛을 수면에 수직으로 비추면 빛이 공기와 물의 경계에서 꺾이지 않고 그대로 나아갑니다.

16

굴절한 빛 때문에 다르게 보여! 물속에 있는 물체.

🔥 빛이 비스듬히 나아갈 때 공기와 물의 경계에서 굴절하기 때문에 물속에 있는 물체의 모습이 실제 모습과 다르게 보입니다. [물을 부은 컵 속의 동전 관찰하기]와 [물을 부은 컵 속의 젓가락 관찰하기] 탐구 활동을 통해 물을 부은 컵 속의 물체가 실제와 어떻게 다르게 보이는지 확인해 봐요.

물에 잠긴 다리가 짧아 보입니다.

물을 부은 컵 속의 동전 관찰하기

❶ 높이가 낮고 불투명한 컵의 바닥에 동전을 넣습니다.
❷ 컵 속의 동전을 관찰하는 사람은 몸을 천천히 움직이면서 동전이 보이다가 보이지 않는 위치에서 멈추고 컵 속을 바라봅니다.
❸ 한 사람이 천천히 컵에 물을 부으면 다른 사람은 컵 속의 동전 모습을 관찰합니다.

물을 붓지 않았을 때

동전에서 반사된 빛이 눈으로 들어오지 않기 때문에 컵 속의 동전이 보이지 않습니다.

물을 부었을 때

동전에서 반사된 빛의 일부가 물속에서 공기 중으로 나올 때 물과 공기의 경계에서 굴절하여 눈으로 들어오기 때문에 동전이 보입니다.

🔥 빛이 물질의 경계에서 굴절하면 굴절한 빛을 보는 사람은 실제와 다른 위치에 있는 물체의 모습을 보게 됩니다. 물속에서 보이는 물고기를 한 번에 잡을 수 없는 까닭도 물고기에 닿아 반사된 빛이 물속에서 공기 중으로 나올 때 물과 공기의 경계에서 굴절하여 사람 눈으로 들어오기 때문이에요. 사람은 눈으로 들어온 빛의 연장선에 물고기가 있다고 생각하지만 물속에 있는 실제 물고기는 사람이 생각하는 위치보다 더 아래쪽에 있답니다.

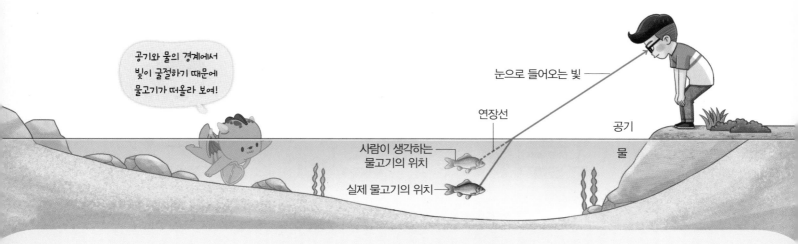

공기와 물의 경계에서 빛이 굴절하기 때문에 물고기가 떠올라 보여!

눈으로 들어오는 빛

연장선

공기

물

사람이 생각하는 물고기의 위치

실제 물고기의 위치

물을 부은 컵 속의 젓가락 관찰하기

❶ 높이가 높고 불투명한 컵에 젓가락을 넣습니다.
❷ 컵에 물을 붓지 않았을 때 컵 속에 넣은 젓가락 모습을 관찰합니다.
❸ 젓가락을 넣은 컵에 물을 붓고 컵 속의 젓가락 모습을 관찰합니다.

물을 붓지 않았을 때

젓가락

젓가락의 표면에서 반사되어 나오는 빛은 굴절없이 눈으로 들어오기 때문에 젓가락이 반듯하게 보입니다.

물을 부었을 때

물에 잠긴 젓가락의 표면에서 반사되어 나오는 빛의 일부가 물속에서 공기 중으로 나올 때 물과 공기의 경계에서 굴절하여 눈으로 들어오기 때문에 젓가락이 꺾여 보입니다.

재미있는 개념 퀴즈!

1 오른쪽과 같이 햇빛을 프리즘에 통과시켰을 때 하얀색 도화지에 나타난 모습을 바르게 그린 사람은 누구인지 쓰세요.

긴 구멍   검은색 도화지
프리즘
하얀색 도화지

도윤

지유

승우

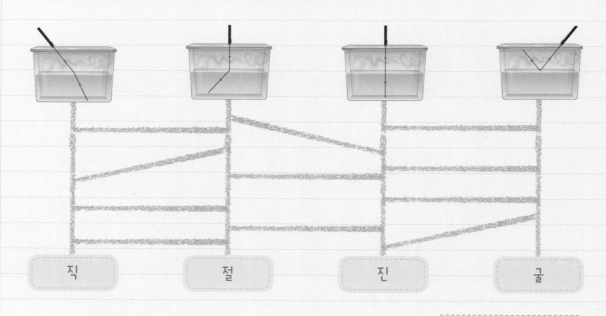

2 레이저 지시기의 빛이 공기와 물의 경계에서 나아가는 모습을 화살표로 바르게 나타낸 것을 고른 뒤, 사다리를 타고 내려가서 나오는 글자를 이용해 '빛이 비스듬히 나아갈 때 공기와 물의 경계에서 ○○합니다.'의 ○○에 알맞은 말을 쓰세요.

직   절   진   굴

3 미로를 빠져나가면서 만나는 글자들을 차례대로 빈칸에 쓰면 문장을 완성할 수 있어요. 빈칸에 들어갈 글자를 쓰세요.

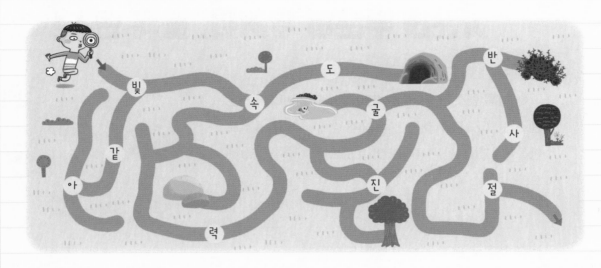

물질에 따라 ✏ ☐이 나아가는 ✏ ☐ ☐이 다르기 때문에 빛이 비스듬히 나아갈 때

물질의 경계에서 ✏ ☐ ☐ 합니다.

4 계곡에 놀러 간 친구들의 모습 중 빛이 굴절하기 때문에 나타나는 현상으로 바르지 <u>않은</u> 것을 골라 ○표 하세요.

가운데 부분이 두꺼워, 볼록 렌즈!

🔥 '볼록 렌즈'는 가운데 부분이 가장자리보다 두꺼운 렌즈입니다. 볼록 렌즈는 유리와 같이 투명한 물질로 만들어져 있어 빛을 통과시킬 수 있으며, 대부분 동그란 모양이에요.

▲ 볼록 렌즈의 단면

볼록 렌즈로 우리 주변의 물체 관찰하기

🔥 볼록 렌즈는 빛을 굴절시키기 때문에 볼록 렌즈로 물체를 보면 실제 모습과 다르게 보여요.

볼록 렌즈로 가까이 있는 물체를 볼 때	볼록 렌즈로 멀리 있는 물체를 볼 때
물체가 크게 보이기도 합니다.	물체의 상하좌우가 바뀌어 보이기도 합니다.

우리 주위에 있는 물체 중 가운데 부분이 가장자리보다 두껍고, 빛을 통과시킬 수 있는 물방울, 유리 막대, 물이 담긴 둥근 어항 등은 볼록 렌즈의 구실을 할 수 있어요. 이러한 물체로 다른 물체를 보면 볼록 렌즈처럼 실제 모습과 다르게 보인답니다.

▲ 물방울　　　　　▲ 유리 막대　　　　　▲ 물이 담긴 둥근 어항

볼록 렌즈를 통과한 빛 관찰하기

볼록 렌즈에 레이저 지시기의 빛을 비추어 보면, 🔥 곧게 나아가던 레이저 지시기의 빛이 볼록 렌즈의 가장자리를 통과하면 빛은 두꺼운 가운데 부분으로 꺾여 나아가고, 가운데 부분을 통과하면 빛은 꺾이지 않고 그대로 나아갑니다.

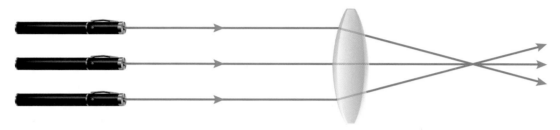

▲ 볼록 렌즈를 통과한 레이저 지시기의 빛이 나아가는 모습

레이저 지시기의 빛을 볼록 렌즈에 통과시키면 굴절되어 한곳에 모이는 것과 같이 공기 중으로 나아가던 🔥 햇빛을 볼록 렌즈에 통과시키면 햇빛은 굴절되어 한곳에 모여요. 볼록 렌즈로 햇빛을 모은 곳은 밝기가 밝고, 온도도 높아요. 하지만 평면 유리는 빛을 모을 수 없기 때문에 볼록 렌즈와 같은 결과를 얻을 수 없답니다.

탐구 돋보기

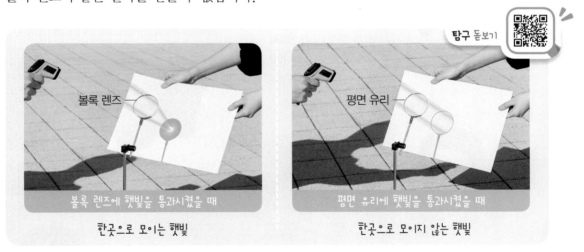

볼록 렌즈

평면 유리

볼록 렌즈에 햇빛을 통과시켰을 때

평면 유리에 햇빛을 통과시켰을 때

한곳으로 모이는 햇빛

한곳으로 모이지 않는 햇빛

볼록 렌즈를 이용해 햇빛을 모은 곳은 온도가 높기 때문에 볼록 렌즈로 종이를 태워 그림을 그릴 수도 있습니다.

하얀색 종이에 검은색 사인펜으로 그림을 그린 뒤, ▶
볼록 렌즈로 햇빛을 모아 검은색 부분을 태웁니다.

찾아라. 볼록 렌즈를 이용해 만든 기구!

우리 생활에서 볼록 렌즈를 이용해 만든 기구에는 돋보기, 확대경, 현미경, 망원경, 사진기 등이 있어요. 이처럼 🔥 빛을 굴절시키고 모을 수 있는 볼록 렌즈를 이용해 여러 가지 기구를 만들어 사용합니다.

[○: 볼록 렌즈가 이용된 부분]

돋보기
물체를 확대하여 볼 때 사용합니다.

확대경
작은 동물을 확대해서 관찰할 때 사용합니다.

사진기와 휴대 전화 사진기
▲ 사진기　　▲ 휴대 전화 사진기
빛을 모아 사진이나 영상을 촬영할 때 사용합니다.

볼록 렌즈를 이용하면 물체의 모습을 확대해서 볼 수 있기 때문에 🔥작은 물체나 멀리 있는 물체를 자세히 관찰할 수 있고, 섬세한 작업을 할 때 도움이 됩니다.

망원경

멀리 있는 물체를 확대하여 볼 때 사용합니다.

볼록 렌즈를 이용해 만든 안경으로 가까운 것이 보이지 않는 사람의 시력을 교정하기도 해.

현미경

접안렌즈

대물렌즈

작은 물체를 확대하여 관찰할 때 사용합니다.

간이 사진기

기름종이: 물체의 모습이 보이는 곳

볼록 렌즈

간이 사진기에 있는 볼록 렌즈가 빛을 굴절시켜 물체의 상하좌우가 바뀌어 보입니다.

탐구 돋보기

실제 모습

ㄱ → ㄴ

간이 사진기로 본 모습

재미있는 개념 퀴즈!

1 영재가 길찾기 놀이를 하고 있어요. 볼록 렌즈에 대한 ○✕ 퀴즈를 풀어 길을 찾아보세요.

> **○✕ 퀴즈**
>
> ❶ 볼록 렌즈는 가장자리가 가운데 부분보다 두꺼운 렌즈입니다.
>
> ❷ 볼록 렌즈로 물체를 보면 항상 물체의 좌우가 바뀌어 보입니다.
>
> ❸ 물방울과 유리 막대는 볼록 렌즈의 구실을 할 수 있습니다.
>
> ❹ 곧게 나아가던 빛이 볼록 렌즈의 가장자리를 통과하면 꺾여 나아갑니다.
>
> ❺ 볼록 렌즈는 햇빛을 모을 수 있습니다.
>
> ❻ 볼록 렌즈로 햇빛을 모은 곳의 온도는 주변보다 낮습니다.
>
> ❼ 볼록 렌즈로 햇빛을 모으면 종이를 태울 수 있습니다.

2 다음은 우리 생활에서 렌즈를 이용한 기구를 사용하는 모습입니다. 서로 다른 부분을 네 군데 찾아 아래 그림에 ○표 하고, 기구에 공통적으로 이용된 렌즈는 무엇인지 쓰세요.

현미경과 사진기는 모두  렌즈를 이용해 만든 기구입니다.

빛과 렌즈

햇빛의 특징

- [①_____] : 유리나 플라스틱 등으로 만든 투명한 삼각기둥 모양의 기구
- 햇빛을 프리즘에 통과시키면 여러 가지 빛깔로 나타남. ➡ 햇빛은 [②_____] 빛깔로 이루어져 있음.

검은색 도화지
긴 구멍
프리즘
하얀색 도화지

빛의 굴절

| 뜻 | 서로 다른 물질의 [③_____]에서 빛이 꺾여 나아가는 현상 |

| 공기와 물의 경계에서 빛이 나아가는 방향 |  빛이 비스듬히 나아 갈 때 공기와 물의 경계에서 꺾여 나아 감. |  빛이 수직으로 나아 갈 때 공기와 물의 경계에서 꺾이지 않 고 그대로 나아감. |

| 물속에 있는 물체가 보이는 모습 | 공기와 물의 경계에서 빛이 [④_____]하기 때문에 물속 에 있는 물체는 실제 모습과 다르게 보임. |  젓가락 ➡  물 |

볼록 렌즈

특징	· 모양: 가운데 부분이 가장자리보다 **⑤** [　　　] · 볼록 렌즈의 구실을 할 수 있는 물체: 물방울, 유리 막대, 물이 담긴 둥근 어항 등
볼록 렌즈로 물체를 본 모습	· 볼록 렌즈가 빛을 굴절시키기 때문에 볼록 렌즈로 물체를 보면 실제 모습과 **⑥** [　　　] 보임. · 볼록 렌즈로 물체를 보면 실제 물체보다 크게 보이기도 하고, 상하좌우가 바뀌어 보이기도 함.
볼록 렌즈를 통과한 빛	· 곧게 나아가던 빛이 볼록 렌즈의 **⑦** [　　　]을 통과하면 빛은 꺾이지 않고 그대로 나아감. · 곧게 나아가던 빛이 볼록 렌즈의 **⑧** [　　　]를 통과하면 빛은 두꺼운 가운데 부분으로 꺾여 나아감. · 볼록 렌즈는 햇빛을 굴절시켜 모을 수 있으며, 볼록 렌즈로 햇빛을 모은 곳은 밝기가 밝고, 온도가 **⑨** [　　　] 볼록 렌즈
볼록 렌즈를 이용한 기구	빛을 **⑩** [　　　] 시키고 모을 수 있는 볼록 렌즈를 이용해 여러 가지 기구를 만들어 사용함. [○: 볼록 렌즈가 이용된 부분] 기름종이 볼록 렌즈 ▲ 간이 사진기　　　▲ 망원경　　　▲ 사진기　　　▲ 현미경

개념 확인 체크! 체크!

☐ 프리즘을 통과시켜 알 수 있는 햇빛의 특징을 이야기할 수 있어요. · 68~69쪽

☐ 빛의 굴절에 대해 이야기할 수 있어요. · 70~71쪽

☐ 물속에 있는 물체가 실제 모습과 다르게 보이는 까닭을 이야기할 수 있어요. · 72~73쪽

☐ 볼록 렌즈의 특징과 성질을 이야기할 수 있어요. · 76~77쪽

☐ 우리 생활에 이용되는 볼록 렌즈의 쓰임새를 이야기할 수 있어요. · 78~79쪽

1~3 다음은 공기와 물의 경계에서 빛이 나아가는 모습을 관찰하는 실험입니다. 물음에 답하시오.

❶ 물을 반 정도 채운 투명한 사각 수조에 (㉠)을/를 네다섯 방울 넣고, 향 연기를 채웁니다.

❷ 레이저 지시기의 빛을 수조 위쪽에서 아래쪽으로 여러 각도로 비춥니다.

❸ 레이저 지시기의 빛을 수조 아래쪽에서 위쪽으로 여러 각도로 비춥니다.

1 위 실험에서 빛이 나아가는 모습을 잘 관찰하기 위해 수조의 물에 넣는 ㉠은 무엇인지 쓰시오.

(   )

2 위 실험 결과 빛이 나아가는 모습을 화살표를 이용하여 각각 그리시오.

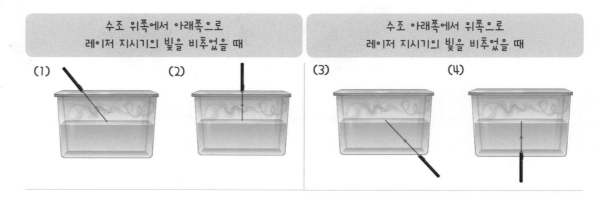

수조 위쪽에서 아래쪽으로 레이저 지시기의 빛을 비추었을 때

(1)   (2)

수조 아래쪽에서 위쪽으로 레이저 지시기의 빛을 비추었을 때

(3)   (4)

3 위 실험을 통해 알 수 있는 빛이 공기와 물의 경계에서 나아가는 모습을 쓰시오.

• 빛을 수면에 비스듬히 비추면 빛이 공기와 물의 경계에서 _____.

• 빛을 수면에 수직으로 비추면 빛이 공기와 물의 경계에서 _____.

⊙ 정답과 해설 13쪽

4~5 다음 볼록 렌즈와 평면 유리를 통과한 햇빛을 관찰하는 실험을 보고, 물음에 답하시오.

4 다음은 위 실험의 볼록 렌즈와 평면 유리에서 하얀색 도화지를 점점 멀리할 때, 하얀색 도화지에 햇빛이 만든 원의 크기를 그림으로 나타낸 것입니다. 볼록 렌즈를 사용한 실험의 결과를 골라 기호를 쓰시오.

⊙

ⓛ
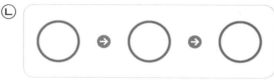

(   )

5 위 실험 결과와 관련지어 볼록 렌즈를 이용해 다음과 같이 종이를 태워 그림을 그릴 수 있는 까닭을 쓰시오.

_____

_____

할머니께서 쓰시는 안경으로 가까이 있는 책을 보았을 때에는 글씨가 크게 보였는데, 형이 쓰는 안경으로 가까이 있는 책을 보니까 글씨가 작게 보여.

 그건 할머니 안경과 내 안경을 만들 때 이용한 렌즈의 종류가 다르기 때문이야.

 할머니 안경은 돋보기니까 볼록 렌즈를 이용해 만들었을 테고, 그럼 형 안경은 어떤 렌즈로 만든 거야?

 내가 쓰는 안경은 오목 렌즈를 이용해 만든 거야.

 오목 렌즈? 그건 무슨 렌즈야?

중학교에서 배워!

 오목 렌즈는 렌즈의 가운데 부분이 가장자리보다 얇은 렌즈야. 그래서 오목 렌즈에 빛을 비추면 곧게 나아가던 빛이 굴절되어 퍼져. 이러한 오목 렌즈의 성질 때문에 오목 렌즈로 물체를 보면 실제와 다르게 보이지.

그럼 오목 렌즈로 우리 주변에 있는 물체를 관찰해 볼까?

▲ 렌즈와 물체가 가까울 때　　▲ 렌즈와 물체가 멀 때　　▲ 렌즈와 물체가 매우 멀 때

오목 렌즈로 물체를 보면 항상 실제 물체보다 작게 보이고 똑바로 보여. 또, 오목 렌즈와 물체 사이가 멀어질수록 물체가 점점 더 작게 보여.

5

전기의
이용

이 단원을 들어가기 전에

전기의 이용을 나타낸 그림입니다.
과학실에 숨은 자음자와 모음자를 찾아
안전하게 사용하지 않으면 감전의
위험이 있는 것은 무엇인지
알아맞혀 보세요.

정답과 해설은
14쪽에 있어!

전기 회로에서 흐르는 전기. 전류!

🔥 전지, 전선, 전구 등 전기 부품을 서로 연결해 전기가 흐르도록 한 것을 '전기 회로'라고 하며, 전기 회로에서 흐르는 전기를 '전류'라고 해요. 전류는 전지의 (+)극에서 (−)극으로 흐릅니다.

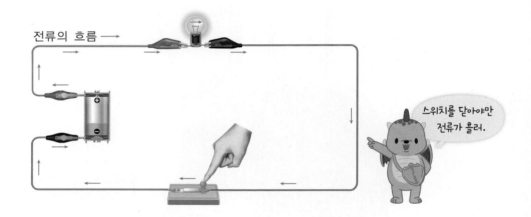

전지, 전선, 전구를 ❶, ❷와 같이 연결하면 전구에 불이 켜지지만, ❸, ❹와 같이 연결하면 전구에 불이 켜지지 않아요.

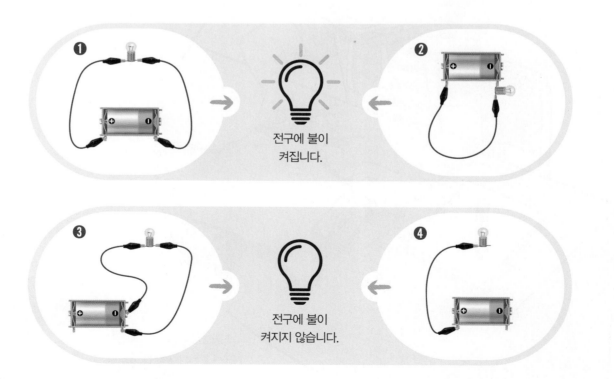

❶, ❷처럼 전구에 불이 켜지려면 🔥 전지, 전선, 전구가 끊기지 않게 연결되어 있고, 전구가 전지의 (+)극과 전지의 (−)극에 각각 연결되어 있어야 해요. 그리고 전기 부품의 도체 부분끼리 연결해야 해요.

여러 가지 전기 부품은 전류가 잘 흐르는 물질인 '도체'와 전류가 잘 흐르지 않는 물질인 '부도체'로 이루어져 있어요.

> 도체에는 철, 구리, 알루미늄, 흑연 등이 있고, 부도체에는 종이, 유리, 비닐, 나무 등이 있어.

여러 가지 전기 부품

[도체 부분: ○, 부도체 부분: ×]

전구
전구의 꼭지와 꼭지쇠로 전류가 흐르면 필라멘트에 빛이 납니다.

필라멘트 ○
○ 꼭지쇠
꼭지 ○

전구 끼우개
전기 회로를 만들 때 전구를 끼워 사용하면 전선을 쉽게 연결할 수 있습니다.

전지
전지의 (+)극과 (−)극을 연결하면 전기 회로에 전류가 흐릅니다.

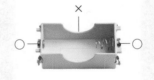

전지 끼우개
전기 회로를 만들 때 전지를 전선에 쉽게 연결할 수 있습니다.

집게 달린 전선
전류가 흐르는 통로로, 집게가 있어 전선을 전기 부품에 쉽게 연결할 수 있습니다.

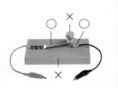

스위치
전기 회로에 전류를 흐르게 하거나 흐르지 않게 할 수 있습니다.

전구의 밝기가 달라, 직렬연결과 병렬연결!

전지의 직렬연결과 병렬연결

🔥 전기 회로에서 전지 두 개 이상을 서로 다른 극끼리 연결하는 방법을 '전지의 직렬연결'이라고 하고, 전지 두 개 이상을 서로 같은 극끼리 연결하는 방법을 '전지의 병렬연결'이라고 해요.

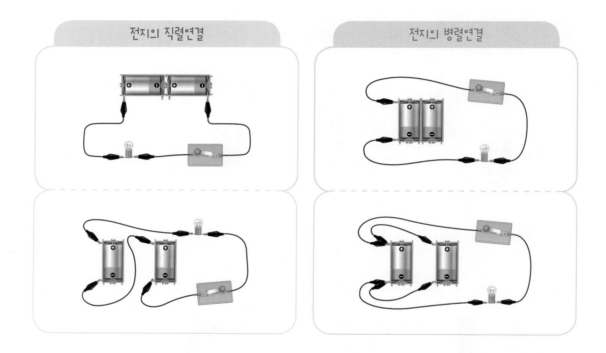

전지의 연결 방법에 따라 전구의 밝기는 달라져요. 🔥 전지를 직렬연결한 전기 회로의 전구가 전지를 병렬연결한 전기 회로의 전구보다 더 밝습니다.

전구의 직렬연결과 병렬연결

🔥전기 회로에서 전구 두 개 이상을 한 줄로 연결하는 방법을 '전구의 직렬연결'이라고 하고, 전구 두 개 이상을 여러 개의 줄에 나누어 한 개씩 연결하는 방법을 '전구의 병렬연결'이라고 해요.

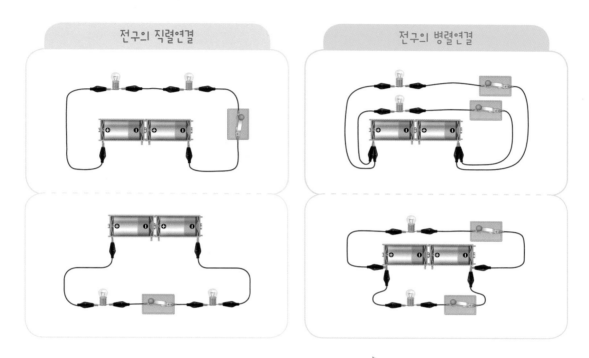

전구의 연결 방법에 따라서도 전구의 밝기가 달라져요. 🔥전구를 병렬연결한 전기 회로의 전구가 전구를 직렬연결한 전기 회로의 전구보다 더 밝습니다.

▲ 전구의 직렬연결   ▲ 전구의 병렬연결

전구의 연결 방법에 따른 또 다른 특징이 있어요.

전구를 직렬연결한 전기 회로에서는 전구 한 개의 불이 꺼지면 나머지 전구 불이 꺼지지만, 전구를 병렬연결한 전기 회로에서는 전구 한 개의 불이 꺼져도 나머지 전구 불이 꺼지지 않는답니다.

불이 켜진 전구
불이 꺼진 전구

불이 켜진 전구와 불이 꺼진 전구가 병렬연결된 장식용 나무 ▶

재미있는 개념 퀴즈!

1 다음 빈칸에 들어갈 글자 카드에 적힌 숫자를 순서대로 누르면 바닷속에 잠긴 보물 상자의 비밀번호를 알 수 있어요. 비밀번호를 쓰세요.

□□□□는 전기 부품을 서로 연결해 전기가 흐르도록 한 것입니다.

1 전	2 선	3 류
4 회	5 사	6 구
7 위	8 로	9 기

✏️ □□□□

2 동호가 안전하게 징검다리를 건너서 전구가 켜진 밝은 곳에 도착하려면 도체에 대한 바른 설명이 적힌 징검돌만 밟아야 해요. 동호가 밟아야 하는 징검돌을 따라 선으로 연결하세요.

전류가 잘 흐르지 않는 물질입니다.

종이, 나무, 유리는 도체입니다.

전구의 꼭지를 이루는 물질은 도체입니다.

철, 구리, 흑연은 도체입니다.

전류가 잘 흐르는 물질입니다.

도착

3 지아는 아이스크림 가게에서 친구와 만나기로 약속했어요. 전지와 전구의 연결 방법에 대한 설명이 맞으면 '예', 틀리면 '아니요'로 가서 아이스크림 가게에 도착해 보세요.

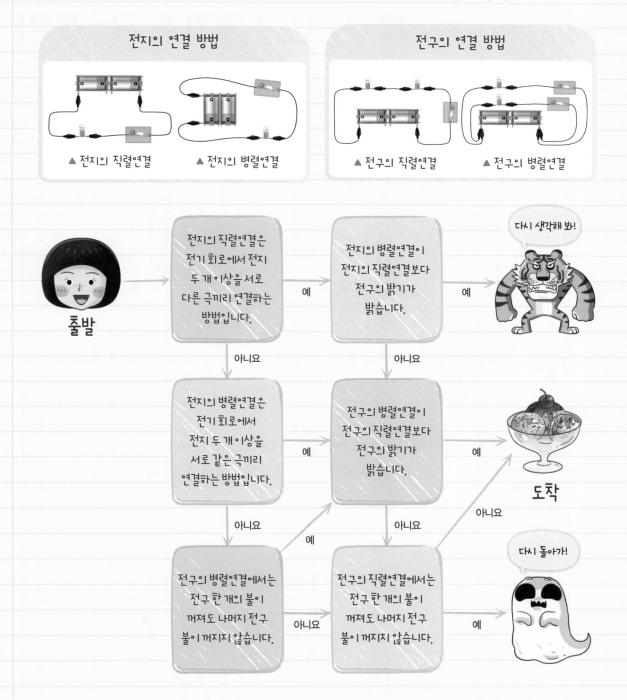

전지의 연결 방법

▲ 전지의 직렬연결   ▲ 전지의 병렬연결

전구의 연결 방법

▲ 전구의 직렬연결   ▲ 전구의 병렬연결

출발

전지의 직렬연결은 전기 회로에서 전지 두 개 이상을 서로 다른 극끼리 연결하는 방법입니다.

전지의 병렬연결이 전지의 직렬연결보다 전구의 밝기가 밝습니다.

다시 생각해 봐!

전지의 병렬연결은 전기 회로에서 전지 두 개 이상을 서로 같은 극끼리 연결하는 방법입니다.

전구의 병렬연결이 전구의 직렬연결보다 전구의 밝기가 밝습니다.

도착

전구의 병렬연결에서는 전구 한 개의 불이 꺼져도 나머지 전구 불이 꺼지지 않습니다.

전구의 직렬연결에서는 전구 한 개의 불이 꺼져도 나머지 전구 불이 꺼지지 않습니다.

다시 돌아가!

예 / 아니요

자석의 성질이 나타나, 전류가 흐르는 전선!

나침반 바늘은 자석이기 때문에 막대자석을 나침반에 가까이 가져가면 나침반 바늘이 움직여요.
또 나침반에 가까이 가져간 막대자석의 극에 따라 나침반 바늘이 움직이는 방향이 달라져요.

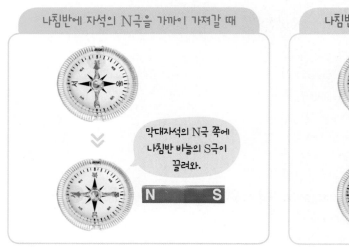

[전선 주위에서 나침반 바늘이 어떻게 움직이는지 관찰하기] 탐구 활동을 통해 전류가 흐르는 전선을
나침반에 가까이 가져가면 나침반 바늘이 막대자석을 가까이 가져갔을 때처럼 움직이는 것을
알 수 있어요.

전선 주위에서 나침반 바늘이 어떻게 움직이는지 관찰하기

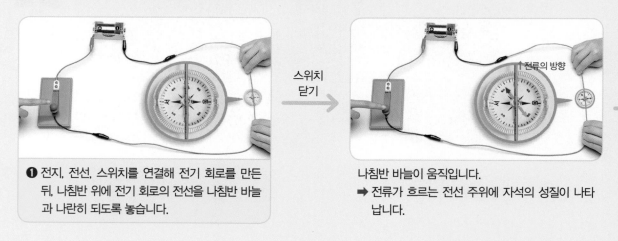

❶ 전지, 전선, 스위치를 연결해 전기 회로를 만든
뒤, 나침반 위에 전기 회로의 전선을 나침반 바늘
과 나란히 되도록 놓습니다.

나침반 바늘이 움직입니다.
➡ 전류가 흐르는 전선 주위에 자석의 성질이 나타
납니다.

전기 회로의 스위치를 닫으면 전류가 전지의 (+)극에서 (−)극으로 흘러요. 🔥전류가 흐르는 전선을 나침반 주위에 놓으면 전류가 흐르는 전선 주위에 자석의 성질이 나타나기 때문에 나침반 바늘이 움직입니다. 전지의 극을 반대로 연결하여 전류의 방향을 바꾸어 주면 막대자석의 다른 극을 나침반에 가까이 가져갔을 때처럼 나침반 바늘이 움직이는 방향도 바뀝니다.

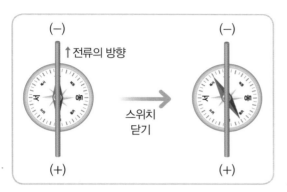

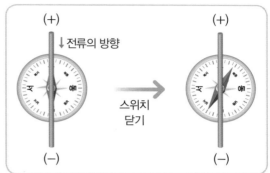

전류가 흐르는 전선 주위에서 나침반 바늘을 더 크게 움직이게 하려면 전선과 나침반의 거리를 가깝게 하여 나침반이 전류의 영향을 더 크게 받게 하거나, 직렬 연결한 전지의 개수를 늘려 전류의 세기가 더 세지게 하면 됩니다.

탐구 돋보기

❷ 전지의 극을 반대로 연결해 전기 회로를 만든 뒤, 나침반 위에 전기 회로의 전선을 나침반 바늘과 나란히 되도록 놓습니다.

스위치 닫기

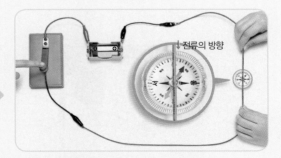

나침반 바늘이 움직이는 방향이 바뀝니다.
➡ 전류의 방향이 바뀌면 자석의 다른 극을 가져갈 때와 같은 자석의 성질이 나타납니다.

전류가 흐를 때만 자석, 전자석!

🔥 '전자석'은 전류가 흐르는 전선 주위에 자석의 성질이 나타나는 것을 이용해 만든 자석이에요. [전자석을 만들어 전자석의 성질 알아보기] 탐구 활동을 통해 전자석을 알아봐요.

탐구 돋보기

전자석을 만들어 전자석의 성질 알아보기

5cm ─ 에나멜선
둥근머리 볼트

❶ 종이테이프를 감은 둥근 머리 볼트에 에나멜선을 촘촘하게 감습니다.

사포

❷ 에나멜선의 양쪽 끝부분을 사포로 문질러 겉면을 벗겨 냅니다.

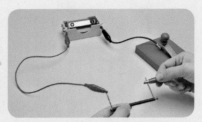

❸ 에나멜선의 양쪽 끝부분을 전기 회로에 연결해 전자석을 완성합니다.

전지의 개수를 다르게 연결해 전자석의 성질 알아보기

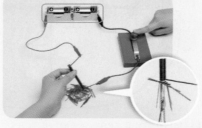

직렬연결된 전지의 개수가 많을수록 전자석의 세기가 세져 시침바늘이 많이 붙습니다.

전지의 연결 방향에 따른 전자석의 성질 알아보기

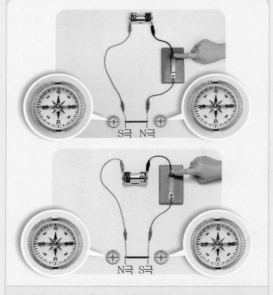

S극 N극

N극 S극

전지의 연결 방향이 바뀌면 전류의 방향이 바뀌어 전자석의 극이 바뀝니다.

전자석을 막대자석과 같은 영구 자석과 비교해 볼게요.

구분	전자석	영구 자석
자석의 성질	전류가 흐를 때에만 나타남.	전류가 흐르지 않아도 나타남.
자석의 세기	직렬연결된 전지의 개수를 다르게 하면 세기를 조절할 수 있음.	일정함.
자석의 극	전기 회로에서 전류의 방향이 바뀌면 극이 바뀜.	N극과 S극이 일정함.

전자석의 이용

🔥 전자석은 전자석 기중기, 자기 부상 열차, 스피커, 선풍기 등 우리 생활에 많이 이용합니다.

전자석 기중기

전자석 기중기를 사용하면 무거운 철제품을 전자석에 붙여 다른 장소로 쉽게 옮길 수 있습니다.

자기 부상 열차

전류가 흐를 때 열차와 철로가 서로 밀어 내어 열차가 철로 위에 떠서 빠르게 이동할 수 있습니다.

스피커

전자석과 영구 자석이 밀고 당기면서 얇은 판을 떨리게 해 소리를 발생시킵니다.

선풍기

전자석을 이용한 전동기에 날개를 부착해 전동기를 회전시켜 바람을 일으킵니다.

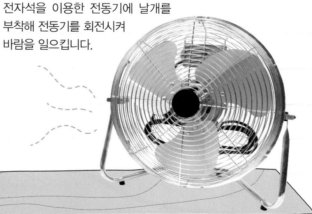

안전하게 사용하고 절약해. 전기!

전기를 안전하게 사용하지 않으면 감전되거나 화재가 일어날 수 있어요. 또 전기를 낭비하면 지구 자원을 낭비하게 된답니다.

전기를 위험하게 사용하고 낭비하는 모습

전기를 위험하게 사용하는 모습

전기를 낭비하는 모습

문을 열어 놓고 냉방 기구를 틀어 놓습니다.

플러그의 머리 부분을 잡지 않고 플러그를 뽑습니다.

전선이 어지럽게 꼬여 있고, 콘센트 한 개에 플러그 여러 개를 꽂아 놓습니다.

전선을 길게 늘어트려 전선에 걸려 넘어집니다.

🔥 우리는 전기 제품의 사용 방법을 알고 전기 안전 수칙에 따라 전기를 사용하고 절약해야 해요.

전기를 안전하게 사용하는 방법
- 물 묻은 손으로 전기 제품을 만지지 않기
- 플러그를 뽑을 때에는 전선을 잡아당기지 않기
- 사용하지 않는 전기 제품은 플러그를 뽑아 놓기
- 콘센트 한 개에 플러그 여러 개를 한꺼번에 꽂아서 사용하지 않기

전기를 절약하는 방법
- 냉방 기구를 틀 때에는 문을 닫기
- 사용하지 않는 전등이나 전기 제품을 끄기
- 컴퓨터나 텔레비전 등을 사용하는 시간 줄이기
- 사람의 움직임을 감지하는 감지 등이나 발광 다이오드[LED]등 사용하기

재미있는 개념 퀴즈!

1 전류가 흐르는 전선을 나침반 주위에 놓았을 때 나침반 바늘의 움직임을 바르게 말한 사람만 선물을 받을 수 있어요. 사다리를 타고 내려가 선물을 받은 사람은 누구인지 쓰세요.

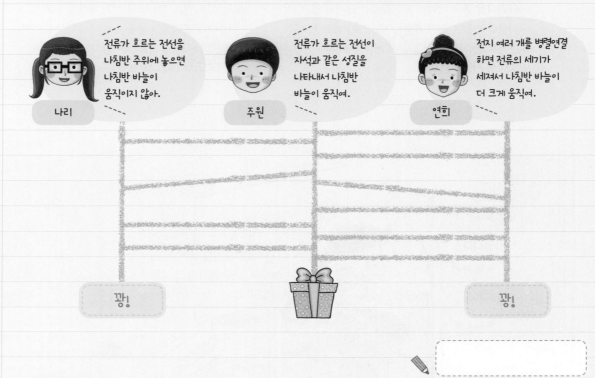

2 글자판에서 글자를 가로나 세로로 연결하여 로봇이 설명하는 도구를 찾아 ○표 하세요.

3 다음은 전기 제품을 사용하는 모습입니다. 각 상황에서 전기를 안전하게 사용하거나 절약하고 있는 모습을 골라 ○표 하고, 고른 모습에 있는 수를 한 번씩만 사용하여 가장 큰 수를 만드세요.

전기의 이용

전기 회로

전기 회로와 전류

- ❶ [ ] : 전지, 전선, 전구 등의 전기 부품을 서로 연결해 전기가 흐르도록 한 것
- ❷ [ ] : 전기 회로에서 흐르는 전기로, 전지의 (+)극에서 (−)극으로 흐름.
- 전기 부품은 전류가 잘 흐르는 물질인 ❸ [ ] 부분과 전류가 잘 흐르지 않는
  물질인 ❹ [ ] 부분으로 이루어짐.

전구에 불이 켜지는 조건

- 전지, 전선, 전구가 끊기지 않게 연결되어 있어야 함.
- 전구를 전지의 (+)극과 (−)극에 각각 연결해야 함.
- 전기 부품의 ❺ [ ] 부분끼리 연결한 전기 회로여야 함.

전지와 전구의 직렬연결과 병렬연결

전지의 연결 방법에 따른 전구의 밝기

전지 두 개를 ❻ [ ] 연결한 것이 전구의 밝기가 더 밝음.

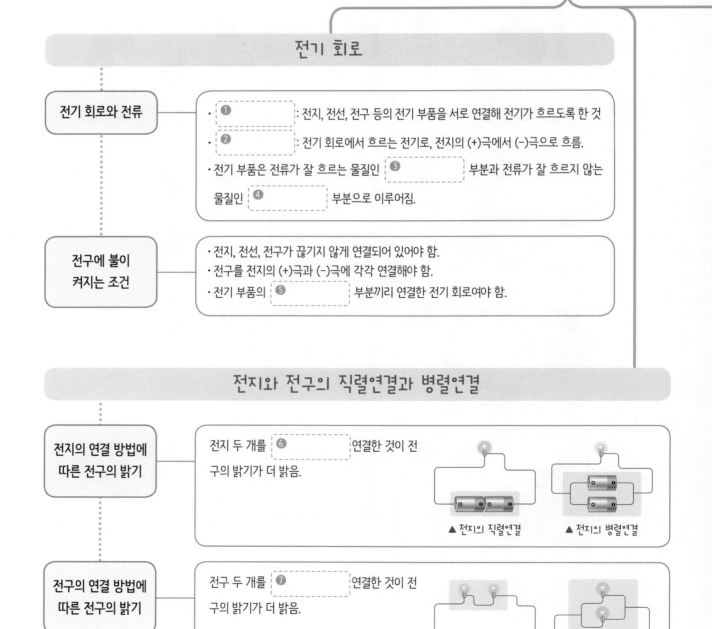

▲ 전지의 직렬연결   ▲ 전지의 병렬연결

전구의 연결 방법에 따른 전구의 밝기

전구 두 개를 ❼ [ ] 연결한 것이 전구의 밝기가 더 밝음.

▲ 전구의 직렬연결   ▲ 전구의 병렬연결

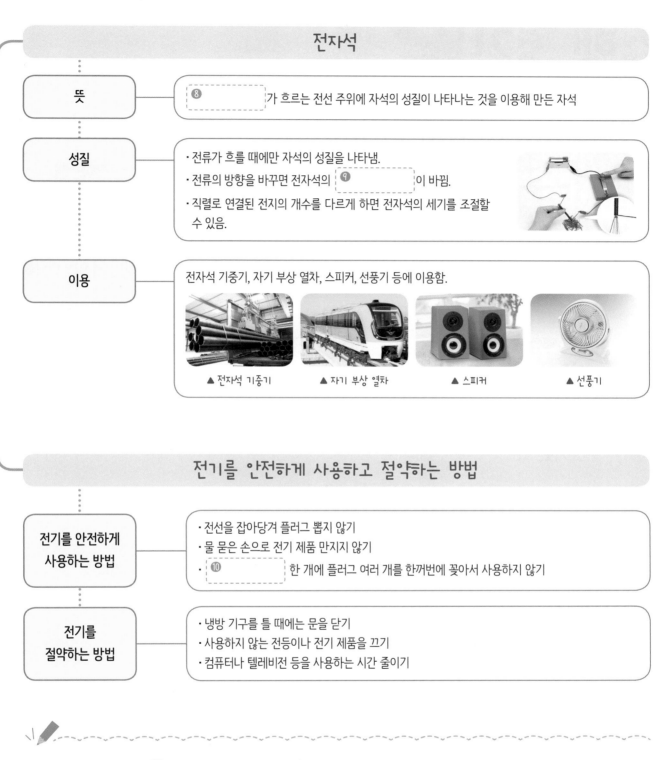

전자석

| 뜻 | ⑧ [   ]가 흐르는 전선 주위에 자석의 성질이 나타나는 것을 이용해 만든 자석 |

성질
- 전류가 흐를 때에만 자석의 성질을 나타냄.
- 전류의 방향을 바꾸면 전자석의 ⑨ [   ]이 바뀜.
- 직렬로 연결된 전지의 개수를 다르게 하면 전자석의 세기를 조절할 수 있음.

이용
전자석 기중기, 자기 부상 열차, 스피커, 선풍기 등에 이용함.

▲ 전자석 기중기　　▲ 자기 부상 열차　　▲ 스피커　　▲ 선풍기

전기를 안전하게 사용하고 절약하는 방법

전기를 안전하게 사용하는 방법
- 전선을 잡아당겨 플러그 뽑지 않기
- 물 묻은 손으로 전기 제품 만지지 않기
- ⑩ [   ] 한 개에 플러그 여러 개를 한꺼번에 꽂아서 사용하지 않기

전기를 절약하는 방법
- 냉방 기구를 틀 때에는 문을 닫기
- 사용하지 않는 전등이나 전기 제품을 끄기
- 컴퓨터나 텔레비전 등을 사용하는 시간 줄이기

개념 확인 체크! 체크!

1~3 다음 전기 회로를 보고, 물음에 답하시오.

1 위 전기 회로의 스위치를 닫으면 ㉠~㉣ 전구 모두 불이 켜집니다. 전구에 불이 켜지는 까닭을 쓰시오.

_____

_____

2 위 전기 회로의 스위치를 닫았을 때 전구의 밝기가 비슷한 것끼리 분류하여 빈칸에 기호를 써넣으시오.

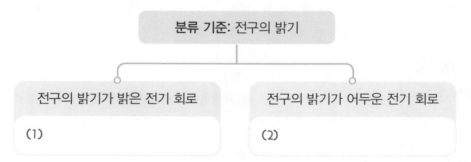

3 위 전기 회로의 스위치를 닫았을 때 전구의 밝기가 비슷한 전기 회로의 전지 두 개는 어떻게 연결되어 있는지 각각 쓰시오.

(1) 전구의 밝기가 밝은 전기 회로: _____

_____

(2) 전구의 밝기가 어두운 전기 회로: _____

_____

4~6 오른쪽과 같이 둥근머리 볼트에 에나멜선을 감아 전자석을 만들었습니다. 물음에 답하시오.

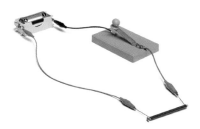

4 위 전자석과 우리가 주로 사용하는 막대자석에서 자석의 성질이 나타나는 때를 비교하여 쓰시오.

전자석은 자석의 성질이 _____ 나타나지만,

막대자석은 자석의 성질이 _____ 나타납니다.

5 위 전자석에 연결한 전지의 개수를 다르게 한 뒤 스위치를 닫았을 때, 전자석에 붙는 시침바늘의 개수를 비교하여 ○ 안에 >, =, <를 써넣으시오.

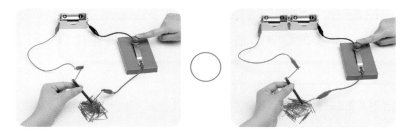

6 위 전자석에 연결한 전지의 극을 반대로 한 뒤 스위치를 닫았을 때, 전자석 양 끝에 놓은 나침반의 바늘이 가리키는 방향이 어떻게 변하는지 그 까닭과 함께 쓰시오.

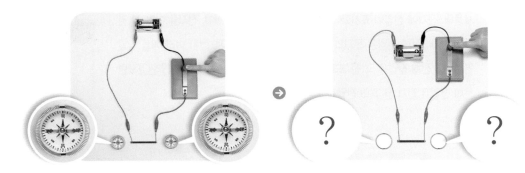

_____

_____

전류를 흐르게 하는 능력, 전압

형! 내가 오늘 과학 시간에 배운 내용을 퀴즈로 낼게.

스위치를 닫았을 때 전구의 밝기가 더 밝은 것은 뭘까요?

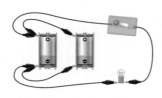

정답은 전지를 직렬연결한 첫 번째 전기 회로야.

맞아. 역시 우리 형! 그런데 왜 전지를 직렬연결했을 때 전구가 더 밝아?

그건 전기 회로의 전압이 다르기 때문이야.

전압? 그게 뭔데?

중학교에서 배워!

전압은 전기 회로에서 전류를 흐르게 하는 능력을 말하는데, 단위는 V(볼트)를 사용해. 전지에 전압이 표시되어 있는 것을 본 적이 있을 거야. 전지를 여러 개 연결했을 때, 전체 전압은 전지의 연결 방법에 따라 달라져. 전지 여러 개를 직렬연결하면 전체 전압은 각 전지의 전압의 합과 같고, 전지 여러 개를 병렬연결하면 전체 전압은 전지 한 개의 전압과 같아.

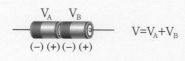

$$V = V_A + V_B$$

▲ 전지 두 개를 직렬연결한 전기 회로의 전체 전압

$$V = V_A = V_B$$

▲ 전지 두 개를 병렬연결한 전기 회로의 전체 전압

6 계절의 변화

이 단원을
들어가기
전에

계절의 변화를 나타낸 그림입니다.
집안에 숨은 그림은 몇 개인지
알아맞혀 보세요.

정답과 해설은
17쪽에 있어!

하루 동안 태양 고도의 영향을 받아! 그림자 길이와 기온.

하루 동안 태양의 높이는 계속 달라져요. 🔥 태양의 높이는 태양이 지표면과 이루는 각인 '태양 고도'로 정확하게 나타낼 수 있어요.

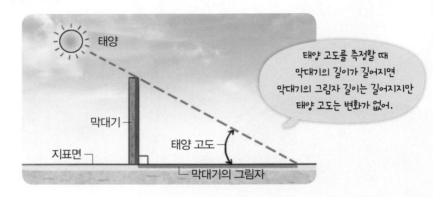

태양 고도를 측정할 때 막대기의 길이가 길어지면 막대기의 그림자 길이는 길어지지만 태양 고도는 변화가 없어.

태양 고도에 따라 그림자 길이도 달라져요. 🔥 태양 고도가 높아지면 그림자 길이가 짧아지고, 태양 고도가 낮아지면 그림자 길이가 길어져요. 태양이 정남쪽에 위치했을 때의 고도를 '태양의 남중 고도'라고 해요. 태양이 남중했을 때가 하루 중 태양 고도가 가장 높고, 그림자 길이가 가장 짧답니다.

태양 고도가 높을 때 짧아진 그림자 길이

태양이 남중할 때(낮 12시 30분 무렵)

태양 고도가 낮을 때 길어진 그림자 길이

동   남   서

태양 고도에 따라 기온도 달라져요. 🔥태양 고도가 높아질수록 지표면은 더 많이 데워지는데, 지표면이 데워져 공기의 온도가 높아지는 데에는 시간이 더 걸려요. 그래서 하루 동안 기온이 가장 높게 나타나는 시각은 태양이 남중한 시각보다 약 두 시간 정도 뒤랍니다.

하루 동안 일정한 시간 간격으로 측정한 태양 고도와 그림자 길이, 기온을 꺾은선그래프로 나타내면 태양 고도와 그림자 길이, 기온의 관계를 한눈에 확인할 수 있어요.

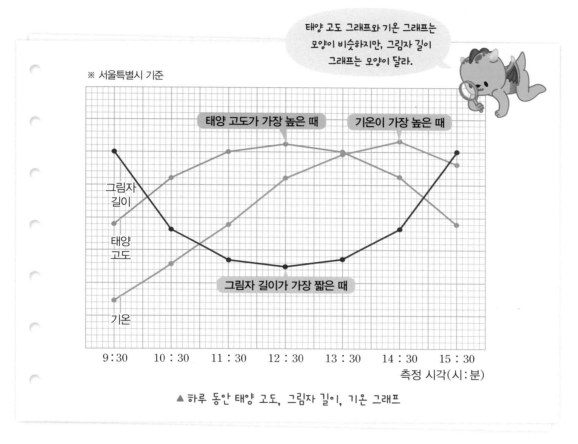

▲ 하루 동안 태양 고도, 그림자 길이, 기온 그래프

태양 고도가 가장 높은 낮 12시 30분 무렵에 그림자 길이는 가장 짧고, 태양 고도가 가장 높은 때에서 두 시간 뒤인 14시 30분 무렵에 기온은 가장 높아요. 이처럼 🔥태양 고도가 높아지면 그림자 길이는 짧아지고, 기온은 높아진답니다.

태양 고도 측정기 사용법

❶ 태양 고도 측정기를 태양 빛이 잘 드는 편평한 곳에 놓습니다.
❷ 막대기의 그림자 길이를 측정합니다.
❸ 실을 막대기 그림자 끝에 맞춘 뒤, 그림자와 실이 이루는 각인 태양 고도를 측정합니다.

재미있는 개념 퀴즈!

1 준영이가 미로를 빠져나가면서 만나는 글자들을 차례대로 빈칸에 쓰면 태양의 높이를 정확하게 나타내는 방법을 완성할 수 있습니다. 빈칸에 들어갈 글자를 쓰세요.

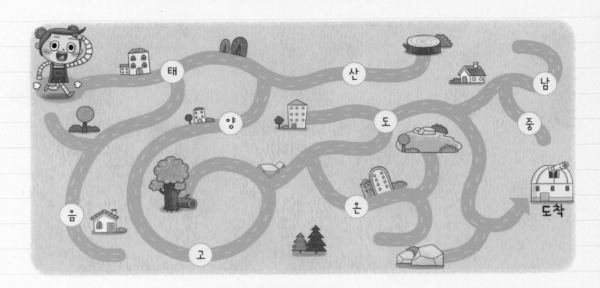

태양의 높이는 태양이 지표면과 이루는 각인 ✏️ ☐ ☐ ☐ ☐ 를 이용하면

정확하게 나타낼 수 있습니다.

2 하루 중 태양이 가장 높이 뜨는 때에 대해 바르게 설명한 친구는 누구인지 쓰세요.

유나	도윤	선혁	하연
태양이 동쪽에 있어 가장 어두운 6시 30분 무렵이야.	가장 배가 고픈 11시 30분 무렵이야.	그림자 길이가 가장 짧은 낮 12시 30분 무렵이야.	기온이 가장 높은 14시 30분 무렵이야.

✏️ _____

다음은 하루 동안 일정한 시간 간격으로 태양 고도, 그림자 길이, 기온을 각각 측정하여 나타낸 꺾은선그래프입니다. 그런데 실수로 각각의 그래프가 나타내는 것이 무엇인지 표시하지 못했어요. 힌트를 읽고, ❶~❸번 그래프가 태양 고도, 그림자 길이, 기온 중 무엇을 나타내는지 쓰세요.

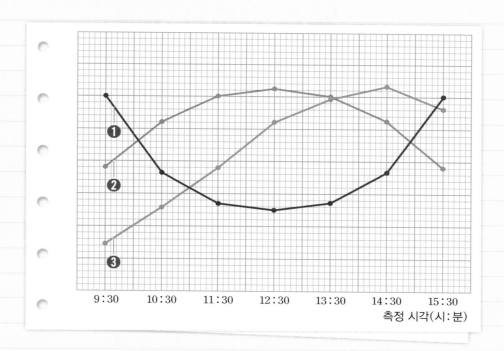

힌트

• ❶번 그래프: ❷번 그래프를 뒤집은 모양으로, 한낮에 가장 짧습니다.

• ❷번 그래프: 태양의 높이와 관련이 있고, 낮 12시 30분 무렵 가장 높습니다.

• ❸번 그래프: ❷번 그래프와 모양이 비슷하지만, 가장 높은 시각은 ❷번 그래프보다 약 두 시간 뒤입니다.

계절별 태양의 남중 고도에 영향을 받아! 낮의 길이와 기온.

계절별 태양의 위치 변화를 관찰해 보면 태양의 남중 고도가 여름에 가장 높고, 겨울에 가장 낮아요. 이처럼 계절에 따라 다른 태양의 남중 고도는 계절별 낮의 길이에 영향을 준답니다.

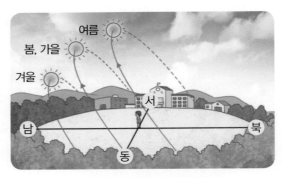

▲ 계절별 태양의 위치 변화

월별 태양의 남중 고도와 낮의 길이 그래프를 비교해 보면 🔥 태양의 남중 고도가 높아질수록 낮의 길이가 길어져요. 태양의 남중 고도가 높은 여름에는 낮의 길이가 길고, 태양의 남중 고도가 낮은 겨울에는 낮의 길이가 짧아요.

월별 태양의 남중 고도와 낮의 길이 그래프는 비슷한 모양이네.

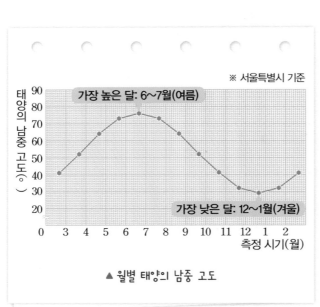

▲ 월별 태양의 남중 고도

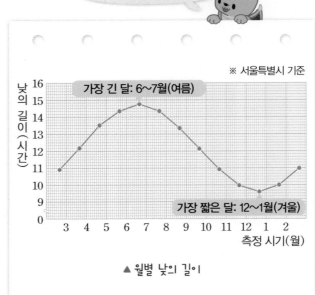

▲ 월별 낮의 길이

태양의 남중 고도와 낮의 길이 변화는 계절별 기온에 영향을 줍니다. 🔥 태양의 남중 고도가 높아지면 기온도 높아집니다. 그 까닭은 태양의 남중 고도가 높아지면 일정한 면적의 지표면에 도달하는 태양 에너지양이 많아지고, 지표면에 도달하는 태양 에너지양이 많아지면 지표면이 더 많이 데워져 기온이 높아지기 때문이에요.

여름
태양의 남중 고도가 높음. ➡ 기온이 높음.

겨울
태양의 남중 고도가 낮음. ➡ 기온이 낮음.

[태양의 남중 고도에 따른 기온 변화 비교하기] 탐구 활동에서 태양의 남중 고도에 따라 일정한 면적에 도달하는 에너지양이 달라지는 것을 확인할 수 있어요.

탐구 돋보기

태양의 남중 고도에 따른 기온 변화 비교하기

실험에서 나타내는 것   전등 = 태양,   모래 = 지표면,   전등과 모래가 이루는 각 = 태양의 남중 고도

전등과 모래가 이루는 각이 클 때

전등을 켜고 3~5분 뒤

좁은 면적을 비추기 때문에 일정한 면적에 도달하는 에너지양이 많습니다.

전등과 모래가 이루는 각이 작을 때

전등을 켜고 3~5분 뒤

넓은 면적을 비추기 때문에 일정한 면적에 도달하는 에너지양이 적습니다.

전등과 모래가 이루는 각이 클 때 모래의 온도가 더 많이 높아집니다.
즉, 태양의 남중 고도가 높을때, 지표면의 온도가 더 많이 높아지므로 기온이 높아집니다.

자전축이 기울어진 채 공전하기 때문에 생겨! 계절의 변화.

계절에 따라 달라지는 태양의 남중 고도는 낮의 길이, 기온에 영향을 줘요. 계절에 따라 태양의 남중 고도가 왜 달라지는지 알면 계절의 변화가 생기는 까닭을 알 수 있어요.

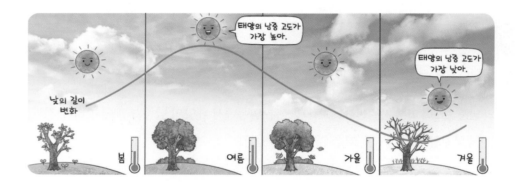

[계절이 변화하는 원인 알아보기] 탐구 활동을 통해 계절이 변하는 까닭을 알아봐요.

탐구 돋보기

계절이 변화하는 원인 알아보기

지구의 자전축이 수직인 채 태양 주위를 공전

지구의의 자전축을 수직으로 맞추고 태양 고도 측정기를 우리나라 위치에 붙입니다.

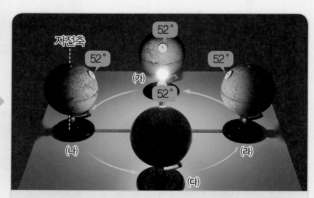

지구의를 시계 반대 방향으로 공전시키면서 각 위치에서 태양의 남중 고도를 측정합니다.

지구의의 자전축이 수직인 채 전등 주위를 공전하면 태양의 남중 고도 측정값이 변하지 않습니다. ➡ 지구의 자전축이 수직인 채 태양 주위를 공전하면 태양의 남중 고도가 변하지 않으므로 계절이 변하지 않습니다.

지구의 자전축은 공전 궤도면에 대해 약 23.5° 기울어져 있어요. 🌍 지구의 자전축이 기울어진 채 태양 주위를 공전하기 때문에 지구의 위치에 따라 태양의 남중 고도가 달라져 계절이 변합니다. 지구의 자전축이 수직이거나 지구가 태양 주위를 공전하지 않는다면 태양의 남중 고도가 변하지 않아 계절이 변하지 않을 거예요.

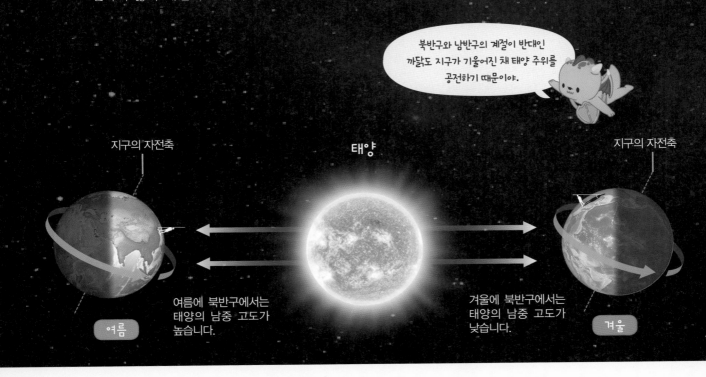

북반구와 남반구의 계절이 반대인 까닭도 지구가 기울어진 채 태양 주위를 공전하기 때문이야.

지구의 자전축

태양

지구의 자전축

여름에 북반구에서는 태양의 남중 고도가 높습니다.

겨울에 북반구에서는 태양의 남중 고도가 낮습니다.

여름

겨울

지구의 자전축이 기울어진 채 태양 주위를 공전

기울어진 자전축

자(30 cm)

지구의의 자전축을 23.5° 기울이고 태양 고도 측정기를 우리나라 위치에 붙입니다.

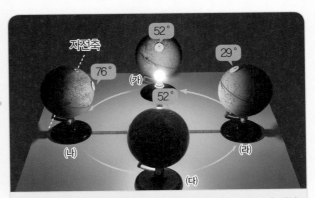

자전축

76°

52°

52°

29°

(가)

(나)

(다)

(라)

지구의를 시계 반대 방향으로 공전시키면서 각 위치에서 태양의 남중 고도를 측정합니다.

지구의의 자전축이 기울어진 채 전등 주위를 공전하면 태양의 남중 고도 측정값이 변합니다. ➡ 지구의 자전축이 기울어진 채 태양 주위를 공전하면 태양의 남중 고도가 변하므로 계절이 변합니다.

재미있는 개념 퀴즈!

1 무인도에서 발견된 보물 지도예요. 보물 지도에 쓰인 힌트를 보고, 보물이 숨겨진 장소를 찾아 번호를 쓰세요.

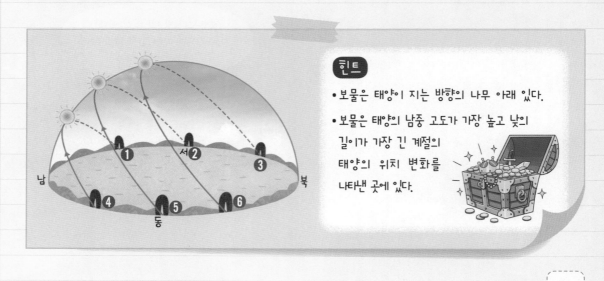

힌트

• 보물은 태양이 지는 방향의 나무 아래 있다.

• 보물은 태양의 남중 고도가 가장 높고 낮의 길이가 가장 긴 계절의 태양의 위치 변화를 나타낸 곳에 있다.

2 여름 요정과 겨울 요정의 마법봉이 섞여버렸어요. 계절의 특징을 나타내는 마법봉의 주문을 보고, 두 요정의 마법봉을 모두 찾아 선으로 연결하세요.

120

정답과 해설 18쪽

3 우현이가 미로를 빠져나가면 우리나라의 사계절을 지킬 수 있대요. 계절이 변하는 까닭과 관련된 ○× 퀴즈를 풀어 미로를 빠져나가 보세요.

생각 그물!

계절의 변화

태양 고도

태양 고도와 태양의 남중 고도

· 태양 고도: 태양이 ❶ [   ] 과 이루는 각
· ❷ [   ] : 태양이 정남쪽에 위치했을 때의 고도로, 하루 중 태양 고도가 가장 높음.

태양 고도 측정 방법

수직으로 세운 막대기에 연결된 실을 막대기의 그림자 끝에 맞춘 다음, 그림자와 실이 이루는 각을 측정함.

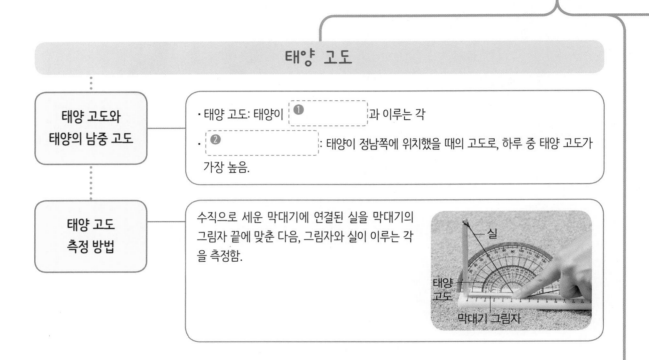

실
태양 고도
막대기 그림자

하루 동안 태양 고도, 그림자 길이, 기온의 관계

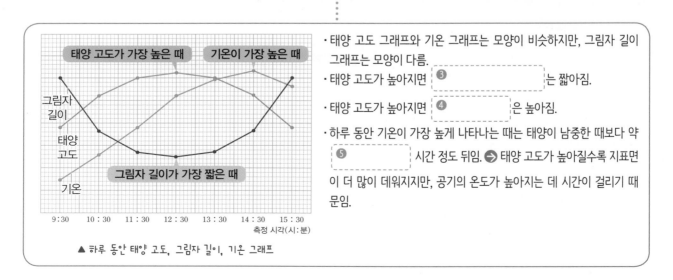

태양 고도가 가장 높은 때   기온이 가장 높은 때

그림자 길이

태양 고도

기온

그림자 길이가 가장 짧은 때

9:30   10:30   11:30   12:30   13:30   14:30   15:30
측정 시각(시:분)

▲ 하루 동안 태양 고도, 그림자 길이, 기온 그래프

· 태양 고도 그래프와 기온 그래프는 모양이 비슷하지만, 그림자 길이 그래프는 모양이 다름.
· 태양 고도가 높아지면 ❸ [   ] 는 짧아짐.
· 태양 고도가 높아지면 ❹ [   ] 은 높아짐.
· 하루 동안 기온이 가장 높게 나타나는 때는 태양이 남중한 때보다 약 ❺ [   ] 시간 정도 뒤임. ➡ 태양 고도가 높아질수록 지표면이 더 많이 데워지지만, 공기의 온도가 높아지는 데 시간이 걸리기 때문임.

계절별 태양의 남중 고도, 낮의 길이, 기온

계절별 태양의
남중 고도와
낮의 길이

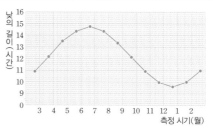

▲ 월별 태양의 남중 고도

▲ 월별 낮의 길이

- 태양의 남중 고도는 ❻ [   ]에 가장 높고 ❼ [   ]에 가장 낮음.
- 태양의 남중 고도가 높아질수록 낮의 길이도 길어지며, 낮의 길이는 여름에 가장 길고 겨울에 가장 짧음.

계절별 기온

- 기온은 ❽ [   ]에 따라 달라짐.
- 태양의 남중 고도가 높아지면 지표면에 도달하는 태양 에너지양이 많아지기 때문에 기온이 높아짐.
- 기온은 여름에 가장 높고 겨울에 가장 낮음.

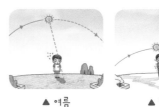

▲ 여름

▲ 겨울

계절이 변하는 까닭

지구의 자전축

태양

지구의 자전축

여름에 북반구에서는 태양의 남중 고도가 높습니다.

여름

겨울

겨울에 북반구에서는 태양의 남중 고도가 낮습니다.

지구의 ❾ [   ]이 공전 궤도면에 대해 기울어진 채 태양 주위를 ❿ [   ]하기 때문에 계절이 변함.

**개념 확인
체크! 체크!**

☐ 태양 고도와 태양의 남중 고도가 무엇인지 이야기할 수 있어요. • 112쪽

☐ 하루 동안 태양 고도와 그림자 길이, 기온의 관계를 이야기할 수 있어요. • 112~113쪽

☐ 계절에 따라 태양의 남중 고도, 낮의 길이, 기온이 어떻게 달라지는지 이야기할 수 있어요. • 116~117쪽

☐ 계절이 변하는 까닭을 이야기할 수 있어요. • 118~119쪽

1~3 다음은 하루 동안 태양 고도, 그림자 길이, 기온을 일정한 시간 간격으로 측정한 결과를 꺾은선 그래프로 나타낸 것입니다. 물음에 답하시오.

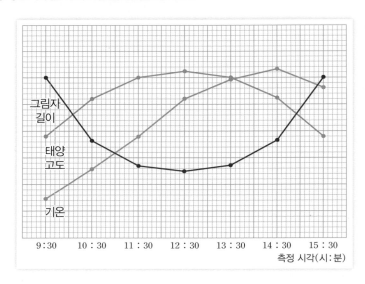

1 위 그래프 중 모양이 비슷한 그래프를 두 가지 골라 쓰시오.

(   )

2 위 그래프를 통해 알 수 있는 하루 동안 태양 고도, 그림자 길이, 기온의 관계를 쓰시오.

태양 고도가 높아지면 _____

_____

3 위 그래프에서 태양 고도가 가장 높은 때와 기온이 가장 높은 때의 시간 차이가 나는 까닭은 무엇인지 쓰시오.

태양 고도가 높아지면 _____

_____

4~5 계절이 변하는 까닭을 알아보기 위해, 지구의의 우리나라 위치에 태양 고도 측정기를 붙이고 자전축의 기울기만 다르게 하여 전등 주위를 공전시켰습니다. 물음에 답하시오.

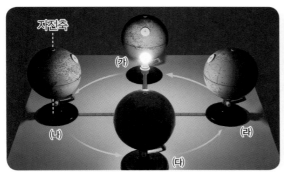

▲ 지구의의 자전축이 수직인 채 공전할 때

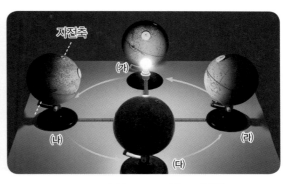

▲ 지구의의 자전축이 기울어진 채 공전할 때

4 위 두 실험 결과 측정한 태양의 남중 고도 측정값이 다음과 같이 세 가지로 나왔습니다. 표의 빈칸에 알맞은 측정값을 넣어 표를 완성하시오. (단, 측정값은 중복 사용할 수 있습니다.)

29°		52°		76°		

지구의의 자전축이 수직인 채 공전할 때				구분	지구의의 자전축이 기울어진 채 공전할 때			
(가)	(나)	(다)	(라)	지구의의 위치	(가)	(나)	(다)	(라)
52°				태양의 남중 고도	52°			

5 위 실험을 통해 알 수 있는 계절이 변하는 까닭을 쓰시오.

_____

_____

개념 엿보기

계절에 따라 도달하는 양이 다른 태양 복사 에너지양

북반구에 있는 우리나라의 12월은 추운 겨울이지만, 남반구에 있는 뉴질랜드의 12월은 더운 여름이래요. 그래서 12월 25일 크리스마스에 우리나라에서는 눈이 내리면 눈을 뭉쳐서 눈사람을 만들지만, 뉴질랜드에서는 모래를 뭉쳐서 눈사람처럼 만든대요.

난 모래로 만들었어.

왜 뉴질랜드의 12월은 겨울이 아닌 여름일까요? 그 까닭은 계절이 바뀌는 까닭과 같아요. 즉, 지구의 자전축이 지구의 공전 궤도면에 대해 23.5°기울어진 채 태양 주위를 공전하기 때문에 12~2월에 지구에 도달하는 태양 복사 에너지양이 북반구에는 적고, 남반구에는 많아요. 그래서 12~2월에 북반구는 겨울이고, 남반구는 여름이랍니다.

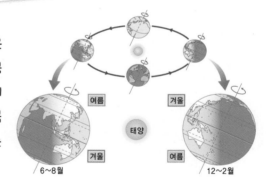

중학교에서 배워!

태양 복사 에너지양

태양과 지구 사이의 우주 공간에는 열을 전달해 줄 만한 물질이 없기 때문에 태양열이 곧바로 지구로 전달되는데, 이러한 태양 에너지를 '태양 복사 에너지'라고 해. 지구의 자전축이 공전 궤도면에 대해 23.5°기울어진 채 태양 주위를 공전하기 때문에 여름철과 겨울철에 북반구에 도달하는 태양 복사 에너지양이 달라져.

7

연소와 소화

이 단원을
**들어가기
전에**

연소와 소화를 나타낸 그림입니다.
소방 체험관에 숨은 그림을 찾아보세요.

- ✔ 달
- ✔ 왕관
- ✔ 반지
- ✔ 음표
- ✔ 화분
- ✔ 야구공
- ✔ 종이비행기

정답과 해설은
20쪽에 있어!

물질이 탈 때 발생해. 빛과 열!

🔥 물질이 탈 때에는 빛과 열이 발생하여, 불꽃 주변이 밝고 따뜻해집니다. 또한, 물질이 타면 물질의 양이 변하기도 합니다.

[물질이 탈 때 나타나는 현상 관찰하기] 탐구 활동을 통해 초와 알코올램프 알코올이 탈 때 나타나는 공통적인 현상을 확인해요.

▲ 등 속에 촛불이 있어 어두운 밤에도 밝게 빛나는 물에 뜬 유등

물질이 탈 때 나타나는 현상 관찰하기

초가 탈 때 나타나는 현상

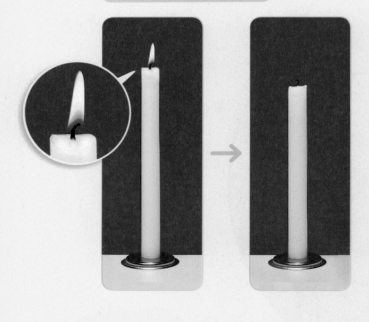

구분	관찰한 내용
불꽃	• 모양: 위아래로 길쭉함. • 색깔: 노란색, 붉은색 • 밝기: 위치에 따라 밝기가 다르며, 윗부분은 밝고 아랫부분은 어두움. • 기타: 불꽃이 바람에 흔들리고, 끝부분에서 흰 연기가 남.
심지와 심지 근처	• 심지의 윗부분은 검은색이고 아랫부분은 하얀색임. • 심지 주변이 움푹 패임.
손을 가까이 했을 때의 느낌	• 손이 점점 따뜻해짐. • 불꽃의 아랫부분이나 옆 부분보다 윗부분이 더 뜨거움.
시간에 따라 변하는 모습	• 초가 녹아 촛농이 흘러내림. • 흘러내린 촛농이 굳어 고체가 됨. • 초의 길이가 점점 짧아짐.
초의 무게 변화	초에 불을 붙이기 전보다 촛불을 끈 후의 무게가 더 줄어듦.

🔥 우리는 물질이 타면서 발생하는 빛과 열로 어두운 곳을 밝히거나
난방을 하고, 요리를 하는 데 이용합니다.

우리 주변에서 물질이 타면서 발생하는 빛과 열을 이용하는 경우 **예**
- 석유등으로 어두운 곳을 밝힙니다.
- 모닥불놀이를 할 때 나무를 태워 주변을 밝게 합니다.
- 가스레인지의 가스를 태워 요리를 합니다.
- 아궁이에 나무를 태워 생기는 열로 난방을 하거나 요리를 합니다.

석유등

가스레인지

아궁이

모닥불

알코올이 탈 때 나타나는 현상

 →

구분	관찰한 내용
불꽃	• 모양: 위아래로 길쭉함. • 색깔: 푸른색, 붉은색 • 밝기: 주변이 밝아짐. • 기타: 불꽃이 바람에 흔들림.
심지와 심지 근처	심지의 윗부분은 검은색이고 아랫부분은 하얀색임.
손을 가까이 했을 때의 느낌	• 손이 점점 따뜻해짐. • 불꽃의 아랫부분이나 옆 부분보다 윗부분이 더 뜨거움.
시간에 따라 변하는 모습	시간이 지날수록 알코올의 양이 줄어듦.
알코올램프의 무게 변화	알코올램프에 불을 붙이기 전보다 불을 끈 후의 무게가 더 줄어듦.

연소하려면 필요해. 탈 물질, 산소, 발화점!

🔥 물질이 산소와 빠르게 반응하여 빛과 열을 내는 현상을 '연소'라고 해요.

연소할 때 필요한 기체 알아보기

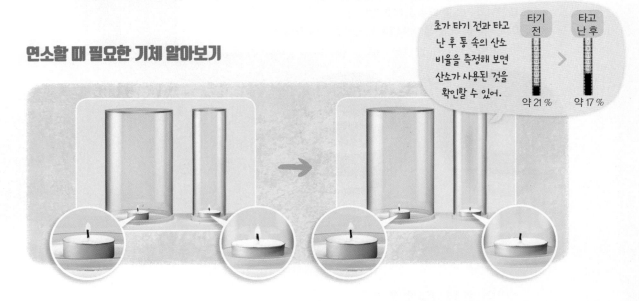

초가 타기 전과 타고 난 후 통 속의 산소 비율을 측정해 보면 산소가 사용된 것을 확인할 수 있어.

타기 전	타고 난 후
약 21 %	약 17 %

크기가 다른 투명한 아크릴 통으로 두 촛불을 동시에 덮어 보면 공기(공기 속 산소)의 양이 적은 작은 아크릴 통 속에 있는 촛불이 먼저 꺼져요. 이것을 통해 물질이 연소할 때 산소가 필요하다는 것을 알 수 있어요.

불을 직접 붙이지 않고 물질 태워 보기 1

성냥의 머리 부분

철판을 삼발이에 올려놓고 성냥의 머리 부분을 잘라 철판의 가운데에 놓습니다.

알코올램프로 철판 가운데 부분 가열하기

철판이 뜨거워지면서 성냥의 머리 부분도 뜨거워져 불이 붙습니다. ➡ 발화점에 도달했기 때문입니다.

불을 직접 붙이지 않고 물질 태워 보기

🔥 '발화점'이란 어떤 물질이 불에 직접 닿지 않아도 타기 시작하는 온도예요. 발화점은 물질마다 달라요.

[불을 직접 붙이지 않고 물질 태워 보기 1, 2] 탐구 활동을 통해 발화점 이상의 온도가 되면 불을 직접 붙이지 않아도 물질에 불이 붙는다는 것과 물질마다 발화점이 다르다는 것을 알 수 있어요.

불을 직접 붙이지 않고 물질을 태우는 여러 가지 방법 예

▲ 볼록 렌즈로 햇빛 모으기

▲ 성냥의 머리 부분 성냥갑에 마찰하기

▲ 부싯돌과 쇳조각 마찰하기

물질이 연소할 때 필요한 조건 정리하기

🔥 물질이 연소하려면 탈 물질과 산소가 공급되어야 하고, 발화점 이상의 온도가 되어야 해요.

산소 공급
예 공기 중의 산소

발화점 이상의 온도
예 점화기의 불꽃

탈 물질
예 초

탐구 돋보기

불을 직접 붙이지 않고 물질 태워 보기 2

성냥의 머리 부분

성냥의 나무 부분

알코올램프로 철판 가운데 부분 가열하기 →

성냥의 나무 부분은 불이 붙지 않고 색깔만 검은색으로 변할 수도 있어.

철판을 삼발이에 올려놓고 성냥의 머리 부분과 나무 부분을 철판의 가운데로부터 같은 거리에 놓습니다.

성냥의 머리 부분이 먼저 불이 붙습니다. ➡ 성냥의 머리 부분과 나무 부분의 발화점이 다르기 때문입니다.

연소하면 생겨, 물과 이산화 탄소!

초나 알코올이 빛과 열을 내고 연소한 후에 그 크기나 무게가 줄어든 까닭은 다른 물질로 변했기 때문이에요. 물질이 연소하면 연소 전의 물질과는 다른 새로운 물질이 만들어져요.

🔥 **초가 연소하면 물과 이산화 탄소가 생겨요.**

푸른색 염화 코발트 종이와 석회수의 색깔 변화를 관찰하면 물과 이산화 탄소가 생기는 것을 알 수 있어요.

▲ 연소 후 크기가 줄어든 초

푸른색 염화 코발트 종이의 성질

푸른색 염화 코발트 종이는 염화 코발트 용액을 종이에 흡수시켜 말려 놓은 것으로, 물에 닿으면 붉게 변합니다.

▲ 물에 닿기 전   ▲ 물에 닿은 후

석회수의 성질

무색투명한 석회수는 이산화 탄소와 만나면 뿌옇게 흐려집니다.

▲ 이산화 탄소와 만나기 전   ▲ 이산화 탄소와 만난 후

[초가 연소한 후에 생기는 물질 알아보기] 탐구 활동을 통해 초가 연소한 후에 생긴 물과 이산화 탄소를 확인해 봐요.

탐구 돋보기

초가 연소한 후에 생기는 물질 알아보기

셀로판테이프를 푸른색 염화 코발트 종이의 가운데 붙이면 초가 연소한 후 푸른색 염화 코발트 종이의 색깔 변화를 비교하기 쉬워.

초가 연소한 후에 물이 생기는지 확인하기

푸른색 염화 코발트 종이

셀로판 테이프

초에 불을 붙인 뒤, 안쪽 벽면에 푸른색 염화 코발트 종이를 셀로판테이프로 붙인 투명한 아크릴 통으로 촛불을 덮습니다.

촛불이 꺼진 뒤 푸른색 염화 코발트 종이의 색깔 변화를 확인하면 푸른색 염화 코발트 종이가 붉게 변합니다. ➡ 물이 생겼습니다.

초가 연소한 후에 이산화 탄소가 생기는지 확인하기

❶ 초에 불을 붙인 뒤 집기병으로 덮습니다.

❷ 촛불이 꺼지면 집기병을 들어 올려 유리판으로 입구를 막습니다.

석회수

❸ 집기병을 바로 놓아 식힌 뒤에, 석회수를 붓고 살짝 흔듭니다.

석회수가 뿌옇게 흐려집니다. ➡ 이산화 탄소가 생겼습니다.

재미있는 개념 퀴즈!

1 연소에 대한 설명을 완성해야 시윤이가 징검다리를 건널 수 있어요. 시윤이가 징검다리를 건널 수 있도록 비어 있는 징검돌에 알맞은 글자를 차례대로 쓰세요.

✏️ ▢▢▢▢ , ▢ , ▢

2 다음 상자의 암호를 풀어야만 깜깜한 동굴을 환하게 비출 수 있는 석유등을 얻을 수 있어요. 암호 풀이표를 보고 암호를 풀어 빈칸에 들어갈 알맞은 말을 쓰세요.

암호

물질이 불에 직접 닿지 않아도 타기 시작하는 온도인 ζoδ ξτo ιρε 은 물질마다 다릅니다.

α	β	γ	δ	ε	ζ	η	θ	ι	κ	λ	μ	ν	ξ	ο	π	ρ	σ	τ	υ	φ	χ	ψ	ω
ㄱ	ㄴ	ㄷ	ㄹ	ㅁ	ㅂ	ㅅ	ㅇ	ㅈ	ㅊ	ㅋ	ㅌ	ㅍ	ㅎ	ㅏ	ㅑ	ㅓ	ㅕ	ㅗ	ㅛ	ㅜ	ㅠ	ㅡ	ㅣ

▲ 암호 풀이표

3 실험을 통해 초가 연소한 후에 생기는 기체를 확인하려고 해요. 미로를 빠져나가면서 만나는 글자를 차례대로 쓰면 실험을 통해 확인한 기체를 알 수 있어요. 기체의 이름을 쓰세요.

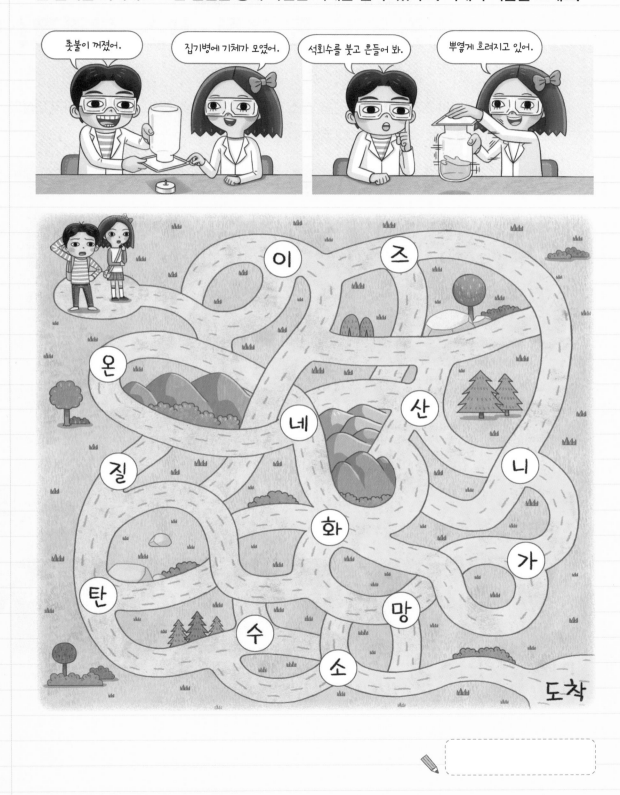

소화하려면 없애. 탈 물질, 산소, 발화점!

🔥 연소의 세 가지 조건인 탈 물질 공급, 산소 공급, 발화점 이상의 온도 중에서 한 가지 이상의 조건을 없애 불을 끄는 것을 '소화'라고 해요.

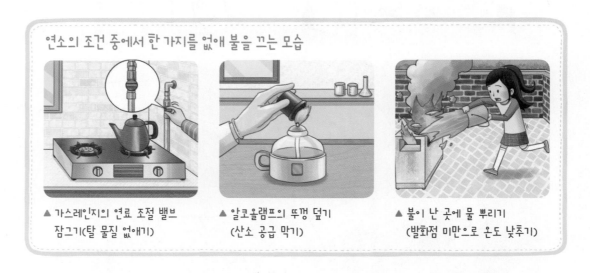

연소의 조건 중에서 한 가지를 없애 불을 끄는 모습

▲ 가스레인지의 연료 조절 밸브 잠그기(탈 물질 없애기)

▲ 알코올램프의 뚜껑 덮기 (산소 공급 막기)

▲ 불이 난 곳에 물 뿌리기 (발화점 미만으로 온도 낮추기)

[촛불을 끄는 다양한 방법 찾아보기] 탐구 활동을 통해 촛불을 끄는 각각의 방법이 연소의 조건 중에서 무엇을 없앤 것인지 확인해 봐요.

탐구 돋보기

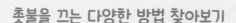

촛불을 끄는 다양한 방법 찾아보기

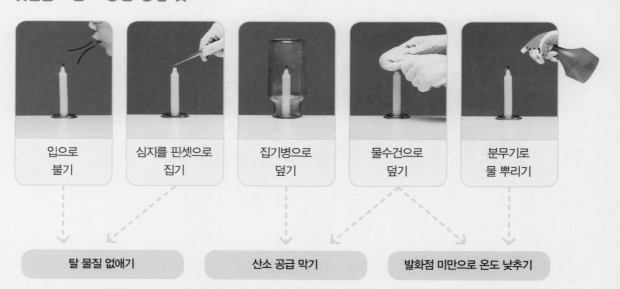

| 입으로 불기 | 심지를 핀셋으로 집기 | 집기병으로 덮기 | 물수건으로 덮기 | 분무기로 물 뿌리기 |

탈 물질 없애기   산소 공급 막기   발화점 미만으로 온도 낮추기

🔥 소화 방법은 탈 물질에 따라 다르기 때문에 화재의 종류에 따라 적당한 방법으로 불을 꺼야 안전합니다.

기름, 가스, 전기로 생긴 화재는 물로 끄면 불이 더 크게 번지거나 감전이 될 수 있어 위험해.

구분	소화 방법
나무나 옷에 발생한 화재	물로 불을 끄기
기름, 가스, 전기로 생긴 화재	소화기를 사용하거나 모래를 덮어 불을 끄기

또 소화기의 사용 방법을 잘 알아 두어야 해요. 왜냐하면 화재 초기의 작은 불씨일 때 소화기를 사용해 불을 끄면 큰 불로 변하는 것을 막을 수 있기 때문이에요.

▲ 불이 난 곳에 던지는 투척용 소화기

▲ 간편하게 사용하는 분무 소화기

▲ 이산화 탄소를 압축해 액체로 만든 이산화 탄소 소화기

▲ 소화 분말이 나오는 분말 소화기

분말 소화기의 사용 방법

1 소화기를 불이 난 곳으로 옮깁니다.

2 소화기의 안전핀을 뽑습니다.

3 바람을 등지고 소화기의 고무관이 불 쪽을 향하도록 잡습니다.

4 소화기의 손잡이를 움켜쥐고 불을 끕니다.

기억해, 화재 안전 대책!

화재는 사람들의 부주의나 사고 등 다양한 원인으로 발생해요. 🔥 화재가 발생하면 큰 소리로 "불이야."라고 외치거나 비상벨을 눌러 불이 난 것을 주변에 알리고, 젖은 수건으로 코와 입을 막고 몸을 낮춰 대피한 뒤에 119에 신고해야 해요.

화재가 발생했을 때의 대처 방법

화재 발생 피해를 줄이려면 미리 소화기나 옥내 소화전, 화재 감지기 등의 소방 시설과 비상구를 확인해 두고, 여러 사람이 이용하는 공공장소에는 불에 잘 타지 않는 시설물을 사용하려고 노력해야 해요.

▲ 불에 잘 타지 않는 소재로 만든 지하철 의자와 손잡이

▲ 화재 감지기

▲ 옥내 소화전

아래층에서 불이 나면 옥상이나 높은 곳으로 올라가 구조를 요청합니다.

화재가 발생하면 정전으로 승강기가 멈춰 갇힐 수 있으므로 승강기 대신 계단으로 대피합니다.

불을 발견하면 "불이야."라고 큰 소리로 외쳐 주변 사람이 대피할 수 있게 합니다.

재미있는 개념 퀴즈!

1 다음 힌트에 해당하는 내용을 찾아 색칠하였을 때 나타나는 글자를 쓰세요.

> **힌트** 불을 끄는 세 가지 조건입니다.

발화점 이상 온도	탈 물질 공급	산소 공급	발화점 이상 온도	탈 물질 공급	산소 공급	탈 물질 공급	발화점 이상 온도	산소 공급	발화점 이상 온도
탈 물질 공급	산소 공급 막기	발화점 이상 온도	탈 물질 공급	산소 공급	산소 공급 막기	산소 공급	산소 공급	탈 물질 공급	산소 공급
발화점 미만 온도	산소 공급	탈 물질 없애기	발화점 이상 온도	탈 물질 없애기	발화점 미만 온도	탈 물질 없애기	발화점 이상 온도	탈 물질 없애기	탈 물질 공급
산소 공급 막기	탈 물질 공급	발화점 미만 온도	산소 공급	탈 물질 공급	발화점 이상 온도	산소 공급	탈 물질 공급	발화점 미만 온도	산소 공급
탈 물질 없애기	발화점 이상 온도	탈 물질 없애기	탈 물질 공급	발화점 이상 온도	발화점 미만 온도	탈 물질 공급	발화점 이상 온도	탈 물질 없애기	발화점 이상 온도
산소 공급 막기	탈 물질 공급	산소 공급 막기	산소 공급	탈 물질 없애기	산소 공급	산소 공급 막기	탈 물질 공급	발화점 미만 온도	탈 물질 없애기
탈 물질 없애기	산소 공급	발화점 미만 온도	탈 물질 공급	산소 공급	발화점 미만 온도	탈 물질 공급	산소 공급	탈 물질 없애기	산소 공급
탈 물질 공급	발화점 이상 온도	탈 물질 공급	발화점 이상 온도	발화점 이상 온도	산소 공급	탈 물질 공급	산소 공급	탈 물질 없애기	탈 물질 공급
산소 공급	탈 물질 없애기	산소 공급	탈 물질 공급	산소 공급	산소 공급 막기	발화점 이상 온도	탈 물질 공급	산소 공급 막기	산소 공급
산소 공급 막기	탈 물질 없애기	발화점 미만 온도	발화점 이상 온도	발화점 미만 온도	탈 물질 없애기	발화점 미만 온도	탈 물질 공급	탈 물질 없애기	발화점 이상 온도
산소 공급	발화점 이상 온도	산소 공급	탈 물질 공급	발화점 이상 온도	산소 공급	발화점 이상 온도	탈 물질 공급	발화점 이상 온도	산소 공급

2 화재가 발생해 분말 소화기로 불을 끄려고 합니다. 퍼즐을 맞추어 분말 소화기의 사용 방법을 알아보고, 순서대로 기호를 쓰세요.

(가)

소화기를 불이 난 곳으로 옮깁니다.

(나)

소화기의 손잡이를 움켜쥐고 불을 끕니다.

(다)

바람을 등지고 소화기의 고무관이 불 쪽을 향하도록 잡습니다.

(라)

소화기의 안전핀을 뽑습니다.

3 화재가 발생했을 때의 대처 방법에 대해 바르게 설명한 친구는 누구인지 쓰세요.

나은

"불이야."라고 외치고, 대피한 뒤 119에 신고해.

태윤

유독 가스를 마시지 않도록 자세를 높여 이동해.

선우

지진이 발생했을 때처럼 책상 아래로 대피해야 해.

수지

승강기를 타고 빠르게 대피해야 해.

개념 잡는
생각 그물!

연소와 소화

연소

뜻과 조건

· 연소: 물질이 산소와 빠르게 반응하여 [❶ _____]과 [❷ _____]을 내는 현상
· 연소의 조건

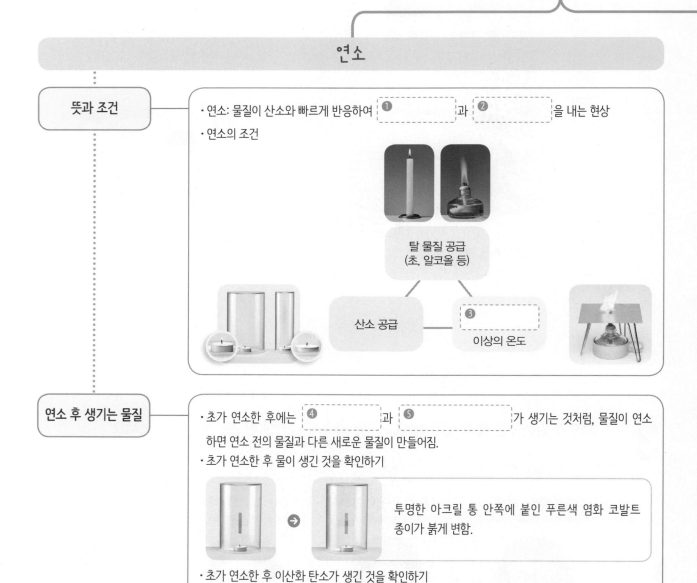

탈 물질 공급
(초, 알코올 등)

산소 공급 ─── [❸ _____]
이상의 온도

연소 후 생기는 물질

· 초가 연소한 후에는 [❹ _____]과 [❺ _____]가 생기는 것처럼, 물질이 연소
하면 연소 전의 물질과 다른 새로운 물질이 만들어짐.
· 초가 연소한 후 물이 생긴 것을 확인하기

투명한 아크릴 통 안쪽에 붙인 푸른색 염화 코발트
종이가 붉게 변함.

· 초가 연소한 후 이산화 탄소가 생긴 것을 확인하기

석회수

집기병에 넣은 석회수가 뿌옇게
흐려짐.

144

소화

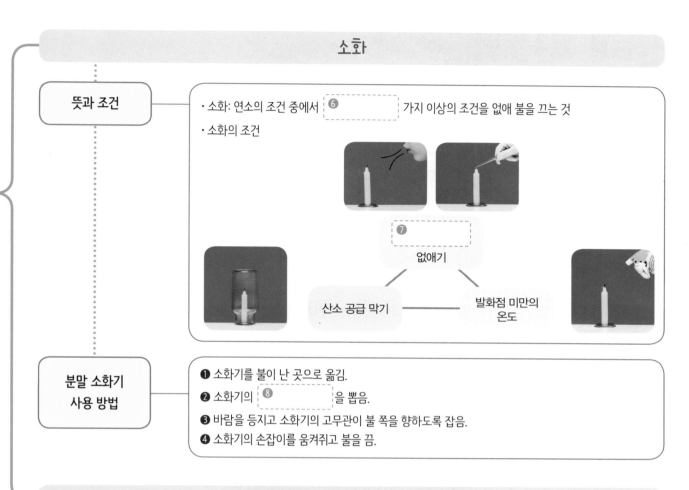

뜻과 조건

· 소화: 연소의 조건 중에서 ⑥ [   ] 가지 이상의 조건을 없애 불을 끄는 것

· 소화의 조건

⑦ [   ]
없애기

산소 공급 막기 ——— 발화점 미만의
온도

분말 소화기 사용 방법

❶ 소화기를 불이 난 곳으로 옮김.
❷ 소화기의 ⑧ [   ] 을 뽑음.
❸ 바람을 등지고 소화기의 고무관이 불 쪽을 향하도록 잡음.
❹ 소화기의 손잡이를 움켜쥐고 불을 끔.

화재 발생 시 대처하는 방법

큰 소리로 주변에 알리고, 비상벨을 누름.

승강기 대신에 계단을 이용하여 대피함.

⑨ [   ] 수건으로 코와 입을 막고 몸을 낮춰 대피함.

대피한 뒤 ⑩ [   ] 에 신고함.

개념 확인 체크! 체크!

☐ 물질이 탈 때 나타나는 현상을 이야기할 수 있어요. · 130~131쪽
☐ 연소의 뜻과 연소의 세 가지 조건을 이야기할 수 있어요. · 132~133쪽
☐ 물질이 연소한 후에 생기는 물질을 이야기할 수 있어요. · 134~135쪽
☐ 소화의 뜻과 소화의 세 가지 조건을 이야기할 수 있어요. · 138~139쪽
☐ 화재 발생 시 대처하는 방법을 이야기할 수 있어요. · 140~141쪽

1~2 오른쪽은 성냥의 머리 부분과 나무 부분을 철판 가운데로부 터 같은 거리에 올려놓고, 철판 가운데 부분을 알코올램프로 가열하는 실험입니다. 물음에 답하시오.

성냥의 머리 부분   성냥의 나무 부분

1 위 실험 결과 성냥의 머리 부분과 나무 부분 중 먼저 불이 붙는 것에 ○표 하고, 그 까닭을 쓰시오.

(1) 먼저 불이 붙는 것: (성냥의 머리 부분 , 성냥의 나무 부분)

(2) 먼저 불이 붙는 까닭: _____

_____

2 오른쪽과 같이 직접 불을 붙이지 않고 볼록 렌즈로 햇빛을 모 아 물질을 태울 수 있는 까닭을 위 실험을 통해 알 수 있는 사 실을 이용하여 쓰시오.

_____

_____

3 연소가 일어나기 위해 필요한 조건 세 가지를 쓰시오.

_____ 과 _____ 가 공급되어야 하고,

_____ 온도가 되어야 합니다.

4~5 다음은 촛불을 끄는 여러 가지 방법입니다. 물음에 답하시오.

▲ 촛불을 입으로 불기

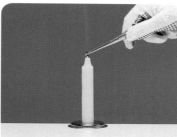
▲ 초의 심지를 핀셋으로 집기

▲ 촛불을 집기병으로 덮기

4 위 촛불을 끄는 방법에 이용한 소화의 조건을 각각 쓰시오.

• 촛불을 입으로 불기: _____

• 초의 심지를 핀셋으로 집기: _____

• 촛불을 집기병으로 덮기: _____

5 위 촛불을 끄는 방법에 이용한 소화의 조건과 같은 조건으로 불을 끄는 방법을 바르게 줄로 이으시오.

촛불을 입으로 불기	초의 심지를 핀셋으로 집기	촛불을 집기병으로 덮기
(1)	(2)	(3)

• ㉠

• ㉡

▲ 알코올램프의 뚜껑 덮기

▲ 가스레인지의 연료 조절 밸브 잠그기

물질의 성질이 변하는 화학 변화

고체 상태인 초에 불을 붙이면 심지 주변의 초가 녹아 액체 상태인 촛농이 됩니다. 액체 상태의 촛농은 심지를 타고 올라가 뜨거운 불꽃에 의해 기체 상태로 변해요. 이때 기체 상태로 변한 초가 산소와 반응하여 연소해요.

그런데 초가 심지 근처에서 녹아 액체 상태가 되는 것은 눈으로 확인할 수 있지만 기체 상태가 되는 것은 눈으로 확인할 수 없어요. 기체 상태의 초가 연소하는 것을 눈으로 확인할 수 있는 방법을 알아볼까요?

❶ 불을 붙인 초의 심지 근처에 알루미늄박으로 만든 관을 가져다 댑니다.
❷ 관의 반대편으로 흰 연기가 나오면, 흰 연기에 점화기 불꽃을 가까이 합니다.

⬇

흰 연기에 불이 붙는 것을 통해 기체 상태의 초가 연소하는 것을 알 수 있습니다.

이렇게 기체 상태로 변한 초가 산소와 반응하여 연소하면 새로운 물질인 물과 이산화 탄소가 만들어지는데 이러한 현상을 '화학 변화'라고 해요.

중학교에서
배워!

화학 변화

어떤 물질이 성질이 다른 새로운 물질로 변하는 현상을 화학 변화라고 해. 화학 변화가 일어날 때에는 빛과 열이 발생하거나 앙금, 기체 등이 생기기도 해. 또, 색깔과 냄새가 변하기도 하지. 물질이 연소할 때 빛과 열을 내며 타는 현상이나 철이 녹스는 현상, 가을에 단풍이 드는 현상 등이 우리 주변에서 쉽게 볼 수 있는 화학 변화의 예야.

▲ 물질이 연소하는 현상

▲ 철이 녹스는 현상

▲ 단풍이 드는 현상

화학 변화가 일어날 때는 물질의 성질이 달라지긴 하지만 여기서 반드시 기억해야 할 것이 있어. 화학 변화가 일어나더라도 물질의 총 질량은 변하지 않는다는 사실이야.

8

우리 몸의 구조와 기능

이 단원을

들어가기 전에

우리 몸의 구조와 기능을
나타낸 그림입니다.
몸속 기관 체험관에 숨은 그림은
몇 개인지 알아맞혀 보세요.

뼈와 근육
나라

정답과 해설은
23쪽에 있어!

움직임에 관여해, 운동 기관!

🔥 우리가 살아가는 데 필요한 일을 하는 몸속 부분을 '기관'이라고 하며, 움직임에 관여하는 뼈와 근육을 '운동 기관'이라고 해요.

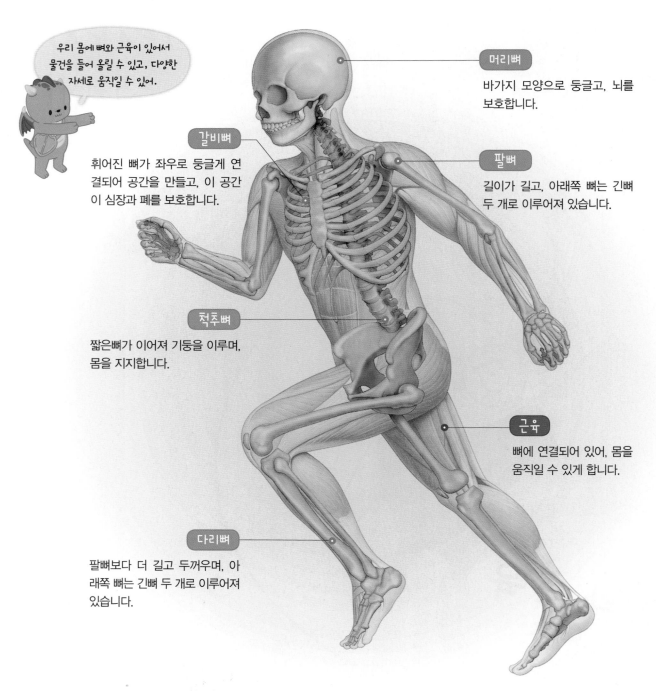

우리 몸에 뼈와 근육이 있어서 물건을 들어 올릴 수 있고, 다양한 자세로 움직일 수 있어.

머리뼈
바가지 모양으로 둥글고, 뇌를 보호합니다.

갈비뼈
휘어진 뼈가 좌우로 둥글게 연결되어 공간을 만들고, 이 공간이 심장과 폐를 보호합니다.

팔뼈
길이가 길고, 아래쪽 뼈는 긴뼈 두 개로 이루어져 있습니다.

척추뼈
짧은뼈가 이어져 기둥을 이루며, 몸을 지지합니다.

근육
뼈에 연결되어 있어, 몸을 움직일 수 있게 합니다.

다리뼈
팔뼈보다 더 길고 두꺼우며, 아래쪽 뼈는 긴뼈 두 개로 이루어져 있습니다.

🔥 뼈는 우리 몸의 형태를 만들어 주고 몸을 지지하며, 심장이나 폐, 뇌 등을 보호하는 역할을 하고, 근육은 길이가 줄어들거나 늘어나면서 뼈를 움직이게 하여 우리 몸을 움직일 수 있게 해요. 그래서 우리 몸을 구성하는 뼈는 종류와 생김새가 다양하고 움직임도 서로 다르답니다.

[근육이 뼈에 어떻게 작용하는지 알아보기] 탐구 활동을 통해 뼈와 근육 모형을 만들어 보고, 근육의 길이가 줄어들거나 늘어날 때 뼈가 어떻게 움직이는지 확인해요.

 탐구 돋보기

근육이 뼈에 어떻게 작용하는지 알아보기

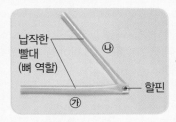

❶ 납작한 빨대의 구멍 뚫린 부분을 할핀으로 연결합니다.

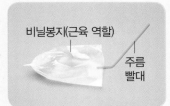

❷ 비닐봉지의 막힌 쪽은 셀로판테이프로 감고, 벌어진 쪽은 주름 빨대를 넣어 셀로판테이프로 감습니다.

❸ 납작한 빨대 ㉯의 끝부분과 비닐봉지의 끝부분을 맞춘 뒤 비닐봉지의 양쪽 끝을 셀로판테이프로 감아 고정합니다.

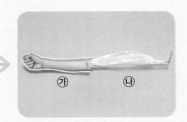

❹ 주름 빨대를 짧게 자르고 손 그림을 납작한 빨대 ㉮에 붙인 뒤, 모형에 바람을 불어 넣기 전과 바람을 불어 넣은 후를 비교합니다.

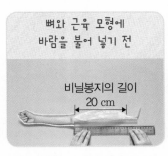

바람을 불어 넣으면 근육 역할을 하는 비닐봉지가 부풀어 오르면서 비닐봉지의 길이가 줄어듭니다. ➡ 뼈 역할을 하는 납작한 빨대가 구부러집니다.

팔이 움직이는 까닭: 팔 안쪽 근육이 줄어들면 뼈가 따라 올라와 팔이 구부러지고, 팔 안쪽 근육이 늘어나면 뼈가 따라 내려가 팔이 펴집니다.

음식물을 분해해. 소화 기관!

음식물을 잘게 쪼개 우리가 생활하는 데 필요한 에너지와 영양소를 얻는 과정을 '소화'라고 하며, 입, 식도, 위, 작은창자, 큰창자, 항문 등을 '소화 기관'이라고 해요. 우리 몸속에 들어간 음식물은 입, 식도, 위, 작은창자, 큰창자를 따라 이동하면서 점차 잘게 쪼개져 영양소와 수분은 몸속으로 흡수되고, 나머지는 항문으로 배출됩니다.

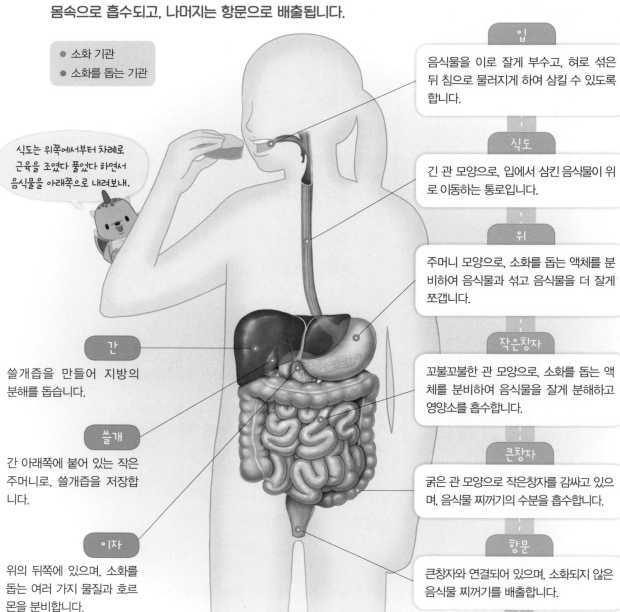

● 소화 기관
● 소화를 돕는 기관

식도는 위쪽에서부터 차례로 근육을 조였다 풀었다 하면서 음식물을 아래쪽으로 내려보내.

간

쓸개즙을 만들어 지방의 분해를 돕습니다.

쓸개

간 아래쪽에 붙어 있는 작은 주머니로, 쓸개즙을 저장합니다.

이자

위의 뒤쪽에 있으며, 소화를 돕는 여러 가지 물질과 호르몬을 분비합니다.

입

음식물을 이로 잘게 부수고, 혀로 섞은 뒤 침으로 물러지게 하여 삼킬 수 있도록 합니다.

식도

긴 관 모양으로, 입에서 삼킨 음식물이 위로 이동하는 통로입니다.

위

주머니 모양으로, 소화를 돕는 액체를 분비하여 음식물과 섞고 음식물을 더 잘게 쪼갭니다.

작은창자

꼬불꼬불한 관 모양으로, 소화를 돕는 액체를 분비하여 음식물을 잘게 분해하고 영양소를 흡수합니다.

큰창자

굵은 관 모양으로 작은창자를 감싸고 있으며, 음식물 찌꺼기의 수분을 흡수합니다.

항문

큰창자와 연결되어 있으며, 소화되지 않은 음식물 찌꺼기를 배출합니다.

154

공기가 이동해, 호흡 기관!

🔥 숨을 들이마시고 내쉬는 활동을 '호흡'이라고 하며, 호흡에 관여하는 코, 기관, 기관지, 폐를 '호흡 기관'이라고 해요. 숨을 들이마실 때 코로 들어온 공기는 기관, 기관지, 폐를 거쳐 우리 몸에 필요한 산소를 제공하고, 숨을 내쉴 때 몸속의 공기는 폐, 기관지, 기관, 코를 거쳐 몸 밖으로 나갑니다. 숨을 들이마실 때 들어온 공기 속 산소는 우리가 몸을 움직이거나 몸속 기관이 일을 하는 데 사용되기 때문에 우리는 끊임없이 숨을 쉬어야 살 수 있답니다.

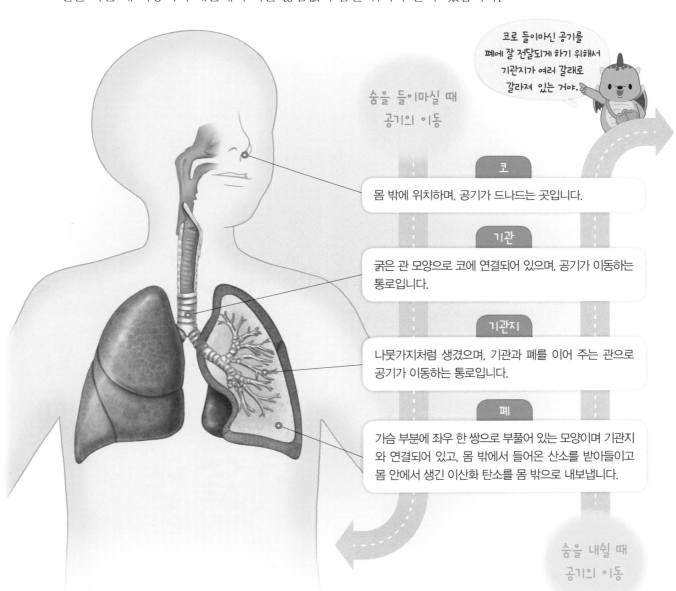

숨을 들이마실 때
공기의 이동

코로 들이마신 공기를
폐에 잘 전달되게 하기 위해서
기관지가 여러 갈래로
갈라져 있는 거야.

코

몸 밖에 위치하며, 공기가 드나드는 곳입니다.

기관

굵은 관 모양으로 코에 연결되어 있으며, 공기가 이동하는 통로입니다.

기관지

나뭇가지처럼 생겼으며, 기관과 폐를 이어 주는 관으로 공기가 이동하는 통로입니다.

폐

가슴 부분에 좌우 한 쌍으로 부풀어 있는 모양이며 기관지와 연결되어 있고, 몸 밖에서 들어온 산소를 받아들이고 몸 안에서 생긴 이산화 탄소를 몸 밖으로 내보냅니다.

숨을 내쉴 때
공기의 이동

재미있는 개념 퀴즈!

1 해골 인간이 자신의 몸을 이루는 뼈의 이름을 잊어버렸대요. 뼈의 각 부분에서 사다리를 타고
오른쪽으로 가서 뼈의 이름이 바르게 연결된 것을 찾아 이름을 쓰세요.

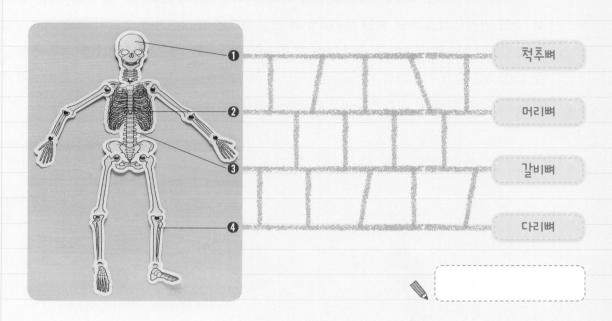

척추뼈

머리뼈

갈비뼈

다리뼈

✏️

2 글자판에서 글자를 가로나 세로 또는 대각선으로 연결하여 핼러윈 축제에 초대 받은 기관을
모두 찾아 ○표 하세요.

핼러윈 축제 초대장

음식물을 잘게 쪼개 우리가 생활하는 데
필요한 에너지와 영양소를 얻는
과정에 필요한 기관들만
초대해!

작	배	설	귀	항
폐	은	기	관	문
근	육	창	콩	팥
방	심	장	자	코
광	식	도	혈	관

3 도둑 일당이 유명한 의사의 집에 몰래 들어와서 값비싼 보석이 들어 있는 금고를 찾았는데, 비밀번호를 몰라서 금고를 열지 못하고 있어요. 호흡 기관에 대한 바른 설명 앞에 적힌 번호를 찾아 큰 순서대로 누르면 금고 문을 열 수 있어요. 도둑보다 먼저 비밀번호를 찾아 쓰세요.

1 코는 몸 밖에 위치하며, 공기가 드나드는 곳입니다.

2 기관은 나뭇가지처럼 생겼으며, 기관지와 폐를 이어 줍니다.

3 폐는 가슴 부분에 주먹 모양으로 한 개 있습니다.

4 숨을 들이마실 때는 코 → 기관 → 기관지 → 폐를 거쳐 산소가 들어옵니다.

5 숨을 내쉴 때는 몸 안에서 생긴 이산화 탄소가 몸 밖으로 나갑니다.

6 숨을 들이마실 때와 내쉴 때 공기가 지나가는 기관의 순서는 같습니다.

정답과 해설 24쪽

혈액이 이동해, 순환 기관!

소화로 흡수한 영양소와 호흡으로 얻은 산소는 혈액을 통해 이동합니다.
🔥 심장은 펌프 작용으로 혈액을 온몸으로 보내는데, 심장에서 나온 혈액은
온몸을 거쳐 다시 심장으로 돌아오는 '순환' 과정을 반복하며,
혈액의 이동에 관여하는 심장과 혈관을 '순환 기관'이라고 해요.

심장

주먹 모양으로 크기도 자신의 주먹만 하고, 몸통
가운데에서 왼쪽으로 약간 치우쳐 있으며, 펌프
작용으로 혈액을 온몸으로 순환시킵니다.

혈관

가늘고 긴 관이 복잡하게 얽힌 모양으로 온몸에
퍼져 있으며, 혈액이 이동하는 통로입니다.

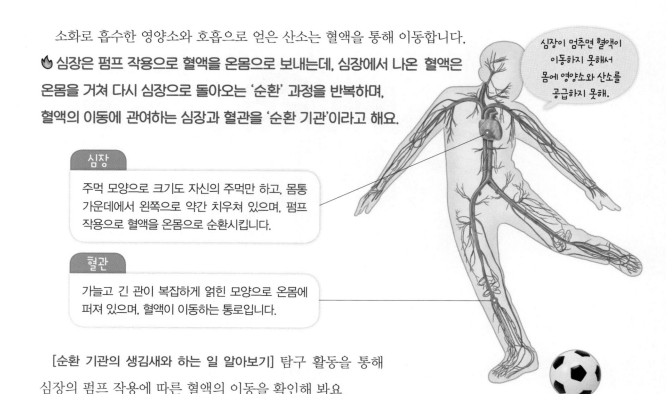

심장이 멈추면 혈액이
이동하지 못해서
몸에 영양소와 산소를
공급하지 못해.

[순환 기관의 생김새와 하는 일 알아보기] 탐구 활동을 통해
심장의 펌프 작용에 따른 혈액의 이동을 확인해 봐요.

탐구 돋보기

순환 기관의 생김새와 하는 일 알아보기

주입기의 펌프
= 심장

주입기의 관
= 혈관

붉은 색소 물
= 혈액

주입기의 펌프	붉은 색소 물의 이동 빠르기	붉은 색소 물의 이동량
빠르게 누를 때	빨라짐.	많아짐.
느리게 누를 때	느려짐.	적어짐.

심장	혈액의 이동 빠르기	혈액의 이동량
빠르게 뛸 때	빨라짐.	많아짐.
느리게 뛸 때	느려짐.	적어짐.

주입기의 펌프 작용으로 붉은 색소 물이 관을 통해 이동하듯이, 심장의 펌프 작용으로 심장에서 나온 혈액이 혈관을 통해
온몸으로 이동하고, 이 혈액은 다시 심장으로 들어가는 것을 반복합니다.

노폐물을 내보내, 배설 기관!

생명 활동을 유지하는 과정에서 우리 몸에는 영양소뿐만 아니라 노폐물도 생겨 혈액을 통해 이동하는데, 노폐물이 우리 몸속에 쌓이면 몸에 해롭답니다. 🔥혈액에 있는 노폐물을 몸 밖으로 내보내는 과정을 '배설'이라고 하며, 배설에 관여하는 방광, 콩팥 등을 '배설 기관'이라고 해요. 노폐물이 많은 혈액이 콩팥으로 운반되면 콩팥이 혈액에 있는 노폐물을 걸러 내고, 걸러진 노폐물은 오줌이 되어 방광에 저장되었다가 관을 통해 몸 밖으로 나갑니다.

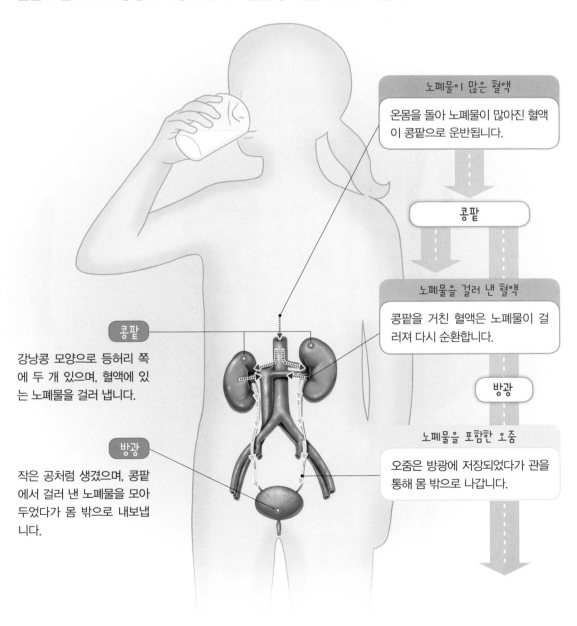

노폐물이 많은 혈액
온몸을 돌아 노폐물이 많아진 혈액이 콩팥으로 운반됩니다.

콩팥

노폐물을 걸러 낸 혈액
콩팥을 거친 혈액은 노폐물이 걸러져 다시 순환합니다.

방광

노폐물을 포함한 오줌
오줌은 방광에 저장되었다가 관을 통해 몸 밖으로 나갑니다.

콩팥
강낭콩 모양으로 등허리 쪽에 두 개 있으며, 혈액에 있는 노폐물을 걸러 냅니다.

방광
작은 공처럼 생겼으며, 콩팥에서 걸러 낸 노폐물을 모아 두었다가 몸 밖으로 내보냅니다.

자극에 반응해, 감각 기관과 신경계!

🔥 주변으로부터 전달된 자극을 느끼고 받아들이는 눈, 귀, 코, 혀, 피부와 같은 기관을 '감각 기관'이라고 해요. 감각 기관이 받아들인 자극은 신경계를 통해 전달되고, 신경계는 전달된 자극을 해석하여 행동을 결정한 뒤 운동 기관에 명령을 내려 운동 기관이 반응하게 된답니다.

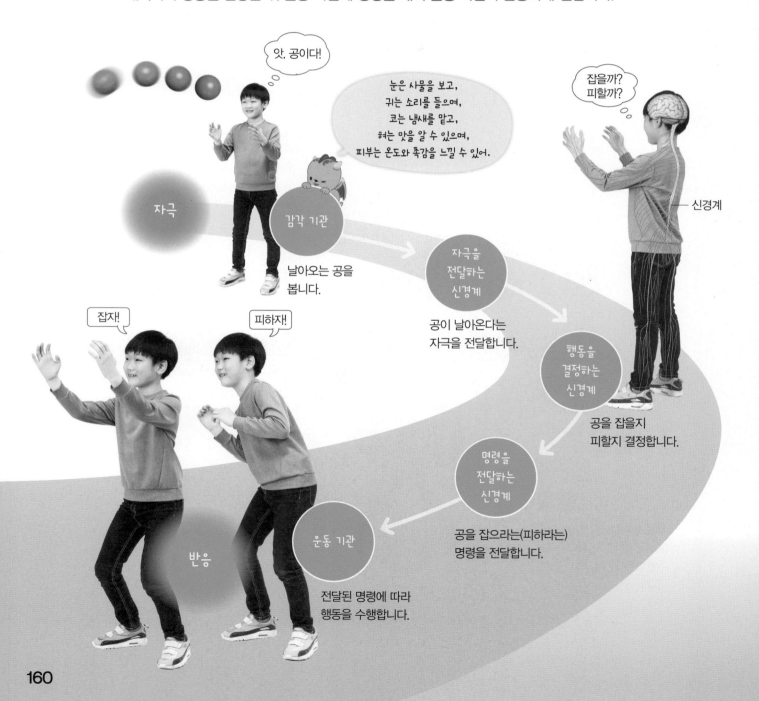

앗, 공이다!

눈은 사물을 보고,
귀는 소리를 들으며,
코는 냄새를 맡고,
혀는 맛을 알 수 있으며,
피부는 온도와 촉감을 느낄 수 있어.

잡을까?
피할까?

자극

감각 기관

날아오는 공을
봅니다.

신경계

자극을
전달하는
신경계

공이 날아온다는
자극을 전달합니다.

행동을
결정하는
신경계

공을 잡을지
피할지 결정합니다.

잡자!

피하자!

명령을
전달하는
신경계

공을 잡으라는(피하라는)
명령을 전달합니다.

운동 기관

반응

전달된 명령에 따라
행동을 수행합니다.

영향을 주고받아, 우리 몸의 여러 기관!

🔥 운동할 때는 평소보다 더 많은 산소와 영양소가 필요하기 때문에 호흡과 맥박이 빨라지고, 체온이 올라가며 땀이 나기도 합니다. 호흡이 빨라지면 산소를 많이 공급할 수 있고, 심장 박동이 빨라져 혈액 순환이 빨라지면 많은 양의 산소와 영양소가 우리 몸에 공급되어 에너지를 많이 낼 수 있어요. 이처럼 운동할 때 우리 몸의 여러 기관은 서로 영향을 주고받아요.

운동 기관(뼈와 근육)
영양소와 산소를 이용하여 몸을 움직입니다.

소화 기관
음식물을 소화해 영양소를 흡수합니다.

호흡 기관
우리 몸에 필요한 산소를 제공하고 이산화 탄소를 몸 밖으로 내보냅니다.

순환 기관
영양소와 산소를 온몸에 전달하고, 이산화 탄소와 노폐물을 각각 호흡 기관과 배설 기관으로 전달합니다.

배설 기관
혈액에 있는 노폐물을 걸러 내어 오줌으로 배설합니다.

감각 기관과 신경계
주변의 자극을 받아들여, 전달하고 해석하며 행동을 결정하여 운동 기관에 명령을 전달합니다.

🔥 우리가 건강하게 생활하려면 몸속의 운동 기관, 소화 기관, 호흡 기관, 순환 기관, 배설 기관, 감각 기관과 신경계 등이 서로 영향을 주고받으며 각각의 기능을 잘 수행해야 한답니다.

재미있는 개념 퀴즈!

1 주아가 준영이에게 비밀 그림 편지를 보냈어요. 순환 기관에 대해 바르게 설명한 것만 골라 색칠하면 그림을 알아볼 수 있어요. 어떤 그림이 나오는지 확인해 봐요.

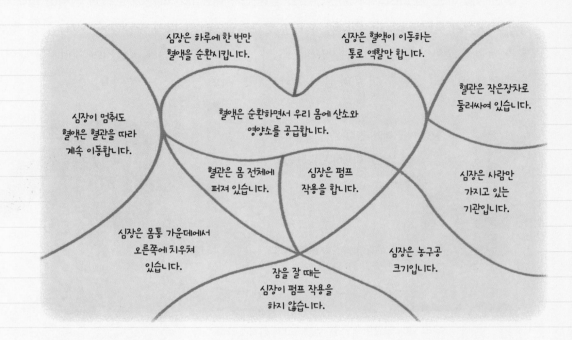

심장은 하루에 한 번만 혈액을 순환시킵니다.

심장은 혈액이 이동하는 통로 역할만 합니다.

혈관은 작은창자로 둘러싸여 있습니다.

심장이 멈춰도 혈액은 혈관을 따라 계속 이동합니다.

혈액은 순환하면서 우리 몸에 산소와 영양소를 공급합니다.

혈관은 몸 전체에 퍼져 있습니다.

심장은 펌프 작용을 합니다.

심장은 사람만 가지고 있는 기관입니다.

심장은 몸통 가운데에서 오른쪽에 치우쳐 있습니다.

잠을 잘 때는 심장이 펌프 작용을 하지 않습니다.

심장은 농구공 크기입니다.

2 우리가 사용한 물은 오른쪽과 같은 하수 처리장을 거치면 다시 깨끗한 물로 변해요. 우리 몸에서 하수 처리장과 같이 노폐물을 걸러 내는 역할을 하는 기관을 골라 이름을 쓰세요.

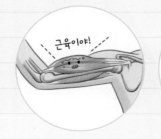
근육이야!

폐야!

심장이야!

콩팥이야!

162

3 세균들의 공격을 피하기 위해 우리 몸속 기관과 관련된 ○× 퀴즈를 풀어 미로를 빠져나가야 한대요. 미로를 빠져나가 우리 몸을 건강하게 지켜주세요.

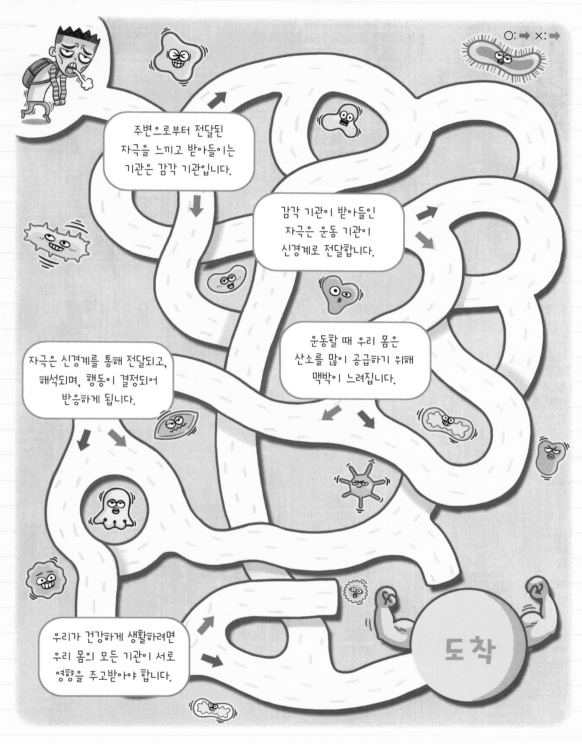

생각 그물!

우리 몸의 구조와 기능

우리 몸의 기관

운동 기관(뼈와 근육)	소화 기관	호흡 기관

운동 기관(뼈와 근육)

· 뼈는 몸의 형태를 만들고 몸을 지지하며 내부를 보호함.

· ❶ ⬚⬚⬚⬚ 의 길이가 줄어들거나 늘어나면서 뼈가 움직임.

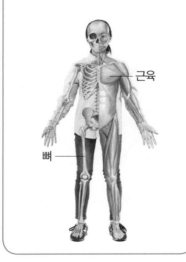

근육

뼈

소화 기관

입 → 식도 → ❷ ⬚⬚⬚⬚ →

작은창자 → ❸ ⬚⬚⬚⬚ 를 거쳐 음식물이 소화 흡수되고, 항문을 통해 찌꺼기가 배출됨.

입
식도
간
쓸개
이자
위
작은창자
큰창자
항문

호흡 기관

· 숨을 들이마실 때: 코 → 기관 →

❹ ⬚⬚⬚⬚ → ❺ ⬚⬚⬚⬚ 를 거쳐 산소를 제공함.

· 숨을 내실 때: 폐 → 기관지 → 기관 → 코를 거쳐 공기가 몸 밖으로 나감.

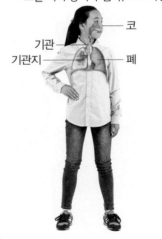

코
기관
기관지
폐

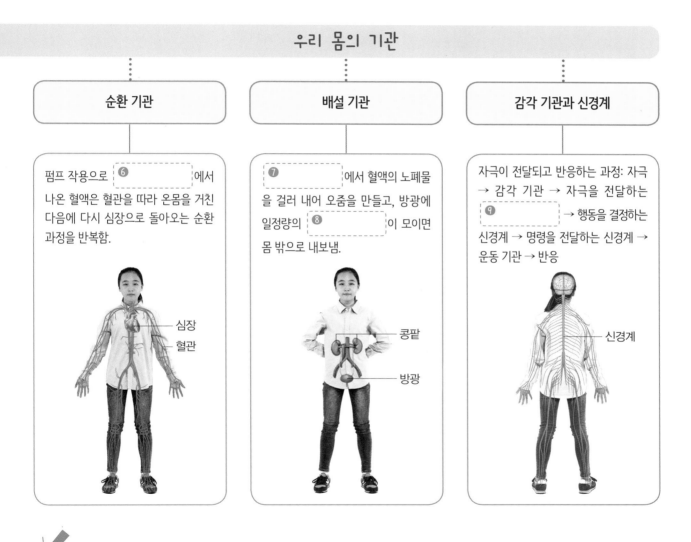

운동할 때 우리 몸의 변화

- 운동할 때 체온이 올라가며 땀이 나고, 평소보다 더 많은 산소와 영양소가 필요하기 때문에 ⑩ [   ]과 호흡이 빨라짐.
- 우리가 건강하게 생활하려면 우리 몸의 모든 기관이 서로 영향을 주고받으며 각각의 기능을 잘 수행해야 함.

우리 몸의 기관

순환 기관

펌프 작용으로 ⑥ [   ]에서 나온 혈액은 혈관을 따라 온몸을 거친 다음에 다시 심장으로 돌아오는 순환 과정을 반복함.

— 심장
— 혈관

배설 기관

⑦ [   ]에서 혈액의 노폐물을 걸러 내어 오줌을 만들고, 방광에 일정량의 ⑧ [   ]이 모이면 몸 밖으로 내보냄.

— 콩팥
— 방광

감각 기관과 신경계

자극이 전달되고 반응하는 과정: 자극 → 감각 기관 → 자극을 전달하는 ⑨ [   ] → 행동을 결정하는 신경계 → 명령을 전달하는 신경계 → 운동 기관 → 반응

— 신경계

개념 확인 체크! 체크!

☐ 우리 몸이 어떻게 움직이는지 이야기할 수 있어요. • 152~153쪽

☐ 음식물이 소화되는 과정과 호흡하는 과정을 이야기할 수 있어요. • 154~155쪽

☐ 혈액이 순환하는 과정과 노폐물이 배설되는 과정을 이야기할 수 있어요. • 158~159쪽

☐ 자극이 전달되고 반응하는 과정을 이야기할 수 있어요. • 160쪽

☐ 운동할 때 우리 몸의 변화를 이야기할 수 있어요. • 161쪽

개념 잡는
수행 평가!

1~2 다음은 뼈와 근육 모형을 만드는 과정입니다. 물음에 답하시오.

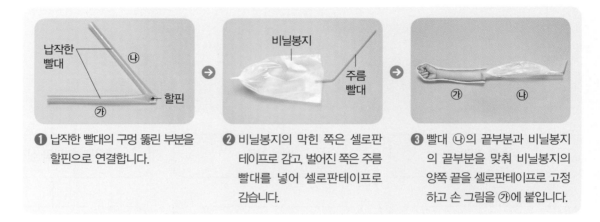

① 납작한 빨대의 구멍 뚫린 부분을 할핀으로 연결합니다.

② 비닐봉지의 막힌 쪽은 셀로판테이프로 감고, 벌어진 쪽은 주름 빨대를 넣어 셀로판테이프로 감습니다.

③ 빨대 ㉯의 끝부분과 비닐봉지의 끝부분을 맞춰 비닐봉지의 양쪽 끝을 셀로판테이프로 고정하고 손 그림을 ㉮에 붙입니다.

1 위 뼈와 근육 모형에서 납작한 빨대와 비닐봉지는 우리 몸속 어떤 부분과 같은 역할을 하는지 각각 쓰시오.

• 납작한 빨대: (   )

• 비닐봉지: (   )

2 위 뼈와 근육 모형에 바람을 불어 넣었을 때 비닐봉지와 손 그림의 변화를 쓰고, 이를 통해 알 수 있는 팔을 구부리고 펼 수 있는 까닭을 쓰시오.

(1) 비닐봉지와 손 그림의 변화: _____

_____

(2) 팔을 구부리고 펼 수 있는 까닭: _____

_____

정답과 해설 25쪽

3~4 오른쪽 줄넘기를 하는 모습을 보고, 물음에 답하시오.

3 오른쪽과 같이 줄넘기를 할 때 우리 몸에서 나타나는 변화를 두 가지 쓰시오.

- _____
- _____

4 다음 표는 위와 같이 운동할 때 우리 몸의 각 기관이 하는 일을 정리한 것입니다. 빈칸에 알맞은 내용을 쓰시오.

기관	하는 일
운동 기관	영양소와 산소를 이용하여 몸을 움직임.
소화 기관	(1)
호흡 기관	(2)
순환 기관	(3)
배설 기관	혈액에 있는 노폐물을 걸러 내어 오줌으로 배설함.
감각 기관과 신경계	주변의 자극을 받아들여, 전달하고 해석하며 행동을 결정하여 운동 기관에 명령을 전달함.

중학교 개념 엿보기

혈액 순환의 두 가지 경로, 온몸 순환과 폐순환

 형! 심장 그림을 보니까 심장에 연결된 혈관의 색깔이 두 가지로 표현되어 있더라. 왜 그런 거야?

 그건 심장으로 들어가는 혈액이 흐르는 혈관인 '정맥'과 심장에서 나오는 혈액이 흐르는 혈관인 '동맥'을 다른 색깔로 표현해서 그래. 심장은 두 개의 심방과 심실로 나누어져 있는데, 혈액을 심장으로 받아들이는 곳이 심방, 혈액을 심장에서 내보내는 곳이 심실이야. 심방과 정맥이 연결되고 심실과 동맥이 연결되지.

 왜 심장은 두 개의 심방과 심실로 나누어져 있어?

중학교에서 배워!

 그건 혈액 순환이 **온몸 순환**과 **폐순환**으로 나뉘는 것과 관련이 있어. 온몸 순환은 왼쪽 아래에 있는 좌심실에서 나간 혈액이 온몸의 모세 혈관을 지나는 동안 조직 세포에 산소와 영양소를 공급하고, 조직 세포에서 이산화 탄소와 노폐물을 받아 오른쪽 위에 있는 우심방으로 돌아오는 순환이야. 폐순환은 오른쪽 아래에 있는 우심실에서 나간 혈액이 폐의 모세 혈관을 지나는 동안 이산화 탄소를 내보내고 산소를 받아 왼쪽 위에 있는 좌심방으로 돌아오는 순환이지. 그래서 두 개의 심방과 심실이 필요해.

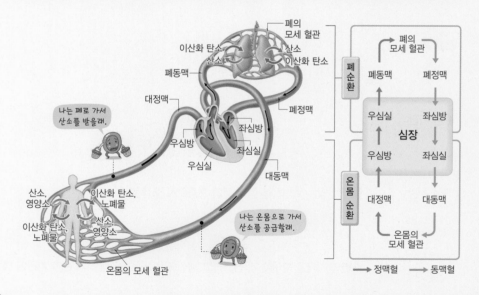

9

에너지와 생활

이 단원을

들어가기 전에

에너지와 생활을 나타낸 그림입니다.
놀이공원에 숨은 채소를 찾아보세요.

☑ 당근   ☑ 호박
☑ 배추   ☑ 고추
☑ 가지   ☑ 콩
☑ 옥수수

정답과 해설은 26쪽에 있어!

필요해, 다양한 형태의 에너지!

에너지의 필요성과 에너지를 얻는 방법

🔥 기계를 움직이거나 생물이 살아가는 데에는 에너지가 필요합니다. 기계와 생물은 각각 다른 방법으로 필요한 에너지를 얻는데, 🔥 기계는 전기나 기름 등에서 에너지를 얻고, 식물은 햇빛을 받아 스스로 양분을 만들어 에너지를 얻으며, 동물은 식물이나 다른 동물을 먹고 에너지를 얻어요.

▲ 전화를 거는 데 필요한 에너지를 충전하는 휴대 전화

기계

전기를 이용해 충전을 하거나 기름, 가스 등의 연료를 넣어 에너지를 얻습니다.

▲ 작동하는 데 필요한 에너지(가스)를 넣는 자동차

VS

▲ 자라고 열매 맺는 데 필요한 에너지를 광합성을 통해 얻는 벼

생물

식물은 햇빛을 이용해 스스로 에너지를 얻고, 동물은 다른 식물이나 동물을 먹고 소화시켜 에너지를 얻습니다.

▲ 살아가는 데 필요한 에너지를 먹이를 먹어 얻는 다람쥐

에너지는 소중하게 이용해야 해요. 만약 에너지 자원인 전기나 기름에서 더는 에너지를 얻을 수 없게 된다면 겨울에 난방을 할 수 없고 여름에 냉방 기구도 켤 수 없어요. 또 자동차, 배, 비행기 등의 교통수단을 탈 수 없어 걸어 다녀야 해요. 그 외에도 대부분의 기계들을 작동할 수 없어 어려움을 겪게 될거예요.

다양한 형태의 에너지

우리는 생활하면서 🔥 열에너지, 전기 에너지, 빛에너지, 화학 에너지, 운동 에너지, 위치 에너지 등 다양한 형태의 에너지를 이용합니다.

열에너지	물체의 온도를 높여 주거나, 음식이 익게 해 주는 에너지
전기 에너지	여러 전기 기구들을 작동하게 하는 에너지
빛에너지	어두운 곳을 밝게 비춰 주는 에너지
화학 에너지	생물의 생명 활동에 필요하며, 물질이 가진 잠재적인 에너지
운동 에너지	움직이는 물체가 가진 에너지
위치 에너지	높은 곳에 있는 물체가 중력에 의해 가지는 잠재적인 에너지

집안에서 찾을 수 있는 다양한 형태의 에너지

에너지 형태가 바뀌어. 에너지 전환!

🔥 에너지의 형태가 바뀌는 것을 '에너지 전환'이라고 해요. 우리는 에너지 전환을 이용해 필요한 형태의 에너지를 얻을 수 있답니다.

놀이공원에서 찾을 수 있는 에너지 전환

놀이공원 뿐만 아니라 자연이나 우리 생활에서도 에너지 전환이 일어나요.

- 폭포의 물이나 높이 던져 올린 공이 떨어질 때는 위치 에너지가 운동 에너지로 전환됩니다.
- 탄소봉에 불을 붙여 불꽃놀이를 할 때는 화학 에너지가 빛에너지와 열에너지로 전환됩니다.
- 자동차가 달릴 때 연료의 화학 에너지는 운동 에너지로 전환됩니다.

떠오르는 열기구

화학 에너지 → 열 에너지 → 운동 에너지 → 위치 에너지

반짝이는 전광판

전기 에너지 → 빛 에너지

환영합니다!

떨어지는 낙하 놀이 기구

위치 에너지 → 운동 에너지

광합성을 하는 나무

빛 에너지 → 화학 에너지

모든 에너지의 시작, 태양의 빛에너지!

식물은 태양의 빛에너지를 이용해 화학 에너지를 만들고, 태양 전지는 태양의 빛에너지를 전기 에너지로 전환시켜요. 이처럼 🔥 우리가 생활에서 이용하는 에너지는 태양의 빛에너지로부터 에너지의 형태가 전환된 것이랍니다.

[태양광 해파리로 에너지 전환 과정 알아보기] 탐구 활동을 통해 태양의 빛에너지가 전기 에너지로 어떻게 전환되는지 알아봐요.

 탐구 돋보기

태양광 해파리로 에너지 전환 과정 알아보기

프로펠러 / 양면테이프

❶ 얇은 종이를 길게 찢거나 잘라서 양면테이프로 프로펠러 날개에 붙입니다.

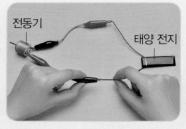

전동기 / 태양 전지

❷ 태양 전지의 전선과 전동기를 집게 달린 전선으로 연결합니다.

전동기

❸ 전동기의 축에 ❶의 프로펠러를 끼워 태양광 해파리를 완성합니다.

태양 전지

전동기

▲ 태양광 해파리

• 태양 전지가 태양을 향하면 태양광 해파리가 돌아갑니다.
• 태양 전지가 태양을 향하지 않으면 태양광 해파리가 천천히 돌거나 돌지 않습니다.
• 태양광 해파리를 움직이게 한 에너지 전환 과정

태양의 빛에너지 — 태양 전지 → 전기 에너지 — 전동기 → 운동 에너지

태양에서 온 빛에너지는 어떤 전환 과정을 거쳐 다른 여러 가지 에너지로 전환되는지 알아
봐요.

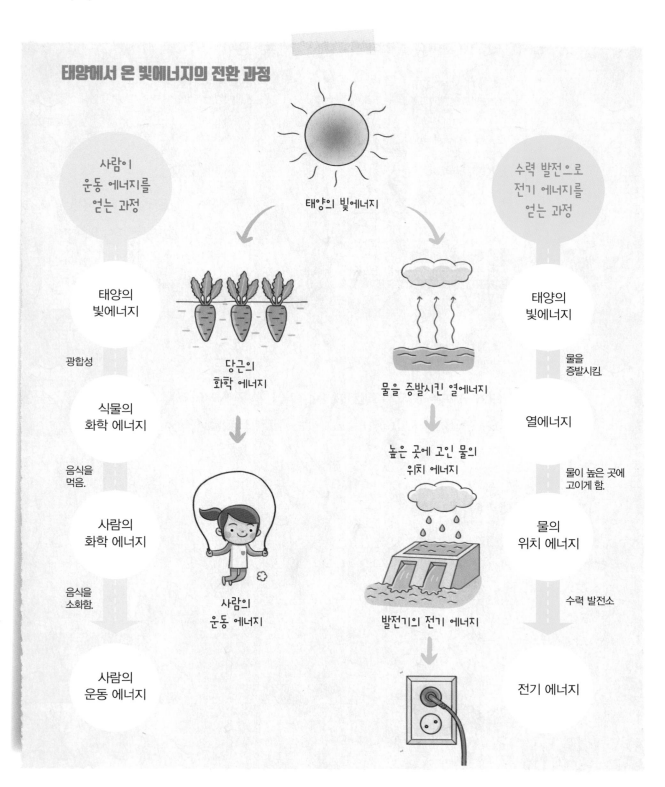

태양에서 온 빛에너지의 전환 과정

사람이 운동 에너지를 얻는 과정

태양의 빛에너지

광합성

식물의 화학 에너지

음식을 먹음.

사람의 화학 에너지

음식을 소화함.

사람의 운동 에너지

당근의 화학 에너지

사람의 운동 에너지

태양의 빛에너지

물을 증발시킨 열에너지

높은 곳에 고인 물의 위치 에너지

발전기의 전기 에너지

수력 발전으로 전기 에너지를 얻는 과정

태양의 빛에너지

물을 증발시킴.

열에너지

물이 높은 곳에 고이게 함.

물의 위치 에너지

수력 발전소

전기 에너지

재미있는 개념 퀴즈!

1 다음 공책의 빈칸에 들어갈 말을 글자표에서 찾아 쓰세요.

(ㄱ, 1)을 글자표에서 찾으면 '가'야.

❶ 기계를 움직이거나 생물이 살아가는 데 (ㄷ, 4) (ㅁ, 1) (ㄴ, 5) 가 필요합니다.

❷ 햇빛이나 전등처럼 어두운 곳을 밝게 비춰 주는 에너지는 (ㄷ, 1) 에너지이고, 사람의 생명 활동에 필요한 에너지는 (ㄱ, 3) (ㄹ, 2) 에너지입니다.

2 에너지의 형태가 바뀌는 경우를 바르게 이야기한 친구만 사다리를 타고 내려가서 간식을 먹을 수 있대요. 간식을 먹지 못하는 친구는 누구인지 쓰세요.

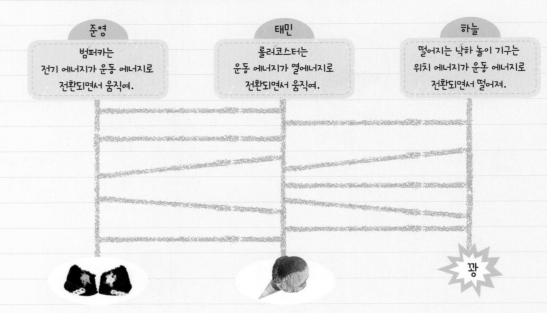

준영
범퍼카는 전기 에너지가 운동 에너지로 전환되면서 움직여.

태민
롤러코스터는 운동 에너지가 열에너지로 전환되면서 움직여.

하늘
떨어지는 낙하 놀이 기구는 위치 에너지가 운동 에너지로 전환되면서 떨어져.

꽝

3 가로 세로 퀴즈를 풀어 보세요.

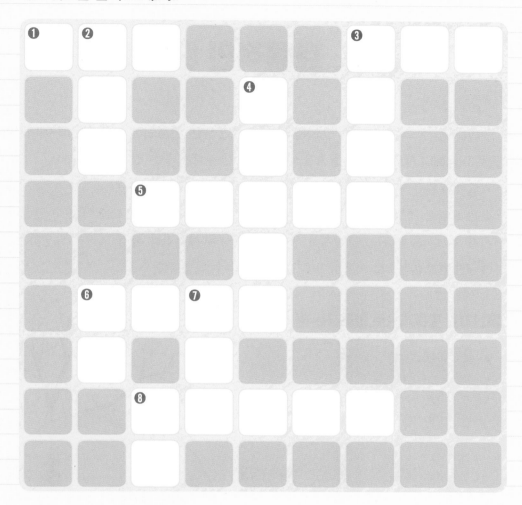

실천해, 효율적인 에너지 이용!

에너지를 얻으려면 자원이 필요한데, 🔥 자원의 양은 한정되어 있기 때문에 에너지를 효율적으로 이용해야 해요. 에너지를 효율적으로 이용했을 때의 좋은 점은 무엇일까요?

• 의도하지 않은 방향으로 전환되는 에너지의 양을 줄일 수 있습니다.

• 같은 효과를 내는 데 필요한 전기 에너지의 양을 줄여 전기 에너지를 아낄 수 있습니다.

• 전기 에너지를 만드는 과정에서 생태계에 영향을 미치거나 환경 오염이 발생하기도 하므로 에너지를 효율적으로 이용하면 환경을 보호할 수 있습니다.

에너지를 효율적으로 이용하는 예

● 생물이 환경에 적응한 경우
● 건축물에서 이용하는 경우
● 에너지 효율 표시가 붙어 있는 전기 기구를 사용하는 경우

겨울눈(식물)

겨울눈의 비늘은 추운 겨울에 어린싹이 열에너지를 빼앗겨 어는 것을 막아 줍니다.

겨울잠(동물)

먹이를 구하기 어렵고 추운 겨울 동안 자신의 생명과 체온을 유지하기 위한 화학 에너지를 더 적게 쓰려고 겨울잠을 자기도 합니다.

발광 다이오드[LED]등 사용

전등은 전기 에너지를 빛에너지로 전환해 이용하는 기구이지만 전기 에너지의 일부는 열에너지로도 전환됩니다. 발광 다이오드[LED]등은 다른 전등에 비해 열에너지로 전환되어 손실되는 에너지의 양이 적습니다.

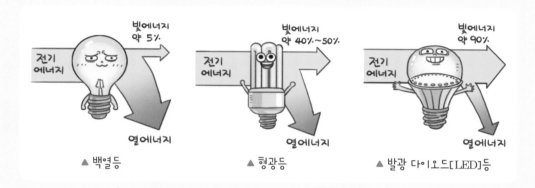

▲ 백열등   ▲ 형광등   ▲ 발광 다이오드[LED]등

이중창 설치
건물 안의 열에너지가
빠져나가지 않도록 합니다.

단열재 사용
바깥 온도의 영향을 차단하여
집 안의 열에너지가 빠져나가지
않게 합니다.

에너지 효율 표시
에너지를 효율적으로 이용하는 전기
기구임을 알려 주는 표시를 합니다.

에너지절약

재미있는 개념 퀴즈!

1 다음 중 에너지를 효율적으로 이용해야 하는 까닭을 <u>잘못</u> 설명한 사람은 누구인지 쓰세요.

호준
에너지를 얻으려면 자원이 필요한데, 자원은 한정되어 있기 때문이야.

예린
전기 에너지를 만드는 과정에서 환경 오염이 발생하기도 하기 때문이야.

광수
낮에만 태양이 떠서 태양의 빛에너지가 항상 부족하기 때문이야.

✏️ [   ]

2 다음은 식물과 동물, 건축물에서 에너지를 효율적으로 이용하는 예입니다. 초성을 보고, 어떤 방법인지 쓰세요.

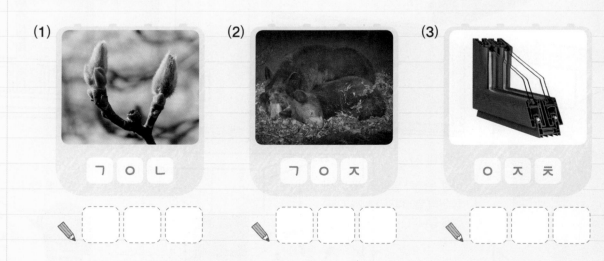

(1) ㄱ ㅇ ㄴ

(2) ㄱ ㅇ ㅈ

(3) ㅇ ㅈ ㅊ

✏️ [ ][ ][ ]   ✏️ [ ][ ][ ]   ✏️ [ ][ ][ ]

182

3 다음은 집안에서 에너지를 효율적으로 이용하는 모습입니다. 서로 다른 부분을 다섯 군데 찾아 아래 그림에 ○표 하고, 빈칸에 알맞은 말을 쓰세요.

에너지를 효율적으로 이용하기 위해 ✎ ☐☐ ☐☐ ☐☐ [LED]등과 같이

에너지 효율이 ✎ ☐☐ 전기 기구를 사용합니다.

개념 잡는 생각 그물!

에너지와 생활

에너지가 필요한 까닭과 얻는 방법

에너지가 필요한 까닭
기계를 움직이고, 생물이 살아가기 위해서 ❶ [＿＿＿＿] 가 필요함.

에너지를 얻는 방법

▲ 기계는 전기나 기름을 통해 에너지를 얻음.

▲ 식물은 햇빛을 받아 스스로 양분을 만들어 에너지를 얻음.

▲ 동물은 식물이나 동물 등을 먹고 에너지를 얻음.

에너지의 다양한 형태

❷ [＿＿＿]	전기 에너지	❸ [＿＿＿]	화학 에너지	❹ [＿＿＿]	위치 에너지
물체의 온도를 높여 주거나, 음식이 익게 해 주는 에너지	여러 전기 기구들을 작동하게 하는 에너지	어두운 곳을 밝게 비춰 주는 에너지	생물의 생명 활동에 필요하며, 물질이 가진 잠재적인 에너지	움직이는 물체가 가진 에너지	높은 곳에 있는 물체가 중력에 의해 가지는 잠재적인 에너지
▲ 전기 장판	▲ 콘센트	▲ 태양	▲ 석탄	▲ 달리는 자동차	▲ 던져 올린 공

에너지 전환

에너지 전환의 뜻과 예

- 에너지 전환: 에너지가 다른 [⑤ _____]로 바뀌는 것
- 에너지 전환의 예

상황	에너지 전환 과정
식물이 광합성을 할 때	태양의 빛에너지 → 식물의 화학 에너지
아이가 달릴 때	화학 에너지 → [⑥ _____]
롤러코스터가 움직일 때	전기 에너지 → 운동 에너지 ⇄ 위치 에너지
다리미로 옷을 다릴 때	전기 에너지 → [⑦ _____]

에너지 전환의 시작

우리가 생활에서 이용하는 에너지는 [⑧ _____]의 빛에너지로부터 에너지의 형태가 전환된 것임.

에너지를 효율적으로 이용하는 방법

- 에너지를 얻기 위해 필요한 자원은 한정되어 있기 때문에 에너지를 효율적으로 이용해야 함.
- 에너지 전환 과정에서 의도하지 않은 방향으로 전환되는 에너지의 양을 줄여야 함.

구분	식물	동물	건축물	전기 기구
에너지를 효율적으로 이용하는 예	[⑨ _____]의 비늘은 추운 겨울에 어린싹이 열에너지를 빼앗겨 어는 것을 막아 줌.	먹이를 구하기 어려운 겨울 동안 자신의 화학 에너지를 더 효율적으로 이용하고자 겨울잠을 잠.	건물 안의 열에너지가 빠져나가지 않도록 [⑩ _____]을 설치하고, 단열재를 사용함.	• 에너지 효율 표시가 붙어 있는 전기 기구를 사용함. • 전등은 빛에너지로 전환되는 비율이 가장 높은 발광 다이오드[LED]등을 사용함.

개념 확인 체크! 체크!

☐ 에너지가 필요한 까닭과 얻는 방법, 에너지의 다양한 형태를 이야기할 수 있어요. • 172~173쪽

☐ 에너지 전환에 대해 이야기할 수 있어요. • 174~175쪽

☐ 우리가 생활에서 이용하는 에너지의 시작은 무엇인지 이야기할 수 있어요. • 176~177쪽

☐ 에너지를 효율적으로 이용하는 예를 이야기할 수 있어요. • 180~181쪽

1~2 다음 놀이공원의 모습을 보고, 물음에 답하시오.

1 위 놀이공원의 반짝이는 전광판과 떨어지는 낙하 놀이 기구, 움직이는 범퍼카에서 일어나는 에너지 전환 과정을 각각 쓰시오.

(1) 반짝이는 전광판: _____

(2) 떨어지는 낙하 놀이 기구: _____

(3) 움직이는 범퍼카: _____

2 위 놀이공원의 열기구가 높이 떠오를 수 있는 까닭을 에너지 전환과 관련지어 쓰시오.

_____

_____

3~4 다음은 우리가 생활에서 이용하는 에너지가 전환되는 과정을 나타낸 것입니다. 물음에 답하시오.

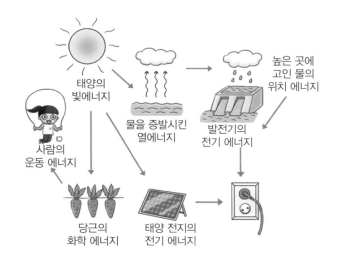

3 위 과정으로 보아, 우리가 생활에서 이용하는 에너지의 시작은 어떤 에너지인지 쓰시오.

(   )

4 위 태양의 빛에너지를 전기 에너지로 전환시키는 태양 전지를 이용하여 오른쪽과 같은 태양광 해파리를 만들었습니다. 태양광 해파리가 태양을 향했을 때 나타나는 변화를 그 까닭과 함께 쓰시오.

_____

_____

5 에너지를 얻으려면 자원이 필요한데, 자원은 한정되어 있으므로 에너지를 효율적으로 이용해야 합니다. 우리가 가정에서 에너지를 효율적으로 이용할 수 있는 방법을 쓰시오.

_____

_____

전환되고 보존되는 역학적 에너지

롤러코스터가 출발 지점에서 높은 곳으로 천천히 올라갈 때에는 전기 에너지가 위치 에너지로 전환되고, 롤러코스터가 높은 곳에 도착하면 매우 빠른 속력으로 아래로 떨어지는데, 이때 위치 에너지가 운동 에너지로 전환된답니다. 이처럼 롤러코스터는 위치 에너지와 운동 에너지가 계속 서로 전환되면서 움직이는 놀이 기구지요.

중학교에서 배워!

역학적 에너지

운동하는 물체의 위치 에너지와 운동 에너지의 합을 '역학적 에너지'라고 해.

위치 에너지 + 운동 에너지 = 역학적 에너지

위로 던져 올린 물체가 운동하는 동안에는 물체의 위치 에너지와 운동 에너지가 변해. 물체가 올라가는 동안에는 물체의 높이가 높아지므로 위치 에너지는 커지고 속력이 느려지면서 운동 에너지는 작아져. 즉 물체의 운동 에너지가 위치 에너지로 전환돼. 반대로 물체가 내려오는 동안에는 물체의 높이가 낮아지므로 위치 에너지는 작아지고 속력이 빨라지면서 운동 에너지는 커져. 즉 물체의 위치 에너지가 운동 에너지로 전환돼. 이처럼 물체가 운동할 때 위치 에너지와 운동 에너지는 서로 전환될 수 있는데 이것을 '역학적 에너지 전환'이라고 하고, 물체가 위로 올라갈 때나 물체가 내려올 때 공기의 저항이나 마찰이 없으면 물체의 역학적 에너지는 일정한데 이것을 '역학적 에너지 보존'이라고 해.

부록1

용어 찾아보기

● 각 단원에 나오는 용어를 익히고 용어 퀴즈를 풀어 보세요.

1. 지구와 달의 운동

10쪽 │ 회전 (回 돌아올 회, 傳 구를 전)
한 점이나 어떤 물체를 중심으로 하여 그 둘레를 빙빙 도는 것

10쪽 │ 자전 (自 스스로 자, 轉 구를 전)
천체가 스스로 고정된 축을 중심으로 회전하는 것

예 지구는 자전축을 중심으로 서쪽에서 동쪽으로 자전함.

▲ 지구의 자전

11쪽 │ 가상 (假 거짓 가, 想 생각할 상)
사실이 아니거나 사실 여부가 분명하지 않은 것을 사실이라고 가정하여 생각함.

14쪽 │ 공전 (公 공평할 공, 轉 구를 전)
한 천체가 다른 천체의 둘레를 주기적으로 도는 일. 행성이 태양의 둘레를 도는 일 등

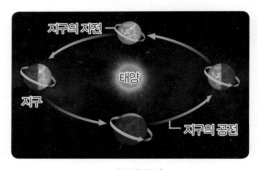

▲ 지구의 공전

15쪽 │ 별자리
별의 무리를 구분해 사람이나 동물 또는 물건의 모습으로 떠올리고 이름을 붙인 것

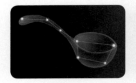

▲ 북두칠성   ▲ 작은곰자리

16쪽 │ 상대적 (相 서로 상, 對 대할 대, 的 과녁 적)
서로 맞서거나 비교되는 관계에 있는 것

17쪽 │ 주기 (週 돌 주, 期 기간 기)
같은 현상이나 특징이 한 번 나타나고부터 다음번 되풀이되기까지의 기간. 회전하는 물체가 한 번 돌아서 본래의 위치로 오기까지의 기간

초승달   상현달   보름달   하현달   그믐달
(음력 2~3일) (음력 7~8일) (음력 15일) (음력 22~23일)(음력 27~28일)

▲ 30일 주기로 변하는 달의 모양

17쪽 │ 음력
달이 지구를 한 바퀴 도는 시간을 기준으로 만든 달력으로, 달의 모양이 날짜를 의미하는 달력

용어 퀴즈 다음에서 설명하는 용어를 찾아 글자판에 ○표 하세요.

❶ 천체가 스스로 고정된 축을 중심으로 회전하는 것
❷ 한 천체가 다른 천체의 둘레를 주기적으로 도는 일
❸ 달이 지구를 한 바퀴 도는 시간을 기준으로 만든 달력
❹ 같은 현상이 한 번 나타나고부터 다음번 되풀이되기까지의 기간
❺ 별의 무리를 구분해 사람이나 동물 또는 물건의 모습으로 떠올리고 이름을 붙인 것

그	음	달	모	음
림	상	자	시	력
양	공	전	간	낮
가	똥	별	수	밤
대	자	우	주	기
리	무	라	서	도

정답 ❶ 자전 ❷ 공전 ❸ 음력 ❹ 주기 ❺ 별자리

2. 여러 가지 기체

| 28쪽 | **압축** (壓 누를 압, 縮 줄일 축)

물질에 힘을 가하여 그 부피를 줄임.

| 28쪽 | **팽창** (膨 부풀 팽, 脹 부풀 창)

크기나 길이가 부풀어 커지거나 늘어나는 것

| 29쪽 | **보존** (保 지킬 보, 存 있을 존)

잘 보호하고 보관하여 지키고 남김.

| 29쪽 | **혈액** (血 피 혈, 液 진 액)

사람이나 동물의 몸 안의 혈관을 돌며 산소와 영양분을 공급하고, 노폐물을 운반하는 붉은색의 액체

| 29쪽 | **세포** (細 가늘 세, 胞 포자 포)

생물체를 이루는 가장 작은 단위

| 29쪽 | **청정** (清 맑을 청, 淨 깨끗할 정)

맑고 깨끗함.

　🔵 청정 에너지: 수소처럼 탈 때 오염 물질이 배출되지
　　않는 깨끗한 에너지

| 29쪽 | **변조** (變 변할 변, 調 고를 조)

보통과 다른 상태가 되거나 상태를 바꿈.

| 29쪽 | **냉각제**

다른 물질이 식어서 차갑게 되도록 하기 위해 사용하는 물질

| 30쪽 | **발생** (發 나타날 발, 生 날 생)

어떤 일이나 사물이 생겨남.

| 30쪽 | **핀치 집게**

짧은 순간 열었다가 놓아 고무관의 액체를 흘려보내는 역할을 하는 실험 기구

| 34쪽 | **압력** (壓 누를 압, 力 힘 력)

두 물체가 접촉한 면을 경계로 하여 서로 그 면에 수직으로 누르거나 미는 힘의 세기

| 35쪽 | **랩** (wrap)

식품 포장에 쓰는 얇은 비닐 막

용어 퀴즈 다음에서 설명하는 용어를 골라 바르게 줄로 이으시오.

(1) 크기나 길이가 부풀어 커지거나 늘어나는 것

(2) 생물체를 이루는 가장 작은 단위

(3) 다른 물질이 식어서 차갑게 되도록 하기 위해 사용하는 물질

・ ・ ・

・ ・ ・

ㄱ 냉각제　　　　ㄴ 팽창　　　　ㄷ 세포

정답 | (1) – ㄴ (2) – ㄷ (3) – ㄱ

3. 식물의 구조와 기능

46쪽 | 표피 (表 겉 표, 皮 가죽 피)

식물체의 표면을 덮고 있는 조직. 식물체 내부를 보호하며 수분이 날아가는 것을 막음.

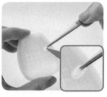

▲ 양파 표피

46쪽 | 염색 (染 물들일 염, 色 빛 색)

세포나 조직 등을 색소로 물들이는 일. 염료를 사용하여 실이나 천 등을 물들이는 일

46쪽 | 배율 (倍 곱 배, 率 비율 율)

거울, 렌즈, 망원경, 현미경 등으로 물체를 볼 때 실제 물체와 상과의 크기 비율

47쪽 | 유전 (遺 남길 유, 傳 전할 전)

어버이의 성격, 체질과 같은 특징이 자손에게 전해지는 현상

48쪽 | 면적 (面 표면 면, 積 넓이 적)

일정한 평면이나 둥근면이 공간을 차지하는 넓이의 크기

52쪽 | 모종

옮겨 심으려고 가꾼 벼나 여러 가지 어린 식물

상추 모종 ▶

52쪽 | 녹말

초록색 식물의 엽록체 안에서 광합성으로 만들어져 뿌리, 줄기, 씨앗 등에 저장되는 양분

53쪽 | 표면 (表 겉 표, 面 낯 면)

사물의 가장 바깥쪽 또는 가장 윗부분

53쪽 | 기공 (氣 공기 기, 孔 구멍 공)

식물의 잎이나 줄기의 겉껍질에 있는 숨쉬기와 증산 작용을 하는 구멍. 잎의 뒤쪽에 많으며, 빛과 습도에 따라 여닫게 되어 있음.

 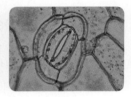

▲ 닫힌 기공   ▲ 열린 기공

54쪽 | 유인 (誘 꾈 유, 引 끌 인)

주의나 흥미를 일으켜 꾀어내는 것

54쪽 | 일부 (一 하나 일, 部 나눌 부)

전체를 여럿으로 나눈 얼마 또는 한 부분

57쪽 | 갈고리

끝이 뾰족하고 꼬부라진 물건

**용어
퀴즈**

다음에서 설명하는 용어를 찾아 글자판에 ○표 하세요.

❶ 식물체의 표면을 덮고 있는 조직

❷ 주의나 흥미를 일으켜 꾀어내는 것

❸ 현미경 등으로 물체를 볼 때 실제 물체와 상과의 크기 비율

❹ 식물의 잎이나 줄기의 겉껍질에 있는 숨쉬기와 증산 작용을 하는 구멍

❺ 초록색 식물의 엽록체 안에서 광합성으로 만들어져 뿌리, 줄기, 씨앗 등에 저장되는 양분

배	수	분	기	공
균	율	뿌	모	종
표	면	리	엽	핵
피	염	유	록	암
일	색	인	체	술
부	열	매	녹	말

4. 빛과 렌즈

| **68쪽** | **투명** (透 통할 투, 明 밝을 명)

물체가 속까지 환히 비치도록 맑아 빛을 잘 통과시킴.

| **69쪽** | **구실**

자기가 마땅히 해야 할 맡은 바 책임

| **70쪽** | **경계** (境 지경 경, 界 지경 계)

사물이 어떠한 기준에 의하여 분간되는 한계. 지역이 구분되는 한계

| **70쪽** | **굴절** (屈 굽힐 굴, 折 꺾을 절)

휘어서 꺾이는 것

빛의 굴절 ▶

| **70쪽** | **반투명**

어떤 물체를 통하여 볼 때에 그 반대쪽이 흐릿하게 보이는 성질이 있음.

반투명한 물체 ▶

| **70쪽** | **각도** (角 뿔 각, 度 법도 도)

한 점에서 갈라져 나간 두 직선의 벌어진 정도. 원의 중심에서 원의 둘레를 360으로 등분한 것을 1도로 나타내고 이를 단위로 측정함.

▲ 각도를 측정하는 각도기

| **71쪽** | **포장도로** (鋪 펼 포, 裝 꾸밀 장, 道 길 도, 路 길 로)

길바닥에 돌과 모래 등을 깔고 그 위를 시멘트나 아스팔트로 덮어 단단하게 다져 사람이나 자동차가 다닐 수 있도록 꾸민 비교적 넓은 길

| **71쪽** | **비유** (比 견줄 비, 喻 깨달을 유)

어떤 현상이나 사물을 직접 설명하지 않고 다른 비슷한 현상이나 사물에 빗대어서 설명하는 일

| **73쪽** | **연장선** (延 끌 연, 長 길 장, 線 줄 선)

어떤 일이나 현상, 행동 등이 계속하여 이어지는 것

| **77쪽** | **평면** (平 평평할 평, 面 낯 면)

평평한 표면

| **78쪽** | **확대** (擴 넓힐 확, 大 큰 대)

모양이나 규모 등을 넓혀서 더 크게 함.

| **79쪽** | **섬세하다**

곱고 가늚. 매우 찬찬하게 세밀함.

용어 퀴즈 다음에서 설명하는 용어를 골라 바르게 줄로 이으시오.

(1) 휘어서 꺾이는 것

(2) 사물이 어떠한 기준에 의하여 분간되는 한계

(3) 어떤 일이나 현상, 행동 등이 계속하여 이어지는 것

ㄱ 경계   ㄴ 연장선   ㄷ 굴절

정답 | (1) - ㄷ (2) - ㄴ (3) - ㄱ

193

5. 전기의 이용

| 91쪽 | 철
단단하고 자석에 붙는 성질이 있는 은백색의 금속으로, 습기가 있는 곳에서는 녹슬기 쉬움.

| 91쪽 | 구리
단단하고 두드리면 얇게 펴지는 붉은색의 금속으로, 전기와 열이 잘 전달됨.

| 91쪽 | 알루미늄
은백색의 가볍고 부드러운 금속으로, 가공하기 쉽고 가벼움.

| 91쪽 | 흑연
순수한 탄소로 이루어진 검은색을 띠는 물질로, 연필심의 재료

| 91쪽 | 필라멘트
백열전구의 내부에서 전류를 통하여 빛을 내는 실처럼 가는 금속 선

필라멘트

| 98쪽 | 에나멜선
전류를 통하게 하는 구리로 된 줄의 표면에 막을 입혀서 자른 전선. 전자석을 만들 때 사용함.

| 98쪽 | 사포 (砂 모래 사, 布 베 포)
돌이나 유리 등의 보드라운 가루를 발라 붙인 천이나 종이. 쇠붙이의 녹을 닦거나 물체의 거죽을 반들반들하게 문지르는 데 사용함.

| 99쪽 | 기중기 (起 일어날 기, 重 무거울 중, 機 기계 기)
무거운 물건을 들어 올려 아래위나 수평으로 이동시키는 기계

| 99쪽 | 자기 부상 열차
전자석을 이용하여 차량을 일정한 높이로 띄워 움직이는 열차

| 99쪽 | 전동기 (電 번개 전, 動 움직일 동, 機 기계 기)
전기 에너지로부터 돌아가는 힘을 얻는 기계

| 100쪽 | 감전 (感 느낄 감, 電 번개 전)
전기가 통하고 있는 도체에 몸의 일부가 닿아서 순간적으로 충격을 받는 것

용어 퀴즈 다음에서 설명하는 용어를 찾아 글자판에 ◯표 하세요.

❶ 전기 에너지로부터 돌아가는 힘을 얻는 기계
❷ 무거운 물건을 들어 올려 아래위나 수평으로 이동시키는 기계
❸ 순수한 탄소로 이루어진 검은색을 띠는 물질로, 연필심의 재료
❹ 백열전구의 내부에서 전류를 통하여 빛을 내는 실처럼 가는 금속 선
❺ 전기가 통하고 있는 도체에 몸의 일부가 닿아서 순간적으로 충격을 받는 것

필	철	기	중	기
라	사	알	루	선
멘	자	포	미	늄
트	부	나	흑	연
에	상	감	구	리
차	열	전	동	기

정답 | ❶ 전동기 ❷ 기중기 ❸ 흑연 ❹ 필라멘트 ❺ 감전

6. 계절의 변화

112쪽 **지표면** (地 땅 지, 表 겉 표, 面 낯 면)

지구의 표면이나 땅의 겉면

112쪽 **고도** (高 높을 고, 度 법도 도)

천체가 평평한 지표면 또는 수면이 하늘과 맞닿아 이루는 선인 지평선이나 수평선과 이루는 각도

112쪽 **남중** (南 남녘 남, 中 가운데 중)

천체가 일주 운동(한 바퀴를 도는 운동)을 하던 중 정남쪽에 위치하는 일이나 시간

태양이 남중할 때(낮 12시 30분 무렵)

동 / 남 / 서

113쪽 **꺾은선그래프**

가로선과 세로선을 따라 두 선이 만나는 곳에 점을 찍고 각 점을 선으로 이어 그리는 그래프, 시간의 흐름에 따라 측정값이 어떻게 변하는지 알아보는 데 편리함.

117쪽 **태양 에너지양**

태양이 방출하는 에너지의 양

119쪽 **궤도면**

천체가 중력의 영향을 받아 다른 천체의 둘레를 돌면서 그리는 곡선의 길인 궤도를 포함하는 평면

태양 / 해왕성 / 천왕성 / 달 · 지구 / 수성 / 금성 / 화성 / 소행성 / 혜성 / 목성 / 토성

119쪽 **수직** (垂 드리울 수, 直 곧을 직)

두 개의 선이나 면이 서로 만나서 생기는 각이 직각을 이루는 상태

119쪽 **북반구** (北 북녘 북, 半 반 반, 球 공 구)

적도를 경계로 지구를 둘로 나누었을 때의 북쪽 부분

119쪽 **남반구** (南 남녘 남, 半 반 반, 球 공 구)

적도를 경계로 지구를 둘로 나누었을 때의 남쪽 부분

용어 퀴즈

다음에서 설명하는 용어를 골라 바르게 줄로 이으시오.

(1) 태양이 방출하는 에너지의 양
●

(2) 천체가 일주 운동을 하던 중 정남쪽에 위치하는 일이나 시간
●

(3) 적도를 경계로 지구를 둘로 나누었을 때의 북쪽 부분
●

●
㉠ 북반구

●
㉡ 남중

●
㉢ 태양 에너지양

정답 | (1) - ㉢ (2) - ㉡ (3) - ㉠

7. 연소와 소화

130쪽 유등 (油 기름 유, 燈 등잔 등)
기름으로 켜는 등불 또는 안에 촛불이 들어 있는 등불

130쪽 심지
초, 알코올램프 등에 불을 붙이기 위해 꼬아서 꽂은 실오라기나 헝겊

130쪽 촛농
초가 탈 때에 녹아서 흐르는 기름

131쪽 아궁이
옛날에 방이나 솥 등에 불을 때기 위하여 만든 구멍

132쪽 비율
다른 수나 양에 대한 어떤 수나 양의 비

133쪽 성냥갑
성냥개비를 넣는 갑. 옆면에 유리 가루 등이 발라져 있어서 성냥개비로 그으면 불이 일어남.

133쪽 마찰 (摩 갈 마, 擦 비빌 찰)
두 물체가 서로 닿아 비벼짐.

133쪽 부싯돌
불이 일어나게 하는 쇳조각을 쳐서 불을 일으키는 데 쓰는 돌

139쪽 투척 (投 던질 투, 擲 던질 척)
어떤 물건을 목표 지점에 던짐.

139쪽 분무 (噴 뿜을 분, 霧 안개 무)
물이나 약품 등을 안개처럼 뿜어냄.

139쪽 분말 (粉 가루 분, 末 끝 말)
딱딱한 물건을 보드라울 정도로 잘게 부수거나 갈아서 만든 것. 가루

140쪽 유독 가스
독성이 있어 생물에게 큰 해가 되는 기체

141쪽 소화전
소화 호스를 장치하기 위하여 상수도의 급수관에 설치하는 시설

141쪽 소재 (素 바탕 소, 材 재목 재)
어떤 것을 만드는 데 바탕이 되는 재료

141쪽 정전 (停 머무를 정, 電 번개 전)
오던 전기가 나가거나 끊어짐.

용어 퀴즈
다음에서 설명하는 용어를 찾아 글자판에 ○표 하세요.

❶ 어떤 물건을 목표 지점에 던짐.
❷ 독성이 있어 생물에게 큰 해가 되는 기체
❸ 옛날에 방이나 솥 등에 불을 때기 위하여 만든 구멍
❹ 소화 호스를 장치하기 위하여 상수도의 급수관에 설치하는 시설
❺ 초, 알코올램프 등에 불을 붙이기 위해 꼬아서 꽂은 실오라기나 헝겊

투	비	성	냥	갑
척	율	아	궁	이
말	소	재	유	등
심	분	화	마	찰
지	무	정	전	농
촛	유	독	가	스

정답 | ❶ 투척 ❷ 유독 가스 ❸ 아궁이 ❹ 소화전 ❺ 심지

8. 우리 몸의 구조와 기능

┃152쪽┃ **바가지**

박을 두 쪽으로 쪼개거나 플라스틱으로 그와 비슷하게 만들어 물을 푸거나 물건을 담는 데 쓰는 그릇

┃152쪽┃ **기둥**

건축물에서 돌, 쇠, 벽돌, 콘크리트 등을 모나거나 둥글게 만들어 곧게 높이 세운 것

┃153쪽┃ **뇌**

머리뼈 안에 있는 부분으로, 근육의 운동을 조절하고 감각을 인식하며, 말하고 기억하며 생각하고 감정을 일으키는 중추가 있음.

┃154쪽┃ **배출** (排 밀 배, 出 날 출)

안에서 밖으로 밀어 내보냄. 동물이 먹은 음식물을 소화하여 항문으로 내보내는 일

┃154쪽┃ **호르몬**

동물의 내분비샘에서 분비되는 체액과 함께 체내를 순환하여, 다른 기관이나 조직의 작용이 잘 일어나게 하거나 일어나지 않게 하는 물질을 통틀어 이르는 말

┃155쪽┃ **제공** (提 끌 제, 供 이바지할 공)

무엇을 내주거나 가져다 바침.

┃158쪽┃ **펌프**

압력을 이용하여 액체, 기체를 빨아올리거나 이동시키는 기계

┃160쪽┃ **자극** (刺 찌를 자, 戟 창 극)

어떠한 작용을 주어 감각이나 마음에 반응이 일어나게 하거나 그런 작용을 하는 사물. 생체에 작용하여 반응을 일으키게 하는 일

┃160쪽┃ **반응** (反 되돌릴 반, 應 응할 응)

자극에 대응하여 어떤 현상이 일어나는 것. 물질 사이에 일어나는 화학적 변화

┃161쪽┃ **맥박**

심장의 운동으로 심장에서 나오는 피가 얇은 피부에 분포되어 있는 동맥의 벽에 닿아서 생기는 주기적인 움직임

▲ 맥박을 측정하는 방법

┃161쪽┃ **심장 박동**

심장이 주기적으로 오므라졌다 부풀었다 하는 운동

용어 퀴즈 다음에서 설명하는 용어를 골라 바르게 줄로 이으시오.

(1) 심장이 주기적으로 오므라졌다 부풀었다 하는 운동

(2) 안에서 밖으로 밀어 내보냄.

(3) 자극에 대응하여 어떤 현상이 일어나는 것

ㄱ 반응

ㄴ 심장 박동

ㄷ 배출

9. 에너지와 생활

172쪽 | 충전 (充 찰 충, 電 번개 전)
전기 에너지를 화학 에너지로 바꾸어 모아 두었다가 필요한 때에 전기로 재생하는 장치인 축전지나 많은 양의 전기를 모으는 장치인 축전기에 전기 에너지를 모으는 일

173쪽 | 잠재 (潛 잠길 잠, 在 있을 재)
겉으로 드러나지 않고 속에 잠겨 있거나 숨어 있음.

173쪽 | 중력 (重 무거울 중, 力 힘 력)
지구가 물체를 당기는 힘

174쪽 | 전환 (轉 구를 전, 換 바꿀 환)
다른 방향이나 상태로 바뀌거나 바꿈.

176쪽 | 프로펠러
비행기나 선박에서, 엔진의 돌아가는 힘을 움직이는 힘으로 바꾸는 장치. 보통 두 개 이상의 회전 날개로 되어 있음.

▲ 헬리콥터의 프로펠러

177쪽 | 발전기 (發 쏠 발, 電 번개 전, 機 기계 기)
도체가 운동할 때 전기가 발생하는 것을 이용하여, 운동 에너지를 전기 에너지로 바꾸는 장치

180쪽 | 자원 (資 재물 자, 源 근원 원)
인간 생활 및 경제 생산에 이용되는 원료로서의 광물, 산림, 수산물 등을 통틀어 이르는 말

180쪽 | 한정 (限 한계 한, 定 정할 정)
수량이나 범위 등을 제한하여 정하거나 그런 한도

180쪽 | 효율
들인 노력과 얻은 결과의 비율

180쪽 | 의도 (意 뜻 의, 圖 그림 도)
무엇을 하고자 하는 생각이나 계획 또는 무엇을 하려고 꾀함.

180쪽 | 어린싹 (어린눈)
잎이나 줄기, 뿌리를 모두 가지고 있는 배(씨앗)의 일부분으로, 발아하여 줄기나 잎이 되는 부분

181쪽 | 손실 (損 덜 손, 失 잃을 실)
잃어버리거나 축나서 손해를 보는 일 또는 그 손해

181쪽 | 차단 (遮 막을 차, 斷 끊을 단)
다른 것과의 관계나 접촉을 막거나 끊음.

용어 퀴즈

다음에서 설명하는 용어를 찾아 글자판에 ○표 하세요.

❶ 지구가 물체를 당기는 힘
❷ 다른 방향이나 상태로 바뀌거나 바꿈.
❸ 겉으로 드러나지 않고 속에 잠겨 있거나 숨어 있음.
❹ 잃어버리거나 축나서 손해를 보는 일 또는 그 손해
❺ 수량이나 범위 등을 제한하여 정하거나 그런 한도

전	충	한	정	손
환	의	다	도	실
프	중	력	저	가
로	자	어	린	싹
펠	원	잠	재	효
러	기	차	단	율

정답 | ❶ 중력 ❷ 전환 ❸ 잠재 ❹ 손실 ❺ 한정

부록2

단원 평가

● 각 단원에 나오는 중요 문제를 풀어 보세요.

1 다음 중 지구의 자전 방향을 화살표로 바르게 나타낸 것을 골라 기호를 쓰시오.

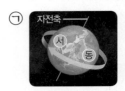
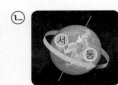

(   )

2 다음 중 하루 동안 태양의 위치 변화에 대한 설명으로 바른 것은 어느 것입니까?
(   )

① 오전 7시 무렵에는 북쪽 하늘에서 보인다.

② 오후 6시 무렵에는 서쪽 하늘에서 보인다.

③ 오후 12시 30분 무렵에는 동쪽 하늘에서 보인다.

④ 서쪽 하늘에서 보이기 시작하여 남쪽 하늘을 지나 사라진다.

⑤ 동쪽 하늘에서 북쪽 하늘을 지나 서쪽 하늘로 움직이는 것처럼 보인다.

서술형

3 하루 동안 같은 장소에서 일정한 시간 간격으로 관측한 달의 위치 변화를 달의 위치가 변하는 까닭과 함께 쓰시오.

_____

_____

_____

4 다음과 같이 장치하고 지구의를 돌리면서 낮일 때와 밤일 때 우리나라 위치에 붙인 관측자 모형을 관찰하였습니다. 이 실험에 대한 설명으로 바르지 <u>않은</u> 것은 어느 것입니까?
(   )

① 우리나라가 낮일 때 관측자 모형은 빛을 받는다.

② 우리나라가 밤일 때 관측자 모형은 빛을 받지 못한다.

③ 지구가 자전하기 때문에 낮과 밤이 생긴다는 것을 알 수 있다.

④ 우리나라가 낮일 때와 밤일 때 모두 관측자 모형은 빛을 받는다.

⑤ 전등은 태양, 지구의는 지구, 관측자 모형은 지구의 관측자를 나타낸다.

5 다음 (   ) 안에 들어갈 말을 각각 쓰시오.

> 지구가 (㉠)을/를 중심으로 일정한 길을 따라 일 년에 한 바퀴씩 서쪽에서 동쪽으로 회전하는 것을 지구의 (㉡)(이)라고 합니다.

㉠: (   )

㉡: (   )

6 다음 중 지구의 운동에 대한 설명으로 바르지 <u>않은</u> 것을 두 가지 고르시오.
(　, 　)

① 지구는 자전하면서 동시에 공전한다.
② 지구가 태양을 중심으로 한 바퀴 회전하는 데 걸리는 시간은 일 년이다.
③ 지구가 자전축을 중심으로 한 바퀴 회전하는 데 걸리는 시간은 하루이다.
④ 지구의 자전 방향은 시계 반대 방향이고, 지구의 공전 방향은 시계 방향이다.
⑤ 지구가 공전하기 때문에 태양이 하루 동안 동쪽에서 서쪽으로 움직이는 것처럼 보인다.

7 다음 각 계절의 대표적인 별자리와 계절을 바르게 줄로 이으시오.

(1)
▲ 페가수스자리
· 　·㉠ 봄

(2)
▲ 거문고자리
· 　·㉡ 여름

(3)
▲ 사자자리
· 　·㉢ 가을

(4)
▲ 오리온자리
· 　·㉣ 겨울

서술형

8 가을철에 봄철 별자리를 볼 수 없는 까닭을 쓰시오.

_____

_____

9 다음은 여러 날 동안 관찰한 달의 모양 변화입니다. ㉠ 달의 이름과 달을 볼 수 있는 날짜를 바르게 짝 지은 것은 어느 것입니까? (　)

① 하현달 - 음력 7~8일 무렵
② 상현달 - 음력 7~8일 무렵
③ 하현달 - 음력 22~23일 무렵
④ 상현달 - 음력 22~23일 무렵
⑤ 그믐달 - 음력 27~28일 무렵

10 다음 중 여러 날 동안 같은 장소에서 같은 시각에 달을 관측한 결과를 바르게 설명한 사람의 이름을 쓰시오.

- 도율: 달은 항상 서쪽 하늘에서만 볼 수 있어.
- 민지: 달은 동쪽에서 서쪽으로 왔다갔다를 반복해.
- 승유: 달은 서쪽에서 동쪽으로 날마다 조금씩 위치를 옮겨 가.

(　　　　　　)

1 다음과 같이 장치하여 지구의를 회전시켰을 때 관측자 모형에게 전등이 어떻게 보이는지 생각해 보았습니다. 이 실험에 대한 설명으로 바르지 <u>않은</u> 것은 어느 것입니까?
(   )

전등   관측자 모형
지구의
30cm

① 전등은 태양을 나타낸다.
② 지구의의 우리나라 위치에 관측자 모형이 남쪽을 향하도록 붙인다.
③ 실험으로 지구의가 회전하는 방향과 관측자 모형이 본 전등이 움직이는 방향은 같다는 것을 알 수 있다.
④ 지구의를 서쪽에서 동쪽으로 회전시키면 관측자 모형에게 전등은 동쪽에서 서쪽으로 움직이는 것처럼 보인다.
⑤ 실험으로 지구가 서쪽에서 동쪽으로 회전하기 때문에 태양이 동쪽에서 서쪽으로 움직이는 것처럼 보인다는 것을 알 수 있다.

2 다음 (   ) 안에 들어갈 말을 각각 쓰시오.

지구가 지구의 북극과 남극을 이은 가상의 직선인 (㉠)을/를 중심으로 하루에 한 바퀴씩 서쪽에서 동쪽으로 회전하는 것을 지구의 (㉡)(이)라고 합니다.

㉠: (   )
㉡: (   )

3 다음 중 하루 동안 태양과 달의 위치 변화에 대한 설명으로 바른 것을 두 가지 고르시오.
(,   )

① 하루 동안 태양과 달이 움직이는 방향은 같다.
② 태양은 오전 7시 무렵에 동쪽 하늘에서 볼 수 있다.
③ 하루 동안 태양은 위치가 변하지만, 달은 위치가 변하지 않는다.
④ 하루 동안 태양과 달은 서쪽에서 동쪽으로 움직이는 것처럼 보인다.
⑤ 하루 동안 태양과 달의 위치가 달라지는 까닭은 태양과 달이 자전하기 때문이다.

4 다음과 같은 경우, 우리나라는 낮과 밤 중 언제인지 쓰시오.

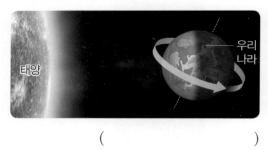

태양   우리나라

(   )

서술형
5 우리나라에 낮과 밤이 하루에 한 번씩 번갈아 나타나는 까닭을 쓰시오.

_____

_____

_____

서술형

6 다음과 같이 지구의의 우리나라 위치에 관측자 모형을 붙이고, 전등을 중심으로 지구의를 (가)~(라)의 위치에 순서대로 옮겼습니다. 물음에 답하시오.

(1) 위 (가)~(라) 각 위치에서 우리나라가 한밤이 되도록 지구의를 자전시키면, 지구의가 놓인 위치에 따라 관측자 모형에게 한밤에 보이는 교실의 모습이 같은지, 다른지 쓰시오.

(   )

(2) 위 (1)번 답과 같이 보이는 까닭을 쓰시오.

_____

_____

_____

7 다음 중 계절에 따라 보이는 별자리에 대한 설명으로 바르지 <u>않은</u> 것은 어느 것입니까? (   )

① 사자자리는 봄철 대표적인 별자리이다.
② 계절별 대표적인 별자리는 그 계절에만 보인다.
③ 여름철에는 겨울철 대표적인 별자리를 볼 수 없다.
④ 태양과 같은 방향에 있는 별자리는 태양 빛 때문에 볼 수 없다.
⑤ 지구가 태양 주위를 공전하기 때문에 계절에 따라 보이는 별자리가 달라진다.

8 다음 보기 에서 음력 27~28일 무렵에 볼 수 있는 달을 골라 기호와 이름을 쓰시오.

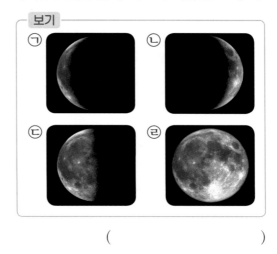

(   )

9 다음 ( ) 안에 들어갈 말을 각각 쓰시오.

여러 날 동안 같은 시각에 관측한 달의 위치는 (㉠)쪽에서 (㉡)쪽으로 날마다 조금씩 옮겨 갑니다.

㉠: (   ) ㉡: (   )

10 오른쪽은 어느 날 밤 관측한 달의 모습입니다. 5~6일 뒤 같은 시각, 같은 장소에서 관측한 달의 모양과 위치로 바른 것은 어느 것입니까? (   )

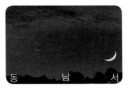

①  ②

③ 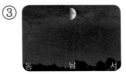 ④

1 다음과 같이 기체 발생 장치를 꾸며 산소를 발생시키려고 합니다. ㉠과 ㉡에 넣어야 하는 물질을 각각 쓰시오.

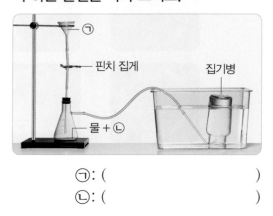

㉠: (   )
㉡: (   )

2 다음 중 산소의 성질에 대한 설명으로 바른 것은 어느 것입니까? (   )

① 노란색이다.
② 스스로 잘 탄다.
③ 달콤한 냄새가 난다.
④ 금속이 녹슬지 않게 한다.
⑤ 다른 물질이 타는 것을 돕는다.

3 다음 (   ) 안에 들어갈 말을 쓰시오.

응급 환자의 호흡 장치나 소방관이 사용하는 압축 공기통에 공통적으로 이용하는 기체는 (   )입니다.

▲ 응급 환자의 호흡 장치

▲ 소방관의 압축 공기통

(   )

서술형

4 다음과 같이 기체 발생 장치를 꾸몄습니다. 물음에 답하시오.

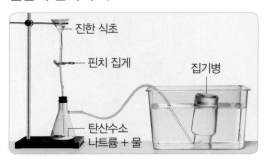

(1) 위 기체 발생 장치의 핀치 집게를 조절하여 진한 식초를 조금씩 흘려 보낼 때 집기병에 모아지는 기체는 무엇인지 쓰시오.

(   )

(2) 위와 같은 방법으로 기체를 모은 집기병에 석회수를 넣고 흔들었을 때 나타나는 변화를 쓰시오.

_____

_____

5 오른쪽과 같은 소화기에 이산화 탄소가 이용되는 까닭으로 바른 것은 어느 것입니까?
(   )

① 따뜻하기 때문이다.
② 냄새가 없기 때문이다.
③ 붉은색을 띠기 때문이다.
④ 톡 쏘는 맛이 나기 때문이다.
⑤ 물질이 타는 것을 막기 때문이다.

6 물이나 공기를 넣은 주사기의 입구를 손가락으로 막고 피스톤을 눌렀을 때, 보기 에서 피스톤이 가장 많이 들어가는 경우를 골라 기호를 쓰시오. (단, 주사기에 넣은 물과 공기의 양은 각각 40 mL로 같습니다.)

보기
ㄱ 물을 넣은 주사기의 피스톤을 세게 눌렀을 때
ㄴ 물을 넣은 주사기의 피스톤을 약하게 눌렀을 때
ㄷ 공기를 넣은 주사기의 피스톤을 세게 눌렀을 때
ㄹ 공기를 넣은 주사기의 피스톤을 약하게 눌렀을 때

(   )

7 다음과 같이 입구에 고무풍선을 씌운 삼각 플라스크를 뜨거운 물과 얼음물이 든 비커에 각각 넣었습니다. 고무풍선의 변화를 바르게 설명한 것은 어느 것입니까? ( )

고무풍선
ㄱ 뜨거운 물   ㄴ 얼음물

① ㄱ – 고무풍선이 오그라든다.
② ㄱ – 고무풍선이 부풀어 오른다.
③ ㄴ – 고무풍선이 부풀어 오른다.
④ ㄱ – 고무풍선에 아무런 변화가 없다.
⑤ ㄴ – 고무풍선에 아무런 변화가 없다.

8 다음과 같은 두 현상에 가장 큰 영향을 준 조건은 어느 것입니까? ( )

▲ 뜨거운 음식을 비닐 랩으로 포장한 뒤 음식이 식으면 윗면이 오목하게 들어갑니다.
▲ 물이 조금 담긴 페트병을 마개로 막아 냉장고에 넣고 시간이 지나면 페트병이 찌그러집니다.

① 압력   ② 온도
③ 습도   ④ 햇빛의 양
⑤ 바람의 세기

9 다음에서 설명하는 것은 무엇인지 쓰시오.

대부분 질소와 산소로 이루어져 있고, 이 밖에도 이산화 탄소, 수소, 헬륨, 네온 등의 여러 가지 기체가 섞여 있는 혼합물입니다.

(   )

서술형
10 생활 속에서 질소가 이용되는 예를 두 가지 쓰시오.

_____

_____

_____

서술형

1 다음과 같이 기체 발생 장치를 꾸며 핀치 집게를 조금씩 열었을 때, 집기병에 모아지는 기체의 성질을 두 가지 쓰시오.

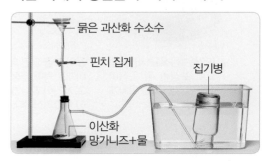

묽은 과산화 수소수
핀치 집게
집기병
이산화 망가니즈+물

_____

_____

2 다음 중 우리 생활에서 산소를 이용하는 예가 <u>아닌</u> 것을 두 가지 고르시오.
(,   )

①
▲ 금속을 자르거나 붙일 때

②
▲ 잠수부의 압축 공기통

③
▲ 드라이아이스

④
▲ 탄산음료

⑤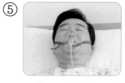
▲ 응급 환자의 호흡 장치

3 다음 중 이산화 탄소를 발생시키는 데 필요한 물질끼리 바르게 짝 지은 것은 어느 것입니까? (   )

① 진한 식초, 석회수
② 탄산수소 나트륨, 진한 식초
③ 묽은 과산화 수소수, 레몬즙
④ 탄산수소 나트륨, 이산화 망가니즈
⑤ 묽은 과산화 수소수, 이산화 망가니즈

4 다음 보기 에서 이산화 탄소의 성질을 모두 골라 기호를 쓰시오.

보기
㉠ 금속을 녹슬게 합니다.
㉡ 색깔과 냄새가 없습니다.
㉢ 석회수를 뿌옇게 만듭니다.
㉣ 다른 물질이 타는 것을 돕습니다.

(   )

5 다음 중 압력 변화에 따른 액체와 기체의 부피 변화에 대해 바르게 설명한 사람의 이름을 쓰시오.

• 현미: 기체는 압력을 세게 가하면 부피가 조금 작아져.
• 승수: 기체는 압력을 가한 정도에 따라 부피가 달라지지.
• 준우: 액체는 압력을 약하게 가하면 부피가 조금 작아져.
• 시영: 액체와 기체 모두 압력을 가해도 부피가 거의 변하지 않아.

(   )

6 다음은 비행기 안에 있는 과자 봉지의 모습입니다. 비행기가 땅에 있을 때와 하늘을 날 때 중 어디에 있을 때 과자 봉지의 모습인지 각각 ○표 하시오.

(1)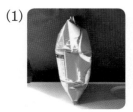

(2)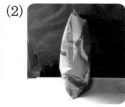

(땅 , 하늘)   (땅 , 하늘)

서술형

7 플라스틱 스포이트를 식용 색소를 탄 물에서 눌렀다가 놓아 스포이트 관 가운데에 물방울이 오도록 한 다음, 스포이트를 뒤집어서 뜨거운 물이 든 비커와 얼음물이 든 비커에 각각 넣고 변화를 관찰였습니다. 물음에 답하시오.

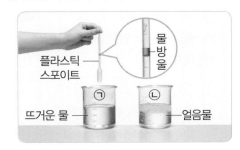

(1) 위 ㉠과 ㉡ 중 플라스틱 스포이트를 넣었을 때 물방울이 처음보다 위로 올라가는 것을 골라 기호를 쓰시오.

( )

(2) 위 실험으로 알 수 있는 사실을 온도 변화에 따른 기체의 부피 변화와 관련지어 쓰시오.

_____

_____

8 다음 중 생활 속에서 온도 변화에 따라 기체의 부피가 달라지는 예로 바른 것을 두 가지 고르시오. (,)

① 뜨거운 음식을 비닐 랩으로 포장하면 비닐 랩이 부풀어 오른다.
② 깊은 바닷속에서 잠수부가 내뿜는 공기 방울이 올라가면서 커진다.
③ 에어 농구화의 공기는 뛰어올랐다가 착지할 때 부피가 작아진다.
④ 높은 산 위에서 빈 페트병을 마개로 닫은 뒤 산 아래로 내려오면 페트병이 찌그러진다.
⑤ 물이 조금 담긴 페트병을 마개로 막아 냉장고에 넣고 시간이 지나면 페트병이 찌그러진다.

9 다음 설명에 해당하는 기체로 바른 것은 어느 것입니까? ( )

• 탈 때 물이 생성되고 오염 물질이 나오지 않는 청정 연료입니다.
• 전기를 만드는 데 이용됩니다.

① 산소   ② 수소
③ 아르곤   ④ 크립톤
⑤ 이산화 탄소

10 다음 기체들의 쓰임새를 바르게 줄로 이으시오.

(1) 질소 •   • ㉠ 조명 기구

(2) 헬륨 •   • ㉡ 식품 포장

(3) 네온 •   • ㉢ 비행선, 풍선

1 다음 중 식물 세포를 골라 기호를 쓰시오.

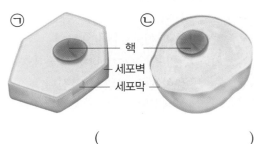

(　　　　)

2 다음과 같이 양파 두 개 중 한 개만 뿌리를 잘라 같은 양의 물이 든 비커에 각각 올려놓은 뒤, 빛이 잘 드는 곳에 2~3일 동안 놓아두었습니다. 이 실험에 대한 설명으로 바른 것을 두 가지 고르시오.

(　 , 　)

▲ 뿌리를 자르지 않은　　▲ 뿌리를 자른 양파
　　양파

① 실험 결과 ㉠보다 ㉡ 비커의 물이 더 많이 줄어들었다.
② 실험 결과 ㉡보다 ㉠ 비커의 물이 더 많이 줄어들었다.
③ 실험 결과 ㉠과 ㉡ 비커 속 물의 양이 모두 변하지 않았다.
④ 실험에서 양파의 크기만 제외하고 다른 조건은 모두 같게 해야 한다.
⑤ 실험을 통해 뿌리는 물을 흡수하는 역할을 한다는 것을 알 수 있다.

서술형

3 다음 고구마의 뿌리가 파의 뿌리보다 굵은 까닭을 뿌리의 기능과 관련지어 쓰시오.

 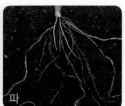

고구마　　　파

_____

_____

4 오른쪽은 붉은 색소 물에 4시간 동안 넣어 둔 백합 줄기를 세로로 자른 단면 모습입니다. 이 실험 결과를 통해 알 수 있는 사실로 바른 것은 어느 것입니까? (　)

▲ 세로 단면　　붉은 색소 물

① 줄기에서 양분을 만든다.
② 줄기에 양분을 저장한다.
③ 줄기를 통해 물을 내보낸다.
④ 줄기의 안쪽은 모두 붉은색이다.
⑤ 줄기는 물이 이동하는 통로 역할을 한다.

5 다음 ( ) 안에 들어갈 말을 각각 쓰시오.

식물이 (㉠)과/와 물, 이산화 탄소를 이용하여 스스로 양분을 만드는 것을 (㉡)(이)라고 합니다.

㉠: (　　　　)　㉡: (　　　　)

6 다음에서 설명하는 식물의 작용은 어느 것 입니까?   (   )

> • 잎에 도달한 물이 기공을 통해 식물 밖으로 빠져나가는 것입니다.
> • 뿌리에서 흡수한 물을 식물의 꼭대기 까지 끌어 올릴 수 있도록 돕고, 식물의 온도를 조절하는 역할을 합니다.

① 분해 작용   ② 증산 작용
③ 지지 작용   ④ 저장 작용
⑤ 흡수 작용

7 다음 사과꽃의 각 부분에 대한 설명으로 바른 것을 보기 에서 골라 기호를 쓰시오.

꽃잎
암술
수술
꽃받침

> 보기
> ㉠ 암술은 씨를 만듭니다.
> ㉡ 꽃잎은 꽃가루를 만듭니다.
> ㉢ 수술은 암술을 보호합니다.
> ㉣ 꽃받침은 꽃가루받이가 이루어지는 곳입니다.

(   )

8 다음 식물과 식물의 꽃가루받이를 도와주 는 것을 바르게 줄로 이으시오.

(1) 소나무 •   • ㉠ 새

(2) 동백나무 •   • ㉡ 곤충

(3) 코스모스 •   • ㉢ 바람

9 다음은 사과 열매가 자라는 과정입니다. 물음에 답하시오.

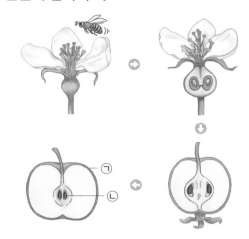

㉠
㉡

(1) 위 ㉠과 ㉡의 이름을 각각 쓰시오.
㉠ : (   ) ㉡ : (   )
(2) 위와 같은 열매가 하는 일을 쓰시오.

_____

_____

10 다음 중 제비꽃과 같은 방법으로 씨를 퍼뜨 리는 식물은 어느 것입니까?   (   )

①
▲ 박주가리

②
▲ 봉숭아

③
▲ 도깨비바늘

④
▲ 연꽃

⑤
▲ 단풍나무

209

1 다음 중 세포에 대한 설명으로 바르지 <u>않은</u> 것은 어느 것입니까? ( )

① 크기와 모양이 다양하다.
② 대부분 크기가 매우 작아 맨눈으로 볼 수 없다.
③ 동물 세포는 세포막과 핵은 있지만 세포벽이 없다.
④ 식물 세포는 세포벽, 세포막, 핵으로 이루어져 있다.
⑤ 식물은 하나의 세포로, 동물은 여러 개의 세포로 이루어져 있다.

2 다음과 같이 장치하여 빛이 잘 드는 곳에 두고, 두 비커에 든 물의 양 변화를 비교하였습니다. 이 실험으로 알 수 있는 뿌리의 기능을 쓰시오. (단, 처음 비커에 든 물의 양은 같습니다.)

뿌리를 자르지 않은 양파 / 뿌리를 자른 양파

( )

3 다음 ( ) 안에 들어갈 말을 각각 쓰시오.

뿌리에는 솜털처럼 가는 (㉠)이/가 나 있는데, 물을 더 잘 흡수하도록 해 줍니다. 또 무나 고구마처럼 뿌리에 (㉡)을/를 저장하는 식물도 있습니다.

㉠: ( ) ㉡: ( )

서술형

4 다음과 같이 붉은 색소 물에 4시간 동안 넣어 둔 백합 줄기를 가로와 세로로 잘라 단면을 관찰하였습니다. 물음에 답하시오.

▲ 붉은 색소 물에 4시간 동안 넣어 둔 백합

▲ 가로로 자르기
▲ 세로로 자르기

(1) 위 실험 결과, 백합 줄기의 가로 단면과 세로 단면의 모습을 보기 에서 각각 골라 기호를 쓰시오.

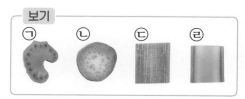

보기
㉠ ㉡ ㉢ ㉣

• 가로 단면: ( )
• 세로 단면: ( )

(2) 위 실험으로 알 수 있는 줄기의 하는 일을 쓰시오.

_____

_____

5 다음 중 줄기에 대한 설명으로 바르지 <u>않은</u> 것은 어느 것입니까? ( )

① 생김새가 다양하다.
② 양분을 저장하기도 한다.
③ 물이 이동하는 통로가 있다.
④ 식물을 지지하는 기능이 있다.
⑤ 겉은 모두 매끈한 껍질로 싸여 있다.

6 다음과 같이 빛을 받지 못한 잎과 빛을 받은 잎에 아이오딘-아이오딘화 칼륨 용액을 각각 떨어뜨렸습니다. 이 실험에 대한 설명으로 바른 것을 두 가지 고르시오.

(　 , 　)

아이오딘-아이오딘화 칼륨 용액

㉠ 빛을 받지 못한 잎　　㉡ 빛을 받은 잎

① ㉠의 잎만 청람색으로 변한다.
② ㉡의 잎만 청람색으로 변한다.
③ ㉠, ㉡의 잎 둘 다 청람색으로 변한다.
④ 실험으로 빛을 받은 잎에서만 녹말이 만들어진다는 것을 알 수 있다.
⑤ 실험으로 빛을 받지 못한 잎에서만 양분이 저장된다는 것을 알 수 있다.

서술형
7 모종 한 개는 잎을 남겨 두고 다른 한 개는 잎을 모두 없앤 뒤, 다음과 같이 장치하여 햇빛이 잘 드는 곳에 1~2일 동안 놓아 두었습니다. ㉠과 ㉡ 중 비닐봉지 안에 물이 생긴 것을 골라 기호를 쓰고, 비닐봉지 안에 물이 생긴 까닭을 쓰시오.

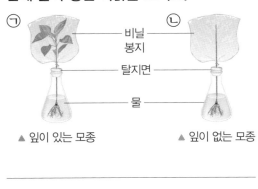

㉠　　㉡　비닐봉지
탈지면
물

▲ 잎이 있는 모종　　▲ 잎이 없는 모종

_____

_____

8 다음 보기 에서 잎이 하는 일을 모두 골라 기호를 쓰시오.

보기
㉠ 양분을 만듭니다.
㉡ 물을 흡수합니다.
㉢ 식물 밖으로 물을 내보냅니다.
㉣ 식물을 지지하여 쓰러지지 않게 합니다.

(　　　　　　)

9 다음 중 꽃에 대한 설명으로 바르지 않은 것을 두 가지 고르시오. (　 , 　)

① 씨를 퍼뜨리는 일을 한다.
② 스스로 꽃가루받이를 거쳐 씨를 만든다.
③ 대부분 암술, 수술, 꽃잎, 꽃받침으로 이루어져 있다.
④ 식물의 종류에 따라 크기, 모양, 색깔 등이 서로 다르다.
⑤ 암술은 꽃가루받이가 이루어지는 곳이고 수술은 꽃가루를 만드는 곳이다.

10 다음 식물이 씨를 퍼뜨리는 방법을 바르게 줄로 이으시오.

(1) 연꽃 · · ㉠ 물에 떠서

(2) 벚나무 · · ㉡ 바람에 날려서

(3) 민들레 · · ㉢ 동물에게 먹혀서

(4) 도깨비바늘 · · ㉣ 동물의 털이나 사람의 옷에 붙어서

211

1 다음과 같이 장치하고 햇빛을 프리즘에 통과시켜 보았습니다. 이 실험을 통해 알 수 있는 사실로 바른 것은 어느 것입니까? ( )

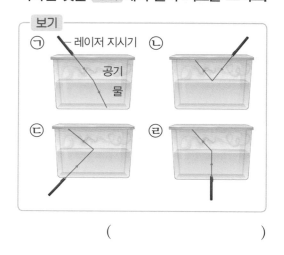

검은색 도화지
긴 구멍
프리즘
하얀색 도화지

① 햇빛은 온도가 낮다.
② 햇빛은 프리즘을 통과하지 못한다.
③ 햇빛은 구불거리면서 앞으로 나아간다.
④ 햇빛은 한 가지 빛깔로 이루어져 있다.
⑤ 햇빛은 여러 가지 빛깔로 이루어져 있다.

2 다음과 같이 물을 채운 수조에 우유를 네다섯 방울 떨어뜨리고 향 연기를 채운 뒤 레이저 지시기의 빛을 여러 각도에서 비추었습니다. 빛이 나아가는 모습을 바르게 나타낸 것을 보기 에서 골라 기호를 쓰시오.

보기
㉠ ─레이저 지시기 ㉡
공기
물
㉢ ㉣

( )

3 다음 ( ) 안에 들어갈 말을 각각 쓰시오.

> 서로 다른 물질의 경계에서 빛이 꺾여 나아가는 현상을 빛의 (㉠)(이)라고 하며, 빛은 공기 중에서 물로 (㉡) 나아갈 때 꺾여 나아갑니다.

㉠: (   ) ㉡: (   )

서술형
4 다음과 같이 정우가 물속에 있는 물고기를 볼 때 정우가 생각하는 물고기의 위치를 골라 기호를 쓰고, 그 까닭을 쓰시오.

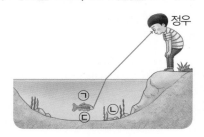

정우
㉠
㉢
㉡

_____

_____

5 오른쪽 렌즈가 볼록 렌즈인 까닭으로 바른 것은 어느 것입니까? ( )

① 불투명하기 때문이다.
② 두께가 일정하기 때문이다.
③ 양끝 부분의 두께가 다르기 때문이다.
④ 가운데 부분이 가장자리보다 얇기 때문이다.
⑤ 가운데 부분이 가장자리보다 두껍기 때문이다.

6 다음 보기 에서 볼록 렌즈로 물체를 관찰한 결과로 바른 것을 골라 기호를 쓰시오.

> 보기
> ㉠ 실제 물체보다 항상 작게 보입니다.
> ㉡ 실제 물체의 모습과 같게 보입니다.
> ㉢ 실제 물체와 상하좌우가 바뀌어 보일 때도 있습니다.

(   )

서술형

7 다음과 같이 볼록 렌즈에 레이저 지시기의 빛을 비추고 볼록 렌즈의 양쪽 빈 공간에 분무기로 물을 뿌렸을 때, 볼록 렌즈를 통과한 레이저 지시기의 빛이 어떻게 나아가는지 쓰시오.

_____

_____

_____

8 다음 중 볼록 렌즈에 대한 설명으로 바르지 않은 것은 어느 것입니까? (   )

① 볼록 렌즈는 빛을 모을 수 있다.
② 물방울은 볼록 렌즈의 구실을 할 수 있다.
③ 볼록 렌즈로 검은색 종이를 태울 수 있다.
④ 볼록 렌즈를 통과한 햇빛이 만든 원 안의 온도는 주변보다 낮다.
⑤ 볼록 렌즈를 통과한 햇빛이 만든 원 안의 밝기는 주변보다 더 밝다.

9 다음은 간이 사진기의 모습입니다. 겉 상자와 속 상자의 ㉠과 ㉡에 사용된 재료를 바르게 짝 지은 것은 어느 것입니까?

(   )

	㉠	㉡
①	볼록 렌즈	한지
②	볼록 렌즈	기름종이
③	볼록 렌즈	색종이
④	평면 유리	색종이
⑤	평면 유리	기름종이

10 다음 중 볼록 렌즈를 이용해 만든 기구가 아닌 것을 골라 기호를 쓰시오.

▲ 사진기   ▲ 삼각자
▲ 현미경   ▲ 망원경

(   )

1 다음과 같이 장치한 뒤 햇빛을 프리즘에 통과시켰을 때, 하얀색 도화지에 나타난 모습을 그림으로 바르게 나타낸 것을 골라 기호를 쓰시오.

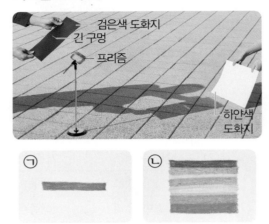

(   )

서술형

2 다음은 수조에 반투명한 유리판을 넣고 향을 피운 뒤, 레이저 지시기의 빛을 비춘 모습입니다. 공기와 반투명한 유리판의 경계에서 레이저 지시기의 빛은 어떻게 나아가는지 화살표로 나타내고, 그와 같이 나타낸 까닭을 쓰시오.

_____

_____

3 다음은 컵 속에 젓가락을 넣고 물을 붓지 않았을 때와 물을 부었을 때의 컵 속의 젓가락 모습입니다. 이 실험 결과와 관련된 빛의 성질을 쓰시오.

물을 붓지 않았을 때	물을 부었을 때

(   )

4 다음 중 볼록 렌즈에 대한 설명으로 바른 것은 어느 것입니까?   (   )

① 가운데 부분이 가장자리보다 얇다.
② 볼록 렌즈로 물체를 보면 작게 보인다.
③ 볼록 렌즈로 물체를 보면 상하좌우가 바뀌어 보이기도 한다.
④ 볼록 렌즈의 가장자리를 통과한 빛은 렌즈 밖으로 꺾여 나아간다.
⑤ 볼록 렌즈의 가운데 부분을 통과한 빛은 가장자리로 꺾여 나아간다.

5 다음 물체들의 공통점으로 바른 것을 두 가지 고르시오.   (,   )

> 물방울, 유리 막대, 물이 담긴 어항

① 가볍고 불투명하다.
② 빛을 통과시킬 수 없다.
③ 볼록 렌즈의 구실을 할 수 있다.
④ 가운데 부분이 가장자리보다 얇다.
⑤ 가운데 부분이 가장자리보다 두껍다.

서술형

6 다음은 볼록 렌즈와 평면 유리를 통과한 햇빛이 하얀색 도화지에 만든 원의 모습을 나타낸 것입니다. 물음에 답하시오.

하얀색 도화지와 (㉠) 사이의 거리

가까울 때 (5 cm)	중간일 때 (25 cm)	멀 때 (45 cm)
○	○	○

하얀색 도화지와 (㉡) 사이의 거리

가까울 때 (5 cm)	중간일 때 (25 cm)	멀 때 (45 cm)
○	●	○

(1) 볼록 렌즈와 평면 유리 중, 위 ㉠과 ㉡에 들어갈 물체를 각각 쓰시오.

㉠: (　　　　) ㉡: (　　　　)

(2) 위 실험 결과로 알 수 있는 볼록 렌즈와 평면 유리의 차이점을 쓰시오.

_____

_____

7 다음 중 간이 사진기로 글자 '가'를 관찰한 모습으로 바른 것은 어느 것입니까?

(　　)

① 가 ② 가(거꾸로) ③ 가(좌우반전)
④ 가(상하반전) ⑤ 가(상하좌우반전)

8 다음 (　) 안에 들어갈 말을 각각 쓰시오.

간이 사진기로 본 물체의 모습이 실제 모습과 다른 까닭은 간이 사진기에 있는 (㉠)이/가 빛을 (㉡)시켜 (㉢)에 위치가 바뀐 물체의 모습을 만들기 때문입니다.

㉠: (　　　　　　)
㉡: (　　　　　　)
㉢: (　　　　　　)

9 다음 기구의 ○표로 표시한 부분에 빛을 모으거나 물체를 확대하기 위해 공통적으로 이용된 것은 무엇인지 쓰시오.

▲ 확대경　　　▲ 사진기　　　▲ 휴대 전화

(　　　　　　)

10 다음 설명과 관계있는 기구는 어느 것입니까?

(　　)

볼록 렌즈인 대물렌즈와 접안렌즈를 이용하여 작은 물체의 모습을 확대해서 볼 수 있게 만든 기구입니다.

① 프리즘　　　　② 각도기
③ 현미경　　　　④ 휴대 전화
⑤ 돋보기안경

1 다음 중 전구에 불이 켜지는 전기 회로를 두 가지 고르시오. (,   )

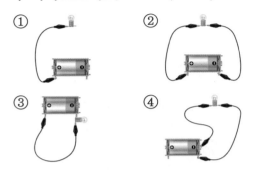

2 다음 ( ) 안에 들어갈 말을 각각 쓰시오.

> 전기 회로에 흐르는 전기를 (㉠) (이)라고 하고, 철, 구리, 흑연 등과 같이 (㉠)이/가 잘 흐르는 물질을 (㉡)(이)라고 합니다.

㉠: (   ) ㉡: (   )

서술형

3 다음 전기 회로를 보고, 물음에 답하시오.

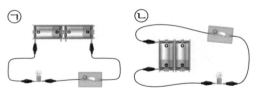

(1) 위 ㉠, ㉡ 전기 회로에서 전지 두 개가 서로 같은 극끼리 연결되어 있는 것을 골라 기호를 쓰시오.

(   )

(2) 위 ㉠, ㉡ 전기 회로의 스위치를 닫았을 때 전구의 밝기를 비교하여 쓰시오.

_____

_____

4 다음 전기 회로에 대한 설명으로 바르지 않은 것은 어느 것입니까? (   )

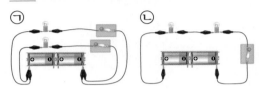

① ㉠은 전구를 병렬로 연결했다.
② ㉠과 ㉡ 모두 전지를 직렬로 연결했다.
③ 스위치를 닫았을 때 ㉠의 전구가 ㉡의 전구보다 더 밝다.
④ ㉡은 전구 두 개를 두 개의 줄에 나누어 한 개씩 연결했다.
⑤ ㉡에서 전구 한 개를 빼내고 스위치를 닫으면 나머지 전구 불이 켜지지 않는다.

5 다음과 같은 전기 회로에서 전구 끼우개에 연결된 전구 한 개를 빼내고 스위치를 닫았을 때, 나머지 전구의 불은 어떻게 되는지 보기 에서 골라 기호를 쓰시오.

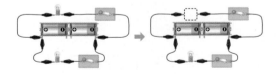

보기
> ㉠ 나머지 전구 불이 켜집니다.
> ㉡ 나머지 전구 불이 깜박거립니다.
> ㉢ 나머지 전구 불이 켜지지 않습니다.
> ㉣ 나머지 전구 불이 잠깐 동안 켜졌다가 꺼집니다.

(   )

6 전류가 흐르는 전선 주위에서 나침반 바늘이 다음과 같이 움직였습니다. 전지의 극을 반대로 연결하고 전기 회로의 스위치를 닫았을 때, 나침반 바늘의 움직임으로 바른 것은 어느 것입니까?   (   )

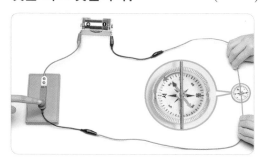

①   ②

③   ④

⑤

7 다음 보기 에서 전류가 흐르는 전선 주위에서 나침반 바늘을 더 크게 움직이게 하는 방법으로 바른 것을 모두 골라 기호를 쓰시오.

보기
㉠ 나침반을 큰 것으로 바꿉니다.
㉡ 전류가 흐르는 방향을 바꿉니다.
㉢ 전지 여러 개를 직렬로 연결합니다.
㉣ 전지 여러 개를 병렬로 연결합니다.
㉤ 전선을 나침반 바늘과 나란히 하고 나침반 위에 최대한 가까이 놓습니다.

(   )

8 다음과 같이 전자석에 전지의 개수를 다르게 연결하고 스위치를 닫았을 때, 전자석에 붙은 시침바늘의 개수를 비교하여 ◯ 안에 >, =, <를 써넣으시오.

▲ 전지 한 개를 연결한   ▲ 전지 두 개를 직렬로
   전기 회로   연결한 전기 회로

9 다음 중 우리 생활에서 전자석을 이용한 예로 바르지 않은 것은 어느 것입니까?

(   )

①    ②

▲ 선풍기   ▲ 나침반

③    ④

▲ 스피커   ▲ 자기 부상 열차

서술형
10 우리 생활에서 다음과 같은 제품을 사용하는 까닭을 쓰시오.

▲ 콘센트 덮개   ▲ 과전류 차단장치   ▲ 발광 다이오드
                                    [LED]등

_____

_____

217

1 다음 전기 부품에서 도체 부분과 부도체 부분을 잘못 표시한 것은 어느 것입니까?
(   )

①
▲ 전구 끼우개

②
▲ 전지 끼우개

③
▲ 스위치

④
▲ 집게 달린 전선

2 전기 회로에서 전구에 불이 켜지는 조건으로 바른 것을 보기 에서 골라 기호를 쓰시오.

┌ 보기 ─────────────
ㄱ 전구와 전선만 연결합니다.
ㄴ 전기 부품의 도체끼리 연결합니다.
ㄷ 전구는 전지의 (+)극에만 연결합니다.
ㄹ 전기 회로의 스위치를 닫지 않습니다.
└────────────────

(   )

3 다음 중 스위치를 닫았을 때 전구의 밝기가 나머지와 다른 하나는 어느 것입니까?
(   )

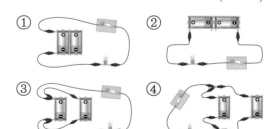

서술형

4 우리 주변에는 전지 여러 개를 사용하는 전기 제품이 많습니다. 다음 그림을 보고, 우리가 사용하는 리모컨은 전지 여러 개가 어떤 방법으로 연결되어 있는지 쓰시오.

▲ 리모컨 뒷면에 전지가 연결된 모습

_____

_____

5 다음 전기 회로 중 아래 설명과 관계있는 것을 각각 골라 기호를 쓰시오.

(1) 전구 두 개를 한 줄로 연결했습니다.
(   )
(2) 스위치를 닫았을 때 전구의 밝기가 더 밝습니다.   (   )
(3) 한 전구 불이 꺼지면 나머지 전구 불도 꺼집니다.   (   )
(4) 한 전구 불이 꺼져도 나머지 전구 불은 꺼지지 않습니다.   (   )
(5) 전지 두 개는 직렬로 연결하고, 전구 두 개는 병렬로 연결했습니다.
(   )

6 전류가 흐르는 전선을 나침반에 가까이 가져가면 나침반 바늘이 움직입니다. 다음 중 나침반 바늘을 반대 방향으로 움직이게 하는 방법으로 바른 것은 어느 것입니까?
　　　　　　　　　　　　　　　　（　　）

① 전지의 극을 반대로 연결한다.
② 전지를 한 개 더 직렬로 연결한다.
③ 전지를 한 개 더 병렬로 연결한다.
④ 전기 회로에 전구 한 개를 연결한다.
⑤ 전기 회로에 집게 달린 전선을 더 연결한다.

서술형

7 전류가 흐르는 전선을 나침반 주위에 놓으면 전선과 나란하던 나침반 바늘이 오른쪽과 같이 움직이는 까닭을 쓰시오.

_____

_____

8 전자석의 양 끝에 나침반을 놓고 스위치를 닫았을 때 나침반 바늘이 가리키는 방향이 다음과 같았습니다. 전지의 극을 반대로 하고 스위치를 닫았을 때 전자석의 양 끝은 무슨 극이 되는지 쓰시오.

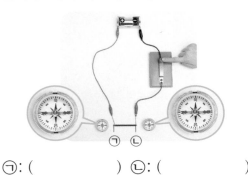

㉠: (　　　　　　) ㉡: (　　　　　　)

9 다음 보기 에서 전자석에 대한 설명으로 바른 것을 모두 골라 기호를 쓰시오.

보기
㉠ 자석의 세기가 일정합니다.
㉡ N극과 S극이 나타나지 않습니다.
㉢ 전류가 흐를 때에만 자석의 성질이 나타납니다.
㉣ 선풍기, 자기 부상 열차, 스피커에는 전자석을 이용합니다.
㉤ 전자석 주위에서 나침반 바늘은 항상 북쪽과 남쪽을 가리킵니다.

（　　　　　　　　　）

10 다음 중 전기를 안전하게 사용하는 모습으로 바른 것은 어느 것입니까?　（　　）

①
▲ 물 묻은 손으로 전기 제품의 플러그를 꽂습니다.

②
▲ 물에 젖은 행주를 전기 제품에 걸쳐 놓습니다.

③
▲ 사용하지 않는 전기 제품의 전선을 길게 늘어트려 놓습니다.

④
▲ 플러그의 머리 부분을 잡고 플러그를 뽑습니다.

⑤
▲ 콘센트 한 개에 플러그 여러 개를 꽂아 놓습니다.

1 다음 ㉠~㉣ 중 태양 고도를 나타내는 것을 골라 기호를 쓰시오.

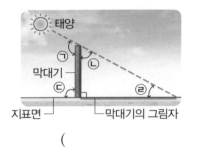

( )

2 다음 중 태양이 남중했을 때에 대한 설명으로 바르지 않은 것을 두 가지 고르시오.

(,)

① 그림자는 동쪽을 향한다.
② 태양 고도가 하루 중 가장 높다.
③ 그림자 길이가 하루 중 가장 짧다.
④ 하루 중 태양이 정남쪽에 위치한다.
⑤ 우리나라에서는 오후 2시 30분 무렵이다.

3 다음은 하루 동안 태양 고도, 그림자 길이, 기온을 측정하여 그래프로 나타낸 것입니다. ㉠~㉢에 해당하는 것을 각각 쓰시오.

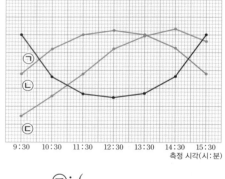

㉠: ( )
㉡: ( )
㉢: ( )

4 다음 계절별 태양의 위치 변화를 보고 알 수 있는 사실로 바른 것은 어느 것입니까?

( )

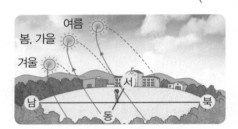

① 봄에 태양의 남중 고도가 가장 낮다.
② 여름에 태양의 남중 고도가 가장 높다.
③ 여름과 겨울은 태양의 남중 고도가 같다.
④ 겨울은 태양의 남중 고도가 봄과 가을의 중간 정도이다.
⑤ 계절에 관계없이 태양이 보이기 시작하는 위치는 모두 같다.

서술형

5 다음 두 그래프를 보고, 계절별 태양의 남중 고도와 낮의 길이는 어떤 관계가 있는지 쓰시오.

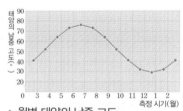

▲ 월별 태양의 남중 고도

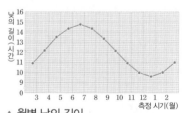

▲ 월별 낮의 길이

6 오늘은 10월 11일입니다. 한 달 뒤 태양의 남중 고도와 낮의 길이 변화를 바르게 짝 지은 것은 어느 것입니까? (　　)

	태양의 남중 고도	낮의 길이
①	낮아짐.	짧아짐.
②	낮아짐.	길어짐.
③	높아짐.	짧아짐.
④	높아짐.	길어짐.
⑤	변하지 않음.	변하지 않음.

7 다음 태양의 남중 고도에 따른 기온 변화를 알아보는 실험에 대한 설명으로 바른 것은 어느 것입니까? (　　)

▲ 전등과 모래가 이루는 　▲ 전등과 모래가 이루는
　각을 크게 하기 　　　　　각을 작게 하기

① 전등은 태양, 모래는 지표면을 나타낸다.
② 전등과 모래가 이루는 각은 기온을 나타낸다.
③ 실험 결과 ⓛ이 ㉠보다 모래의 온도가 더 많이 올라갔다.
④ 실험 결과 ㉠은 모래의 온도가 변하지 않았고, ⓛ은 모래의 온도가 올라갔다.
⑤ 실험으로 태양의 남중 고도가 낮을수록 기온이 높아진다는 것을 알 수 있다.

8 다음 (　　) 안의 알맞은 말에 ○표 하시오.

> 태양의 남중 고도가 높아지면 일정한 면적의 지표면에 도달하는 태양 에너지 양이 (적어 , 많아)지기 때문에 기온이 (낮아 , 높아)집니다.

9 다음과 같이 지구의의 자전축 기울기를 다르게 하여 전등 주위로 공전시키면서 각 위치에서 태양의 남중 고도를 측정하였습니다. 물음에 답하시오.

▲ 지구의의 자전축을 수직　▲ 지구의의 자전축을 기울인
　으로 하여 공전시키기 　　　채 공전시키기

(1) 위 ㉠과 ⓛ 중 지구의의 위치에 따라 태양의 남중 고도가 변하는 경우를 골라 기호를 쓰시오.

(　　　　　　　　)

(2) 위 실험 결과로 알 수 있는 계절의 변화가 생기는 까닭을 쓰시오.

_____

_____

_____

10 다음 ㉠과 ⓛ 중 우리나라가 겨울일 때 지구의 위치를 골라 기호를 쓰시오. (단, 관측자는 우리나라 위치에 있습니다.)

(　　　　　　　　)

1 다음 (　) 안에 들어갈 말을 각각 쓰시오.

> 태양이 남중했을 때의 고도를 (㉠)
> (이)라고 하며, 이때 하루 중 태양 고도
> 는 가장 (㉡)고 그림자 길이는 가장
> (㉢)습니다.

㉠: (　　　　　　　　)

㉡: (　　　　　　　　)

㉢: (　　　　　　　　)

2 다음은 하루 동안 태양 고도, 그림자 길이, 기온을 측정하여 그래프로 나타낸 것입니다. 이 그래프를 보고 알 수 있는 사실로 바르지 <u>않은</u> 것은 어느 것입니까? (　　　)

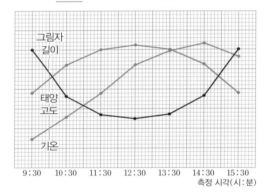

① 태양 고도 그래프와 기온 그래프는 비슷한 모양이다.

② 태양 고도 그래프와 그림자 길이 그래프는 다른 모양이다.

③ 낮 12시 30분 무렵에 태양 고도가 가장 높고 그림자 길이가 가장 짧다.

④ 태양 고도가 가장 높은 때와 기온이 가장 높은 때는 시간 차이가 있다.

⑤ 기온은 오전에 점점 높아지다가 낮 12시 30분 무렵에 가장 높고 그 이후에 점점 낮아진다.

서술형

3 앞의 2번 그래프를 보고, 태양 고도, 그림자 길이, 기온은 서로 어떤 관계가 있는지 쓰시오.

_____

_____

4 다음은 계절별 태양의 위치 변화를 나타낸 것입니다. ㉠~㉢ 중 겨울에 해당하는 것을 골라 기호를 쓰시오.

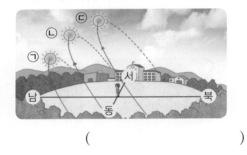

(　　　　　　　　)

5 다음 월별 태양의 남중 고도 그래프를 바르게 해석한 것은 어느 것입니까? (　　　)

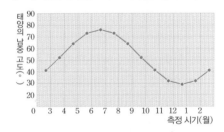

① 태양의 남중 고도는 가을에 가장 낮다.

② 태양의 남중 고도는 겨울에 가장 높다.

③ 태양의 남중 고도가 가장 높은 달은 6~7월이다.

④ 10월 이후에는 태양의 남중 고도가 점점 높아진다.

⑤ 계절에 관계없이 태양의 남중 고도는 거의 비슷하다.

6 다음은 월별 낮의 길이를 나타낸 그래프입니다. 낮의 길이가 가장 긴 계절을 쓰시오.

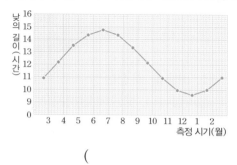

(   )

7 다음 태양의 남중 고도에 따른 기온 변화를 알아보는 실험에서 다르게 해야 할 조건을 보기 에서 골라 기호를 쓰시오.

▲ 전등과 모래가 이루는 각이 클 때   ▲ 전등과 모래가 이루는 각이 작을 때

보기
ㄱ 모래의 종류와 양
ㄴ 전등을 켜 놓는 시간
ㄷ 전등과 모래가 이루는 각
ㄹ 전등과 모래 사이의 거리

(   )

8 다음 중 계절에 따라 기온이 달라지는 것과 가장 관계 깊은 것은 어느 것입니까?
(   )

① 태양의 온도
② 태양의 크기
③ 태양의 남중 고도
④ 지구 자전축의 기울기
⑤ 태양과 지구 사이의 거리

9 다음은 우리나라 위치에 태양 고도 측정기를 붙인 지구의를 공전시키며 계절이 변화하는 원인을 알아보는 실험입니다. 이 실험에 대한 설명으로 바른 것은 어느 것입니까? (   )

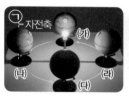 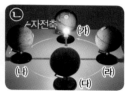

▲ 지구의 자전축을 수직으로 하여 공전시키기   ▲ 지구의 자전축을 기울인 채 공전시키기

① 전등과 지구의 사이의 거리는 다르게 해야 한다.
② 태양 고도 측정기를 붙이는 위치는 같게 해야 한다.
③ ㉠에서 지구의가 (나) 위치에 있을 때 태양의 남중 고도가 가장 높다.
④ ㉡에서 지구의의 위치에 관계없이 태양의 남중 고도가 모두 비슷하다.
⑤ 실험으로 지구가 서쪽에서 동쪽으로 자전하기 때문에 계절이 변한다는 것을 알 수 있다.

서술형

10 만약 지구의 자전축은 기울어져 있지만 지구가 태양 주위를 공전하지 않는다면 어떤 현상이 생길지 그렇게 생각한 까닭과 함께 쓰시오.

_____

_____

_____

1 다음과 같이 초가 탈 때 관찰할 수 있는 현상으로 바르지 <u>않은</u> 것은 어느 것입니까? ( )

① 불꽃의 색깔은 노란색, 붉은색이다.
② 고체였던 초가 녹아 액체인 촛농으로 변한다.
③ 심지의 윗부분은 검은색이고 아랫부분은 하얀색이다.
④ 불꽃의 아랫부분이나 옆 부분보다 윗부분이 더 뜨겁다.
⑤ 시간이 지날수록 점점 초의 길이는 짧아지고 무게는 늘어난다.

2 다음과 같이 크기가 다른 아크릴 통으로 크기가 같은 촛불을 동시에 덮었을 때의 결과를 바르게 설명한 사람의 이름을 쓰시오.

• 진희: ㉠과 ㉡의 촛불이 동시에 꺼져.
• 민우: ㉡의 촛불이 ㉠의 촛불보다 먼저 꺼지지.
• 승호: ㉠의 촛불은 꺼지고, ㉡의 촛불은 꺼지지 않고 계속 잘 타지.

( )

서술형
3 다음은 초가 타기 전과 타고 난 후 비커 속에 있는 산소 비율을 측정한 결과입니다. 물음에 답하시오.

기체 채취기
검지관

㉠ 17%

㉡ 21%

(1) 위 ㉠과 ㉡ 중 초가 타고 난 후 비커 속 산소 비율을 나타내는 것을 골라 기호를 쓰시오.

( )

(2) 위와 같이 초가 타기 전과 타고 난 후 산소 비율이 달라진 까닭을 쓰시오.

_____

_____

4 다음에서 설명하는 것은 무엇인지 쓰시오.

> 어떤 물질이 불에 직접 닿지 않아도 타기 시작하는 온도입니다.

( )

5 다음 중 연소가 일어나기 위해 필요한 것이 <u>아닌</u> 것을 두 가지 고르시오.
(,)

① 햇빛   ② 산소
③ 탈 물질   ④ 이산화 탄소
⑤ 발화점 이상의 온도

6 오른쪽과 같이 초를 연소시킨 집기병에 석회수를 붓고 흔들면서 변화를 관찰하였습니다. 이 실험에 대한 설명으로 바른 것은 어느 것입니까? (　　)

— 석회수

① 초가 탈 때 필요한 기체를 알아보는 실험이다.
② 실험 결과 무색투명했던 석회수가 붉은색으로 변한다.
③ 실험으로 초가 연소한 후에 물이 생긴다는 것을 알 수 있다.
④ 실험으로 초가 연소할 때 산소가 필요하다는 것을 알 수 있다.
⑤ 실험으로 초가 연소한 후에 이산화 탄소가 생긴다는 것을 알 수 있다.

7 다음 보기 에서 초가 연소한 후에 생기는 물질을 모두 골라 기호를 쓰시오.

```
보기
㉠ 물          ㉡ 산소
㉢ 알코올      ㉣ 이산화 탄소
```

(　　　　　　　)

서술형

8 오른쪽과 같이 촛불을 집기병으로 덮으면 어떻게 되는지 그 까닭과 함께 쓰시오.

_____

_____

9 다음은 분말 소화기 사용 방법을 순서 없이 나열한 것입니다. 물음에 답하시오.

㉠
▲ 소화기의 (　　　)을/를 뽑습니다.

㉡
▲ 소화기를 불이 난 곳으로 옮깁니다.

㉢
▲ 소화기의 손잡이를 움켜쥐고 불을 끕니다.

㉣
▲ 바람을 등지고 소화기의 고무관이 불 쪽을 향하도록 잡습니다.

(1) 위 ㉠의 (　　) 안에 들어갈 말을 쓰시오.

(　　　　　　　)

(2) 위 소화기 사용 방법에 맞게 순서대로 기호를 쓰시오.

(　　　　　　　)

10 다음 중 우리 주변에서 화재 피해를 줄이기 위한 노력으로 바르지 않은 것은 어느 것입니까? (　　)

① 소방 기구의 위치를 알아 둔다.
② 소화기를 준비하고 정기적으로 점검한다.
③ 불에 잘 타지 않는 커튼이나 블라인드, 벽지를 사용한다.
④ 평소에 사용하지 않는 비상구 공간에는 물건을 쌓아 놓는다.
⑤ 건물에 화재 감지기, 옥내 소화전과 같은 소방 시설을 설치한다.

1 다음 중 알코올이 탈 때 관찰할 수 있는 현상으로 바르지 <u>않은</u> 것은 어느 것입니까? (   )

① 불꽃 주변이 밝아진다.
② 불꽃 색깔은 푸른색, 붉은색이다.
③ 불꽃 끝부분에서 흰 연기가 난다.
④ 손을 가까이 하면 손이 점점 따뜻해진다.
⑤ 시간이 지날수록 알코올의 양이 줄어든다.

2 다음 보기 에서 물질이 탈 때 공통적으로 나타나는 현상을 골라 기호를 쓰시오.

┌─ 보기 ─────────────┐
│ ㉠ 그을음이 생깁니다.   │
│ ㉡ 빛과 열이 발생합니다.   │
│ ㉢ 물질의 무게가 늘어납니다. │
└──────────────────┘

(   )

서술형

3 다음과 같이 크기가 다른 아크릴 통으로 크기가 같은 촛불을 동시에 덮었을 때, 큰 아크릴 통 속의 초가 더 오래 타는 까닭을 쓰시오.

_____

_____

4 다음과 같이 성냥의 머리 부분과 나무 부분을 가열하면서 무엇에 먼저 불이 붙는지 관찰했습니다. 이 실험에 대한 설명으로 바른 것을 두 가지 고르시오. (,   )

① 실험 결과 성냥의 머리 부분은 불이 붙지 않는다.
② 실험 결과 성냥의 나무 부분보다 머리 부분에 먼저 불이 붙는다.
③ 실험 결과 성냥의 머리 부분에는 불이 붙지 않고 나무 부분에는 불이 붙는다.
④ 실험으로 성냥의 머리 부분과 나무 부분의 발화점이 같다는 것을 알 수 있다.
⑤ 실험으로 물질마다 불이 붙는 데 걸리는 시간이 다르다는 것을 알 수 있다.

5 다음은 오른쪽과 같이 푸른색 염화 코발트 종이를 붙인 아크릴 통으로 촛불을 덮었을 때의 결과와 알 수 있는 점입니다. (   ) 안에 들어갈 말을 각각 쓰시오.

┌──────────────────────┐
│ 촛불이 꺼지고 난 후 푸른색 염화 코발   │
│ 트 종이가 (㉠) 변합니다. ➡ 초가 │
│ 연소한 후 (㉡)이/가 생긴다는 것을 │
│ 알 수 있습니다.   │
└──────────────────────┘

㉠: (   ) ㉡: (   )

서술형

6 초가 연소한 후에 크기가 줄어드는 까닭을 쓰시오.

_____

_____

7 다음 중 연소에 대한 설명으로 바르지 <u>않은</u> 것은 어느 것입니까? ( )

① 연소가 일어나려면 이산화 탄소가 필요하다.

② 연소가 일어나려면 초와 같은 탈 물질이 필요하다.

③ 연소가 일어나려면 온도가 발화점 이상이 되어야 한다.

④ 물질이 산소와 빠르게 반응하여 빛과 열을 내는 현상이다.

⑤ 물질이 연소하면 연소 전의 물질과는 다른 새로운 물질이 만들어진다.

8 다음 보기 에서 발화점 미만으로 온도를 낮추어 촛불을 끄는 방법을 모두 골라 기호를 쓰시오.

보기
㉠ 촛불을 입으로 붑니다.
㉡ 초의 심지를 자릅니다.
㉢ 촛불을 집기병으로 덮습니다.
㉣ 촛불을 물수건으로 덮습니다.
㉤ 촛불에 분무기로 물을 뿌립니다.
㉥ 초의 심지를 핀셋으로 집습니다.

( )

9 다음 생활 속에서 불을 끄는 방법과 관계있는 소화의 조건을 바르게 줄로 이으시오.

(1)
▲ 뚜껑 덮기

(2)
▲ 물 뿌리기

(3)
▲ 연료 조절 밸브 잠그기

• ㉠ 탈 물질 없애기

• ㉡ 산소 공급 막기

• ㉢ 발화점 미만으로 온도 낮추기

10 다음 중 화재가 발생했을 때의 대처 방법으로 바르지 <u>않은</u> 것은 어느 것입니까?

( )

①
▲ 승강기 대신에 계단을 이용합니다.

②
▲ 나무로 된 책상 밑으로 숨습니다.

③
▲ 비상벨을 누르고 119에 신고합니다.

④
▲ 젖은 수건으로 코와 입을 막고 몸을 낮춰 이동합니다.

⑤
▲ 아래층에 불이 나면 높은 곳으로 올라가 구조를 요청합니다.

1 다음 중 우리 몸의 뼈에 대한 설명으로 바르지 <u>않은</u> 것은 어느 것입니까? (   )

① 갈비뼈는 휘어져 있다.
② 머리뼈는 바가지 모양으로 둥글다.
③ 척추뼈는 좌우로 둥글게 연결되어 공간을 만든다.
④ 팔뼈와 다리뼈의 아래쪽 뼈는 긴뼈 두 개로 이루어져 있다.
⑤ 몸을 구성하는 뼈의 종류와 생김새가 다양하며 움직임도 서로 다르다.

서술형

2 뼈와 근육은 우리 몸에서 어떤 일을 하는지 각각 쓰시오.

(1) 뼈: _____

_____

(2) 근육: _____

_____

3 오른쪽은 우리 몸속의 소화 기관을 나타낸 것입니다. 다음과 같은 일을 하는 부분을 골라 기호와 이름을 쓰시오.

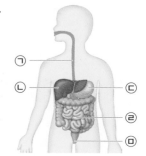

소화를 돕는 액체를 분비하여 음식물을 잘게 분해하고 영양소를 흡수합니다.

(   )

4 다음은 우리 몸속의 호흡 기관을 나타낸 것입니다. 물음에 답하시오.

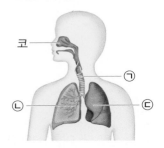

(1) 위 ㉠~㉢ 부분의 이름을 각각 쓰시오.
㉠: (   )
㉡: (   )
㉢: (   )

(2) 위 호흡 기관에 대해 바르게 설명하지 <u>않은</u> 사람의 이름을 쓰시오.

• 지우: 코는 공기가 드나드는 곳이지.
• 소정: ㉠은 굵은 관 모양이고 공기가 이동하는 통로지.
• 경준: ㉡은 나뭇가지처럼 생겼고, 공기를 일시적으로 저장하는 곳이야.
• 혜민: ㉢은 몸 밖에서 들어온 산소를 받아들이고, 몸 안에서 생긴 이산화 탄소를 몸 밖으로 내보내지.

(   )

5 다음 중 숨을 내쉴 때 몸속에서 공기의 이동을 순서대로 바르게 나타낸 것은 어느 것입니까? (   )

① 코 → 기관 → 기관지 → 폐
② 코 → 기관지 → 기관 → 폐
③ 폐 → 기관 → 기관지 → 코
④ 폐 → 기관지 → 기관 → 코
⑤ 코 → 기관 → 기관지 → 기관 → 폐

6 다음과 같이 주입기를 이용하여 순환 기관이 하는 일을 알아보는 실험을 할 때, 각각은 우리 몸의 어떤 부분과 같은 역할을 하는지 바르게 줄로 이으시오.

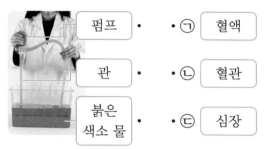

펌프　•　•㉠　혈액

관　•　•㉡　혈관

붉은
색소 물　•　•㉢　심장

7 오른쪽은 우리 몸속의 순환 기관을 나타낸 것입니다. 각 기관에 대한 설명으로 바르지 <u>않은</u> 것은 어느 것입니까?

(　)

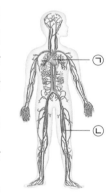

① ㉠은 몸통의 한가운데에 있다.
② ㉠의 크기는 자신의 주먹과 비슷하다.
③ ㉠은 펌프 작용으로 혈액을 순환시킨다.
④ ㉡은 몸 전체에 퍼져 있다.
⑤ ㉡은 혈액이 이동하는 통로이다.

8 우리 몸속에서 노폐물을 걸러 몸 밖으로 내보내는 과정에 맞게 순서대로 기호를 쓰시오.

> ㉠ 오줌이 관을 통해 몸 밖으로 나갑니다.
> ㉡ 콩팥은 혈액에 있는 노폐물을 걸러 냅니다.
> ㉢ 노폐물을 포함한 오줌이 방광에 저장됩니다.

(　)

9 다음은 자극이 전달되고 반응하는 과정을 나타내는 데 필요한 역할을 정해 각각의 역할을 표현한 것입니다. 물음에 답하시오.

감각 기관	날아오는 공을 봅니다.
자극을 전달하는 (　)	㉠
행동을 결정하는 (　)	공을 잡겠다고 결정합니다.
명령을 전달하는 (　)	㉡
운동 기관	공을 잡습니다.

(1) 위 (　) 안에 공통으로 들어갈 말을 쓰시오.

(　　　　　)

(2) 위 ㉠, ㉡에 각각의 역할을 어떻게 표현해야 하는지 쓰시오.

㉠: _____

_____

㉡: _____

_____

10 다음 중 오른쪽과 같이 운동을 할 때 우리 몸에 나타나는 변화로 바른 것을 두 가지 고르시오. (　 , 　)

① 심장 박동이 느려진다.
② 혈액 순환이 느려진다.
③ 체온이 점점 내려간다.
④ 맥박과 호흡이 빨라진다.
⑤ 얼굴이 빨개지고 땀이 난다.

1 다음 뼈와 근육 모형에 대한 설명으로 바르지 <u>않은</u> 것은 어느 것입니까? ( )

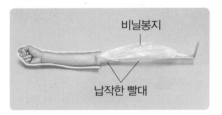

비닐봉지

납작한 빨대

① 비닐봉지는 근육 역할을 한다.
② 납작한 빨대는 뼈 역할을 한다.
③ 바람을 불어 넣으면 납작한 빨대가 구부러진다.
④ 바람을 불어 넣으면 비닐봉지가 부풀어 오르면서 비닐봉지 길이가 늘어난다.
⑤ 실험으로 근육의 길이가 줄어들거나 늘어나면서 근육과 연결된 뼈가 움직인다는 것을 알 수 있다.

2 오른쪽은 우리 몸 속의 소화 기관을 나타낸 것입니다. 각 부분이 하는 일을 바르게 설명한 것은 어느 것입니까? ( )

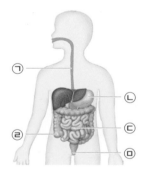

① ㉠: 음식물을 분해하고 영양소를 흡수한다.
② ㉡: 음식물을 이자로 이동시킨다.
③ ㉢: 소화되지 않은 음식물 찌꺼기를 배출한다.
④ ㉣: 음식물 찌꺼기의 수분을 흡수한다.
⑤ ㉤: 소화를 돕는 액체를 분비하여 음식물을 잘게 분해한다.

3 다음 보기 에서 음식물이 소화되어 배출되기까지 관여하는 소화 기관을 순서대로 바르게 나열한 것을 골라 기호를 쓰시오.

보기
㉠ 입 → 식도 → 위 → 간 → 큰창자 → 항문
㉡ 입 → 식도 → 위 → 작은창자 → 큰창자 → 항문
㉢ 입 → 식도 → 이자 → 위 → 작은창자 → 큰창자 → 항문

( )

4 우리 몸속의 호흡 기관 중 폐에 대한 설명으로 바른 것에 ○표, 바르지 <u>않은</u> 것에 ×표 하시오.

(1) 가슴 부분에 위치합니다. ( )
(2) 좌우 한 쌍으로 부풀어 있습니다.
( )
(3) 기관과 연결되어 있고 척추뼈로 둘러싸여 있습니다. ( )
(4) 몸 밖에서 들어온 산소를 받아들이고, 몸 안에서 생긴 이산화 탄소를 몸 밖으로 내보냅니다. ( )

서술형

5 심장이 빨리 뛰면 우리 몸에는 어떤 일이 일어나는지 혈액이 이동하는 빠르기, 혈액의 이동량과 관련지어 쓰시오.

_____

_____

6 다음 중 우리 몸속의 배설 기관과 배설 기관을 이동하는 혈액에 대한 설명으로 바른 것은 어느 것입니까? (   )

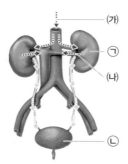

① ㉠은 작은 공처럼 생겼다.
② ㉠은 혈액에 있는 노폐물을 걸러 낸다.
③ ㉡은 강낭콩 모양으로 한 쌍이 있다.
④ ㉡은 노폐물을 모아 두었다가 다시 콩팥으로 보낸다.
⑤ (가)는 노폐물을 걸러 낸 혈액, (나)는 노폐물을 포함한 오줌이 이동한다.

7 배설 과정 역할놀이를 할 때 각 기관이 하는 일을 어떻게 표현할지 보기 에서 골라 기호를 쓰시오. (단, 빨간색 솜 방울은 혈액, 노란색 솜 방울은 노폐물을 의미합니다.)

┌─ 보기 ─────────────────┐
│ ㉠ 콩팥에게 빨간색 솜 방울을 받습니다. │
│ ㉡ 빨간색 솜 방울과 노란색 솜 방울을 │
│   콩팥에 전달합니다. │
│ ㉢ 노란색 솜 방울을 모으다가 바구니가 │
│   차면 변기 바구니에 버립니다. │
│ ㉣ 빨간색 솜 방울은 노폐물을 걸러 낸 │
│   혈관에 전달하고, 노란색 솜 방울은 │
│   방광에 전달합니다. │
└────────────────────────┘

(1) 노폐물이 많은 혈관: (   )
(2) 콩팥: (   )
(3) 노폐물을 걸러 낸 혈관: (   )
(4) 방광: (   )

8 다음 중 감각 기관과 관련된 행동을 바르게 짝 지은 것은 어느 것입니까? (   )

① 눈: 새우튀김이 정말 맛있었다.
② 귀: 선인장의 가시가 따가웠다.
③ 코: 부엌에서 고기를 굽는 냄새가 났다.
④ 혀: 신호등이 초록색으로 바뀌는 것을 보았다.
⑤ 피부: 친구가 내 이름을 부르는 소리를 들었다.

9 자극이 전달되고 반응하는 과정에 맞게 순서대로 기호를 쓰시오.

┌────────────────────────┐
│ ㉠ 운동 기관 │
│ ㉡ 감각 기관 │
│ ㉢ 행동을 결정하는 신경계 │
│ ㉣ 명령을 전달하는 신경계 │
│ ㉤ 자극을 전달하는 신경계 │
└────────────────────────┘

자극 → (   ) → 반응

서술형

10 다음은 평상시 상태와 운동한 후의 체온과 맥박 수를 측정한 결과를 그래프로 나타낸 것입니다. 운동을 하면 체온과 맥박 수는 어떻게 되는지 쓰시오.

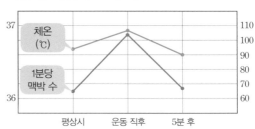

_____

_____

1 다음 ( ) 안에 공통으로 들어갈 말을 쓰시오.

> • 사람: 살아가는 데 ( )이/가 필요합니다.
> • 자동차: 작동하는 데 ( )이/가 필요합니다.
> • 휴대 전화: 전화를 거는 데 ( )이/가 필요합니다.
> • 사과나무: 자라고 열매를 맺는 데 ( )이/가 필요합니다.

( )

2 다음 중 생물이 살아가는 데 에너지를 얻는 방법이 나머지와 다른 것은 어느 것입니까? ( )

①
▲ 벼

②
▲ 개구리

③
▲ 매

④
▲ 토끼

⑤
▲ 사자

3 다음 도로의 모습에 포함된 에너지 형태를 찾아 관련된 물체나 상황과 바르게 짝 지은 것을 보기 에서 골라 기호를 쓰시오.

> 보기
> ㉠ 전기 에너지 – 나무
> ㉡ 화학 에너지 – 신호등
> ㉢ 빛에너지 – 교통 표지판
> ㉣ 운동 에너지 – 달리는 자동차

( )

4 오른쪽 폭포와 같은 형태의 에너지를 가지고 있는 것은 어느 것입니까? ( )

① 뜨거운 다리미
② 텔레비전 화면
③ 가스레인지 불꽃
④ 리모컨 안의 전지
⑤ 스키 점프하여 높이 떠오른 선수

서술형

5 오른쪽과 같이 범퍼카가 움직일 때 에너지 형태가 어떻게 바뀌는지 쓰시오.

_____

_____

6 다음 보기 에서 우리 주변에서 일어나는 에너지 전환 과정을 바르게 나타내지 <u>않은</u> 것을 모두 골라 기호를 쓰시오.

> 보기
> ㉠ 화분의 식물: 빛에너지 → 화학 에너지
> ㉡ 떨어지는 낙하 놀이 기구: 위치 에너지 → 운동 에너지
> ㉢ 비탈을 올라가는 롤러코스터: 운동 에너지 → 빛에너지
> ㉣ 떠오르는 열기구: 전기 에너지 → 열에너지 → 위치 에너지

(　　　　　)

7 다음은 태양광 해파리가 움직일 때 일어나는 에너지 전환 과정입니다. (　) 안에 들어갈 에너지 형태를 각각 쓰시오.

| 태양의 빛에너지 | 태양 전지 → | (㉠) | 전동기 → | (㉡) |

㉠: (　　　　　)　㉡: (　　　　　)

8 에너지 전환 과정에 대한 다음 설명에서 (　) 안에 들어갈 말은 어느 것입니까?

(　　)

> 식물과 동물이 에너지를 얻는 과정을 포함하여 우리가 생활에서 이용하는 모든 에너지는 (　　)의 빛에너지로부터 전환된 것입니다.

① 흙　　② 공기　　③ 달
④ 태양　　⑤ 구름

서술형

9 다음은 두 전등의 에너지 효율을 비교한 것입니다. 물음에 답하시오.

▲ 형광등

▲ 발광 다이오드[LED]등

(1) 위 ㉠과 ㉡ 중 에너지 효율이 더 높은 전등을 골라 기호를 쓰시오.

(　　　　　)

(2) 위 (1)번 답과 같이 생각한 까닭을 쓰시오.

_____

_____

10 다음 중 에너지를 효율적으로 이용하는 예로 바르지 <u>않은</u> 것은 어느 것입니까? (　　)

①
▲ 겨울눈

②
▲ 겨울잠

③
▲ 에너지 절약 표시가 있는 전기 기구

④
▲ 에너지 소비 효율 1 등급인 전기 기구

⑤
▲ 백열등

1 다음 기계와 생물이 에너지를 얻는 방법을 찾아 바르게 줄로 이으시오.

(1)
▲ 휴대 전화

(2)
▲ 사람

(3)
▲ 자동차

(4)
▲ 사과나무

ㆍ㉠ 기름(연료)을 넣습니다.

ㆍ㉡ 콘센트에 연결해 충전합니다.

ㆍ㉢ 여러 음식을 먹어 소화합니다.

ㆍ㉣ 광합성을 하여 양분을 만듭니다.

서술형
2 전기나 기름에서 더는 에너지를 얻을 수 없게 된다면 어떤 어려움이 있을지 우리 생활과 관련지어 두 가지 쓰시오.

_____

_____

3 다음 중 에너지 형태에 대한 설명으로 바르지 <u>않은</u> 것은 어느 것입니까? (   )
① 빛에너지: 주위를 밝게 비춰 주는 에너지
② 열에너지: 물체의 온도를 높여 주는 에너지
③ 운동 에너지: 움직이는 물체가 가진 에너지
④ 위치 에너지: 높은 곳에 있는 물체가 가진 에너지
⑤ 전기 에너지: 생물의 생명 활동에 필요한 에너지

4 다음과 공통으로 관련된 에너지 형태는 어느 것입니까?   (   )

| 태양, 가로등, 스마트 기기 화면 |

① 빛에너지   ② 운동 에너지
③ 위치 에너지   ④ 화학 에너지
⑤ 전기 에너지

5 다음은 롤러코스터가 움직일 때 나타나는 에너지 전환 과정입니다. (   ) 안에 들어갈 에너지 형태를 쓰시오.

| 전기 에너지 → (   ) ⇌ 위치 에너지 |

(   )

6 오른쪽과 같이 친구와 함께 뛰어 노는 아이의 에너지 전환 과정을 바르게 나타낸 것을 보기 에서 골라 기호를 쓰시오.

보기
㉠ 빛에너지 → 열에너지
㉡ 열에너지 → 위치 에너지
㉢ 화학 에너지 → 운동 에너지
㉣ 운동 에너지 → 화학 에너지

(   )

7 다음과 같은 에너지 전환이 일어나는 경우는 어느 것입니까? (   )

위치 에너지 → 운동 에너지

①
▲ 불이 켜진 전등

②
▲ 떨어지는 낙하 놀이 기구

③
▲ 달리는 자동차

④
▲ 반짝이는 전광판

⑤
▲ 불꽃놀이

8 오른쪽 태양광 해파리의 태양 전지가 태양을 향할 때와 향하지 않을 때 태양광 해파리의 움직임을 비교하여 쓰시오.

태양 전지
태양광 해파리

_____

_____

_____

9 다음 중 건축물에서 에너지를 효율적으로 이용하는 예로 바르지 않은 것은 어느 것입니까? (   )

① 단열재를 사용한다.
② 외벽을 두껍게 만든다.
③ 단열 유리를 사용한 창문을 설치한다.
④ 창문은 이중창 대신 단창으로 설치한다.
⑤ 건물은 바깥 온도의 영향을 가장 적게 받도록 짓는다.

10 다음 중 에너지를 효율적으로 이용했을 때의 좋은 점을 잘못 설명한 사람의 이름을 쓰시오.

· 미주: 난방비를 줄이고 자원을 아낄 수 있어.
· 정현: 의도하지 않은 방향으로 전환되는 에너지의 양을 늘릴 수 있지.
· 유리: 전기 에너지를 만드는 과정에서 일어나는 환경 오염을 줄일 수 있어.

(   )

235

15개정 교육과정

이것만 알자!

초등 과학

6학년

정답과 해설

이것만 알자!

초등 과학

6 학년

| 정답과 해설 |

1. 지구와 달의 운동

8~9쪽

이 단원을 들어가기 전에

지구와 달의 운동을 나타낸 그림입니다.
지구와 달 체험관에 숨은 동물을
모두 찾아보세요.

☑ 갈매기   ☑ 거북
☑ 나비   ☑ 토끼
☑ 뱀   ☑ 열대어
☑ 펭귄

정답과 해설은
2쪽에 있니

┃ 그림 설명 ┃

- VR 기계에 앉아 계절에 따라 다르게 보이는 별자리를 관찰하는 모습

  → [14쪽 **02** 일 년에 한 바퀴. 지구의 공전!]에서 계절에 따라 밤에 보이는 별자리가 달라지는 까닭을 배웁니다.

- 버튼을 눌러 지구의 자전과 공전을 관찰하는 모습

  → [10쪽 **01** 하루에 한 바퀴. 지구의 자전! ~ 14쪽 **02** 일 년에 한 바퀴. 지구의 공전!]에서 지구의 자전과 공전의 뜻, 지구의 자전과 공전 때문에 나타나는 현상을 배웁니다.

- 버튼을 눌러 여러 날 동안 달의 모양 변화를 관찰하는 모습

  → [16쪽 **03** 날마다 모양이 조금씩 달라져. 달!]에서 여러 날 동안 달의 모양과 위치가 어떻게 변하는지 배웁니다.

1

2 낮, 밤

3

1 지구의 자전은 지구가 자전축을 중심으로 하루에 한 바퀴씩 서쪽에서 동쪽으로 회전하는 것입니다.
- 동쪽에서 남쪽으로 회전합니다.(×) ➡ 서쪽에서 동쪽으로 회전합니다.
- 한 달에 세 바퀴씩 회전합니다.(×) ➡ 하루에 한 바퀴씩 회전합니다.

2

지구가 자전하기 때문에 낮과 밤이 생깁니다. 지구가 자전하면서 태양 빛을 받는 쪽은 낮이 되고, 태양 빛을 받지 못하는 쪽은 밤이 됩니다.

3 • ❶ (×) ➡ 하루 동안 태양은 동쪽에서 서쪽으로 움직이는 것처럼 보입니다.

• ❷, ❸ (○) ➡ 지구가 자전하기 때문에 하루 동안 지구에서 보는 태양과 달의 움직이는 방향은 같고, 오후 12시 30분 무렵 남쪽 하늘에서 태양을 볼 수 있습니다.

• ❹ (×) ➡ 하루 동안 달은 동쪽에서 서쪽으로 움직이는 것처럼 보입니다.

• ❺ (○) ➡ 지구가 자전하기 때문에 태양 빛을 받는 쪽과 태양 빛을 받지 못하는 쪽이 생겨 낮과 밤이 생깁니다.

1 태양, 일, 한, 회전   **2** 태양, 지구

3 ㄹ, ㄷ, ㄱ, ㅁ, ㄴ

1

지구가 태양을 중심으로 일 년에 한 바퀴씩 회전하는 것을 지구의 공전이라고 합니다. 지구는 자전하면서 동시에 공전하며, 지구의 공전 방향은 서쪽에서 동쪽(시계 반대 방향)입니다.

2 지구가 태양 주위를 공전하면서 계절에 따라 지구의 위치가 달라지기 때문에 계절에 따라 밤에 보이는 별자리가 달라집니다.

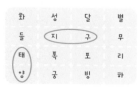

화	성	달	별
들	지	구	무
태	폭	포	리
양	궁	빙	카

3

3 여러 날 동안 같은 시각에 같은 장소에서 남쪽 하늘을 보면서 달을 관측하면, 달은 서쪽에서 동쪽으로 날마다 조금씩 위치를 옮겨 가면서 모양도 변합니다.

❶ 자전축   ❷ 하루   ❸ 동
❹ 서   ❺ 낮   ❻ 밤
❼ 태양   ❽ 별자리   ❾ 같은
❿ 30

1 (1) ㉠
(2) ⑩ 지구가 자전하면서 태양 빛을 받는 쪽이 낮이 되기 때문이다.
2 ⑩ 공전, ⑩ 지구의 위치가 달라지기
3 ㉠ 상현달 ㉡ 초승달
4 (1) 보름달
(2) ⑩ 공처럼 달의 모습이 모두 보이는 달이다.
5 ⑩ 달은 서쪽에서 동쪽으로 날마다 조금씩 위치를 옮겨 가고, 달의 모양도 달라진다.

평가 목표 : 태양이 지구를 비출 때 낮인 지역을 찾고, 그 까닭을 서술할 수 있습니다.

1 지구가 하루에 한 바퀴씩 서쪽에서 동쪽으로 자전하기 때문에 태양 빛을 받는 쪽은 낮이 되고, 태양 빛을 받지 못하는 쪽은 밤이 됩니다. 지구가 하루에 한 바퀴씩 자전하기 때문에 낮과 밤도 한 번씩 번갈아 나타납니다.

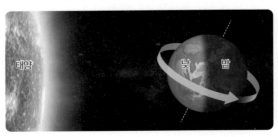

채점 기준
낮인 지역을 바르게 골라 기호를 쓰고, 그 까닭을 지구의 자전과 관련지어 바르게 썼다.

평가 목표 : 계절에 따라 밤에 보이는 별자리가 달라지는 까닭을 서술할 수 있습니다.

2 지구가 공전하면서 계절에 따라 지구의 위치가 달라지기 때문에 계절에 따라 밤에 보이는 별자리가 달라집니다.

봄철의 대표적인 별자리	여름철의 대표적인 별자리
목동자리, 처녀자리, 사자자리	독수리자리, 거문고자리, 백조자리
가을철의 대표적인 별자리	겨울철의 대표적인 별자리
물고기자리, 안드로메다자리, 페가수스자리	쌍둥이자리, 오리온자리, 큰개자리

채점 기준
지구가 공전하기 때문에 계절에 따라 지구의 위치가 달라져 계절에 따라 밤에 보이는 별자리가 달라진다고 바르게 썼다.

[3~5] 평가 목표 : 여러 날 동안 관측한 달의 모양과 위치 변화를 서술할 수 있습니다.

3 오른쪽이 불룩한 모양의 달을 상현달, 눈썹 모양의 달을 초승달이라고 합니다. 왼쪽이 불룩한 모양의 달은 하현달, 초승달의 반대 모양의 달은 그믐달이라고 합니다.

4 음력 7~8일 무렵 저녁 7시에는 남쪽 하늘에서 상현달을 관측할 수 있고, 7일 뒤인 음력 15일 무렵 저녁 7시에는 동쪽 하늘에서 보름달을 관측할 수 있습니다. 보름달은 공처럼 달의 모습이 모두 보이는 달입니다.

채점 기준
상현달을 관측하고 7일 뒤에 관측할 수 있는 달의 이름을 바르게 쓰고, 달의 모양을 바르게 썼다.

5 여러 날 동안 같은 장소에서 같은 시각에 관측한 달은 서쪽에서 동쪽으로 조금씩 위치를 옮겨 가면서 모양이 변합니다.

2. 여러 가지 기체

26~27쪽

이 단원을
**들어가기
전에**

여러 가지 기체를 나타낸 그림입니다.
풍선으로 만든 자음자와 모음자를 이용하여
여러 가지 기체가 섞여 있는 혼합물인
'이것'이 무엇인지 알아맞혀 보세요.

답 공기

| 그림 설명 |

- 축구 경기를 알리는 네온 광고가 켜진
  모습

- 축구 경기 후 산소 캔을 사용하는
  모습

- 질소가 충전된 과자 봉지를 뜯어
  과자를 먹는 모습 →

  [28쪽 04 공기는 여러 가지 기체가 섞인 혼합물!]에서 공기를 이루는 여러 가지
  기체인 질소, 산소, 이산화 탄소, 헬륨, 네온, 수소가 우리 생활에 이용되는 경우를
  배웁니다.

- 헬륨 풍선이 날아가는 모습

- 수소 자동차를 타는 모습

5

1

산소, 혼합물

2

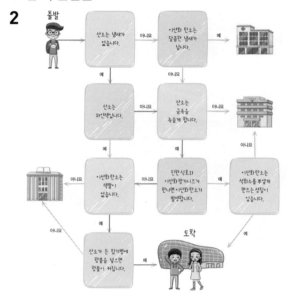

1 공기는 여러 가지 기체가 섞여 있는 혼합물입니다. 공기를 이루는 여러 가지 기체 중 산소는 호흡과 관련된 장치에 이용되고, 질소는 과자나 과일 등을 포장하는 데 이용되며, 이산화 탄소는 탄산음료를 만드는 재료나 소화기에 이용됩니다. 수소는 자동차 연료로 이용되며, 네온은 조명 기구나 네온 광고에 이용되고, 헬륨은 비행선이나 풍선을 공중에 띄우는 데 이용됩니다.

2 산소는 냄새가 없습니다. $\xrightarrow{\text{예}}$ 산소는 하얀색입니다. $\xrightarrow{\text{아니요}}$ 산소는 금속을 녹슬게 합니다. $\xrightarrow{\text{예}}$ 진한 식초와 이산화 망가니즈가 만나면 이산화 탄소가 발생합니다. $\xrightarrow{\text{아니요}}$ 이산화 탄소는 색깔이 없습니다. $\xrightarrow{\text{예}}$ 산소가 든 집기병에 향불을 넣으면 향불이 커집니다. $\xrightarrow{\text{예}}$ 도착

1

기체, 액체

2 ❸, ❶, ❷   **3** 주원

4 ❸

1 기체는 압력을 세게 가할수록 부피가 많이 작아지지만, 액체는 압력을 가해도 부피가 거의 변하지 않습니다.

2 기체는 압력을 세게 가할수록 부피가 많이 작아집니다. 빈 페트병이 바닷속 깊이 들어갈수록 주위의 압력이 세지므로 페트병 안의 공기의 부피가 작아져 페트병이 찌그러집니다. 따라서 페트병이 가장 많이 찌그러진 ❸이 가장 깊은 곳에서 사진을 찍은 것이고, 가장 적게 찌그러진 ❷가 가장 얕은 곳에서 사진을 찍은 것입니다.

3 온도가 높아지면 기체의 부피는 커지고, 온도가 낮아지면 기체의 부피는 작아집니다. 따라서 입구에 고무풍선을 씌운 삼각 플라스크를 온도가 높은 물에 넣으면 삼각 플라스크 속 기체의 온도가 높아지면서 부피가 커져 고무풍선이 많이 부풀어 오릅니다. 유리구슬이나 나무 막대를 물에 넣었을 때 떠오르는 정도나 색깔이 변하는 정도는 물의 온도와 관계가 없습니다.

4

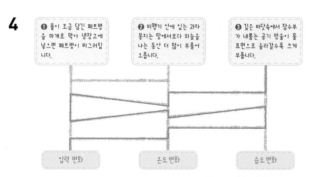

깊은 바닷속에서 잠수부가 내뿜는 공기 방울이 물 표면으로 올라갈수록 크게 부푸는 까닭은 물

표면으로 올라갈수록 주위의 압력이 낮아지기 때문입니다.

- ❶ ──사다리──→ 습도 변화(×) ➡ 온도 변화
- ❷ ──사다리──→ 온도 변화(×) ➡ 압력 변화

개념 잡는 **생각 그물!**   38~39쪽

- ❶ 혼합물   ❷ 산소   ❸ 질소
- ❹ 네온   ❺ 커짐.   ❻ 작아짐.
- ❼ 이산화 망가니즈   ❽ 없음.
- ❾ 탄산수소 나트륨   ❿ 석회수

개념 잡는 **수행 평가!**   40~41쪽

1 (1) 예 묽은 과산화 수소수 (2) 예 진한 식초

2 (1) 이산화 탄소

(2) 예 석회수를 뿌옇게 만드는 기체는 이산화 탄소이기 때문이다.

3 ㉠

4 예 기체는 압력을 가하면 부피가 작아지지만, 액체는 압력을 가해도 부피가 거의 변하지 않는다.

5 (1) ㉠

(2) 예 온도가 높아져 삼각 플라스크 속 공기의 부피가 커졌기 때문이다.

[1~2] 평가 목표 : 기체 발생 장치를 이용하여 산소와 이산화 탄소를 발생시키는 방법과 두 기체의 성질을 서술할 수 있습니다.

1 산소를 발생시킬 때는 묽은 과산화 수소수와 이산화 망가니즈가 필요하고, 이산화 탄소를 발생시킬 때는 진한 식초와 탄산수소 나트륨이 필요합니다.

2 이산화 탄소가 든 집기병에 석회수를 넣고 흔들면 투명하던 석회수가 뿌옇게 흐려집니다.

채점 기준
석회수와 반응하는 기체를 바르게 고르고, 그 까닭을 바르게 썼다.

[3~4] 평가 목표 : 압력을 가했을 때 기체와 액체의 부피 변화를 서술할 수 있습니다.

3 기체는 압력을 가한 정도에 따라 부피가 달라지지만, 액체는 압력을 가해도 부피가 거의 변하지 않습니다. 따라서 피스톤을 세게 눌렀을 때 부피가 많이 줄어든 ㉠이 공기가 들어 있는 주사기입니다.

공기   물

4 실험 결과 피스톤을 세게 눌렀을 때 공기가 들어 있는 주사기는 공기의 부피가 작아지지만, 물이 들어 있는 주사기는 물의 부피가 작아지지 않았습니다. 압력을 가한 정도에 따라 기체는 부피가 변하지만, 액체는 압력을 가해도 부피가 거의 변하지 않습니다.

채점 기준
실험 결과를 통해 알 수 있는 기체와 액체에 각각 압력을 가했을 때의 부피 변화를 바르게 썼다.

평가 목표 : 온도 변화에 따른 기체의 부피 변화를 서술할 수 있습니다.

5 입구에 고무풍선을 씌운 삼각 플라스크를 뜨거운 물에 넣으면 온도가 높아지기 때문에 삼각 플라스크 속 공기의 부피가 커져 고무풍선이 부풀어 오릅니다. 입구에 고무풍선을 씌운 삼각 플라스크를 얼음물에 넣으면 온도가 낮아지기 때문에 삼각 플라스크 속 공기의 부피가 작아져 고무풍선이 오그라듭니다.

뜨거운 물   얼음물

▲ 뜨거운 물에 넣어 부풀어   ▲ 얼음물에 넣어 오그라든
　오른 고무풍선   　고무풍선

채점 기준
입구에 고무풍선을 씌운 삼각 플라스크를 뜨거운 물과 얼음물에 넣었을 때 고무풍선이 부풀어 오르는 것을 바르게 고르고, 그 까닭을 바르게 썼다.

3. 식물의 구조와 기능

44~45쪽

이 단원을
들어가기 전에

식물의 구조와 기능을 나타낸 그림입니다.
텃밭에 숨은 그림을 찾아보세요.

☑ 종   ☑ 칫솔
☑ 우산   ☑ 옷걸이
☑ 부채   ☑ 머그컵
☑ 아이스크림

정답과 해설은
8쪽에 있어

| 그림 설명 |

- 민들레 씨를 입으로 부는 모습 → [56쪽 **13** 씨를 멀리 퍼뜨려. 열매!]에서 열매가 하는 일과 씨를 퍼뜨리는 다양한 방법을 배웁니다.

- 고구마와 파의 뿌리 모습 → [48쪽 **09** 식물을 지지하고 물을 흡수해. 뿌리!]에서 뿌리의 생김새와 하는 일을 배웁니다.

- 다양한 식물의 줄기 모습 → [49쪽 **10** 물이 이동하는 통로. 줄기!]에서 줄기의 생김새와 하는 일을 배웁니다.

- 햇빛을 받아 광합성과 증산 작용을 하는 잎의 모습 → [52쪽 **11** 광합성과 증산 작용을 해. 잎!]에서 잎이 하는 일을 배웁니다.

- 벌이 꽃가루받이를 돕는 모습 → [54쪽 **12** 씨를 만들어. 꽃!]에서 꽃의 구조와 꽃이 하는 일, 다양한 꽃가루받이 방법을 배웁니다.

1

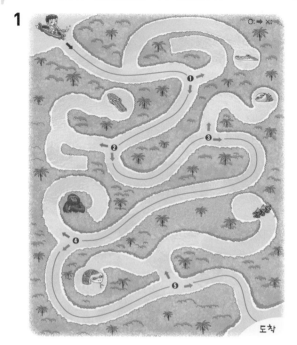

2 1100

3

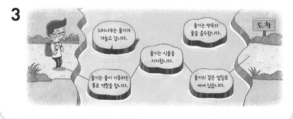

1 세포는 생물을 이루는 기본 단위로 모든 생물을 세포로 이루어져 있고, 크기와 모양이 다양합니다.
❷ 모든 세포는 하는 일이 같습니다. (×) ➡ 모든 세포는 하는 일이 다릅니다.
❹ 동물 세포는 세포벽으로 둘러싸여 있습니다. (×) ➡ 동물 세포는 세포막으로만 둘러싸여 있습니다.
❺ 핵은 세포 내부와 외부를 드나드는 물질의 출입을 조절하는 역할을 합니다. (×) ➡ 핵은 생명 활동을 조절하는 역할을 합니다.

2 고구마, 당근은 뿌리에 양분을 저장하는 식물이고, 감자는 줄기에 양분을 저장하는 식물입니다. 고구마는 한 개에 600원, 당근은 한 개에 500원이므로 먹이를 사는 데 필요한 돈은 600+500= 1100 ➡ 1100원입니다.

3 줄기는 물이 이동하는 통로로, 식물을 지지하고 양분을 저장하기도 합니다. 줄기의 겉은 껍질로 싸여 있어서 해충이나 세균의 침입을 막고, 추위와 더위로부터 식물을 보호합니다.
• 느티나무는 줄기가 가늘고 깁니다. (×) ➡ 느티나무는 줄기가 굵고 곧습니다.
• 줄기는 땅속의 물을 흡수합니다. (×) ➡ 땅속의 물을 흡수하는 것은 뿌리입니다.

1 ❸ **2** 동백나무

3

씨, 퍼뜨리는

1 빛을 받은 잎에서는 광합성을 통해 녹말이 만들어져 아이오딘-아이오딘화 칼륨 용액을 떨어뜨리면 청람색으로 색깔이 변합니다.
• 컴컴한 방에 있었다고 말한 ❶번 잎: 색깔 변화가 없으므로 진실을 말한 것입니다.
• 낮에 창가에서 햇빛을 받았다고 말한 ❷번 잎: 청람색으로 변했으므로 진실을 말한 것입니다.
• 하루 종일 컴컴한 동굴 안에 있었다고 말한 ❸번 잎: 빛을 받아 녹말이 만들어져 청람색으로 변했으므로 거짓말을 한 것입니다.

2

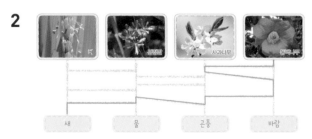

식물은 스스로 꽃가루받이를 하지 못 하기 때문에 곤충, 새, 물, 바람 등의 도움을 받아 꽃가루받이를 합니다. 동백나무는 새에 의해 꽃가루받이가 이루어집니다.

- 벼 $\xrightarrow{\text{사다리}}$ 물(×): 벼는 바람에 의해 꽃가루받이가 이루어집니다.
- 검정말 $\xrightarrow{\text{사다리}}$ 곤충(×): 검정말은 물에 의해 꽃가루받이가 이루어집니다.
- 사과나무 $\xrightarrow{\text{사다리}}$ 바람(×): 사과나무는 곤충에 의해 꽃가루받이가 이루어집니다.

3 열매는 어린 씨를 보호하고, 씨가 익으면 멀리 퍼뜨리는 일을 합니다.

개념 잡는 **생각 그물!**
60~61쪽

❶ 세포 ❷ 핵 ❸ 뿌리털
❹ 흡수 ❺ 껍질 ❻ 통로
❼ 광합성 ❽ 증산 작용
❾ 꽃가루받이(수분) ❿ 씨

개념 잡는 **수행 평가!**
62~63쪽

1 예 줄기는 물이 이동하는 통로 역할을 한다.

2 예 색깔 변화가 없고, 예 청람색으로 변한다

3 예 빛을 받은 잎에서만 광합성을 통해 녹말(양분)이 만들어진다.

4 예 사과꽃에는 수술이 있지만, 수세미오이 암꽃에는 수술이 없다.

5 (1) 예 곤충에 의해 꽃가루받이가 이루어진다.
(2) 예 코스모스, 매실나무, 연꽃 등

6 예 어린 씨를 보호한다. 씨가 익으면 멀리 퍼뜨린다.

평가 목표 : 색소 물에 넣어 둔 백합 줄기를 자르는 실험을 통해 알 수 있는 줄기가 하는 일을 서술할 수 있습니다.

1 붉은 색소 물에 넣어 두었던 백합 줄기를 가로로 자르면 붉게 색소 물이 든 부분이 있는데 이 부분이 물이 이동한 통로입니다.

채점 기준
실험 결과 알 수 있는 줄기가 하는 일을 물이 이동하는 통로 역할이라고 바르게 썼다.

[2~3] 평가 목표 : 식물의 잎에서 일어나는 광합성에 대해 서술할 수 있습니다.

2 어둠상자를 씌워 빛을 받지 못한 잎은 아이오딘 –아이오딘화 칼륨 용액을 떨어뜨렸을 때 색깔 변화가 없고, 어둠상자를 씌우지 않아 빛을 받은 잎은 아이오딘–아이오딘화 칼륨 용액을 떨어 뜨렸을 때 청람색으로 변합니다.

채점 기준
빛을 받지 못한 잎과 빛을 받은 잎의 변화를 바르게 썼다.

3 빛을 받지 못한 잎은 녹말이 만들어지지 않으므로 아이오딘–아이오딘화 칼륨 용액을 떨어뜨려도 색깔 변화가 없고, 빛을 받은 잎은 광합성을 통해 녹말이 만들어지므로 아이오딘–아이오딘화 칼륨 용액을 떨어뜨리면 청람색으로 변합니다.

채점 기준
실험 결과 빛을 받은 잎에서만 광합성을 통해 녹말(양분)이 만들어진다고 바르게 썼다.

[4~5] 평가 목표 : 꽃의 다양한 구조와 하는 일을 서술할 수 있습니다.

4 대부분의 꽃은 사과꽃과 같이 암술, 수술, 꽃잎, 꽃받침으로 이루어져 있지만, 수세미오이꽃처럼 이 중 일부가 없는 것도 있습니다.

채점 기준
사과꽃과 수세미오이 암꽃의 구조를 비교하여 차이점을 바르게 썼다.

5 식물은 스스로 꽃가루받이를 하지 못 하므로 곤충, 새, 바람, 물 등의 도움으로 꽃가루받이가 이루어집니다. 사과나무, 코스모스, 매실나무, 연꽃 등은 곤충에 의해 꽃가루받이가 이루어집니다.

채점 기준
사과꽃의 꽃가루받이 방법과 사과꽃과 같은 방법으로 꽃가루받이가 이루어지는 식물의 예를 모두 바르게 썼다.

평가 목표 : 열매가 하는 일을 서술할 수 있습니다.

6 열매는 어린 씨를 보호하고, 씨가 익으면 여러 가지 방법으로 씨를 멀리 퍼뜨리는 일을 합니다.

채점 기준
열매가 공통적으로 하는 일 두 가지를 모두 바르게 썼다.

4. 빛과 렌즈

66~67쪽

이 단원을 들어가기 전에

빛과 렌즈를 나타낸 그림입니다.
마당에 숨은 과일을 찾아보세요.

- ☑ 바나나 ☑ 수박
- ☑ 사과 ☑ 체리
- ☑ 파인애플 ☑ 딸기

정답과 해설은
11쪽에 있어요

▌그림 설명 ▌

- 엄마가 휴대 전화 사진기로 사진을 찍고 있는 모습
  → [78쪽 ⑱ 찾아라. 볼록 렌즈를 이용한 기구!]에서 우리 생활에서 사용하는 볼록 렌즈를 이용한 기구의 종류와 쓰임새를 배웁니다.

- 아빠와 딸이 햇빛을 프리즘에 통과시키는 모습
  → [68쪽 ⑭ 여러 가지 빛깔. 프리즘을 통과한 햇빛!]에서 햇빛이 여러 가지 빛깔로 이루어져 있다는 것을 배웁니다.

- 아들이 볼록 렌즈로 햇빛을 모아 종이를 태우는 모습
  → [76쪽 ⑰ 가운데 부분이 두꺼워. 볼록 렌즈!]에서 볼록 렌즈의 특징과 볼록 렌즈를 통과한 빛이 굴절하여 모이는 현상을 배웁니다.

1 도윤　　　　**2** 굴절

3

빛, 속력, 굴절

4

1 프리즘을 통과한 햇빛은 하 얀색 도화지에 무지개와 같 이 여러 가지 빛깔로 나타 납니다. 따라서 하얀색 도 화지에 나타난 모습을 바르 게 그린 사람은 도윤이입니다.

2

빛을 수면에 비스듬하게 비추면 빛이 공기와 물 의 경계에서 꺾여 나아가고, 수직으로 비추면 빛이 공기와 물의 경계에서 꺾이지 않고 그대로 나아갑니다. 빛이 서로 다른 물질의 경계에서 꺾여 나아가는 현상을 빛의 굴절이라고 합니다.

3 일정한 속력으로 달리던 자동차가 포장도로와 잔디의 경계에서 나아가는 방향이 꺾이는 것처 럼, 빛도 물질에 따라 나아가는 속력이 다르기 때문에 물질의 경계에서 굴절합니다.

4 물에 잠긴 나무 막대가 꺾여 보이는 것, 물이 실제

깊이보다 얕아 보이는 것, 눈에 보이는 물고기 를 한 번에 잡을 수 없는 것은 빛이 굴절하기 때 문에 나타나는 현상입니다.

1

2

볼록

1 볼록 렌즈의 구실을 할 수 있는 물체에는 물방 울, 유리 막대 등이 있습니다. 곧게 나아가던 빛 이 볼록 렌즈의 가장자리를 통과하면 두꺼운 가 운데 부분으로 꺾여 나아갑니다. 볼록 렌즈는 햇빛을 굴절시켜 모을 수 있고, 햇빛을 모은 곳은 온도가 높아 종이를 태울 수 있습니다.

❶ 볼록 렌즈는 가장자리가 가운데 부분보다 두 꺼운 렌즈입니다.(×) ➡ 볼록 렌즈는 가운데 부 분이 가장자리보다 두꺼운 렌즈입니다.

❷ 볼록 렌즈로 물체를 보면 항상 물체의 좌우가 바뀌어 보입니다.(×) ➡ 볼록 렌즈로 물체를 보면 실제 물체보다 크게 보이거나 상하좌우가 바뀌어 보이기도 합니다.

❻ 볼록 렌즈로 햇빛을 모은 곳의 온도는 주변보다 낮습니다. (×) ➡ 볼록 렌즈로 햇빛을 모은 곳은 주변보다 온도가 높습니다.

2 현미경과 사진기는 모두 볼록 렌즈를 이용해 만든 기구입니다. 현미경은 작은 물체를 확대하여 관찰할 때 쓰이고, 사진기는 빛을 모아 사진을 촬영할 때 쓰입니다.

개념 잡는 **생각 그물!**   82~83쪽

❶ 프리즘   **❷** 여러 가지   **❸** 경계
❹ 굴절   **❺** 두꺼움.   **❻** 다르게
❼ 가운데 부분 **❽** 가장자리   **❾** 높음.
❿ 굴절

개념 잡는 **수행 평가!**   84~85쪽

1 우유

2 (1)
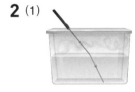
(2)

(3)

(4)

3 • 예 꺾여 나아간다
  • 예 꺾이지 않고, 그대로 나아간다

4 ㉠

5 예 볼록 렌즈로 햇빛을 모을 수 있고, 햇빛을 모은 곳은 온도가 높기 때문에 종이를 태워 그림을 그릴 수 있다.

[1~3] 평가 목표 : 공기와 물의 경계에서 빛이 나아가는 모습을 서술할 수 있습니다.

1 투명한 사각 수조에 우유를 넣고 향 연기를 채우면 빛이 나아가는 모습을 잘 관찰할 수 있습니다.

2 빛은 공기 중에서 물로 비스듬히 나아갈 때뿐만 아니라 물에서 공기 중으로 비스듬히 나아갈 때에도 공기와 물의 경계에서 굴절합니다. 빛이 수면에서 수직으로 나아갈 때에는 공기와 물의 경계에서 꺾이지 않고 그대로 나아갑니다.

▲ 수조의 위쪽에서 아래쪽으로 레이저 지시기의 빛을 비추었을 때 레이저 지시기의 빛이 나아가는 모습

▲ 수조의 아래쪽에서 위쪽으로 레이저 지시기의 빛을 비추었을 때 레이저 지시기의 빛이 나아가는 모습

3 빛은 비스듬히 나아갈 때 서로 다른 물질의 경계에서 꺾입니다. 이렇게 서로 다른 물질의 경계에서 빛이 꺾여 나아가는 현상을 빛의 굴절이라고 합니다.

채점 기준
실험을 통해 빛을 수면에 비스듬히 비추었을 때와 수직으로 비추었을 때 공기와 물의 경계에서 빛이 나아가는 모습을 바르게 썼다.

[4~5] 평가 목표 : 볼록 렌즈의 특징을 서술할 수 있습니다.

4 볼록 렌즈는 햇빛을 굴절시켜 모을 수 있기 때문에 볼록 렌즈와 하얀색 도화지 사이의 거리를 다르게 하면 하얀색 도화지에 햇빛이 만든 원의 크기가 달라집니다. 평면 유리는 빛을 모을 수 없기 때문에 평면 유리와 하얀색 도화지 사이의 거리를 다르게 해도 하얀색 도화지에 햇빛이 만든 원의 크기가 달라지지 않습니다.

5 볼록 렌즈로 햇빛을 모은 곳은 온도가 높기 때문에, 볼록 렌즈로 검은색 종이를 직접 태우거나 하얀색 종이에 검은색 사인펜으로 그림을 그린 뒤 검은색 부분을 태워 그림을 그릴 수 있습니다.

채점 기준
볼록 렌즈로 종이를 태워 그림을 그릴 수 있는 까닭을 볼록 렌즈가 햇빛을 모을 수 있고, 햇빛을 모은 곳의 온도가 높기 때문이라고 바르게 썼다.

5.전기의 이용

88~89쪽

이 단원을
들어가기
전에

전기의 이용을 나타낸 그림입니다.
과학실에 숨은 자음자와 모음자를 찾아
안전하게 사용하지 않으면 감전의
위험이 있는 것은 무엇인지
알아맞혀 보세요.

답 전기

정답과 해설은
14쪽에 있어

| 그림 설명 |

- 두 가지 전기 회로의 전구 밝기를 비교하는 모습

→ [92쪽 20 전구의 밝기가 달라. 직렬연결과 병렬연결!]에서 전지와 전구의 직렬연결과 병렬연결에 따라 전구의 밝기가 다르다는 것을 배웁니다.

- 전동기를 이용한 선풍기가 돌아가는 모습

→ [98쪽 22 전류가 흐를 때만 자석. 전자석!]에서 전자석의 성질과 전자석의 이용을 배웁니다.

- 전자석을 만들어 시침바늘을 붙이는 모습

→ [98쪽 22 전류가 흐를 때만 자석. 전자석!]에서 둥근머리 볼트에 에나멜선을 감아 전자석을 만드는 방법과 전자석의 성질을 배웁니다.

1 1948

2

3
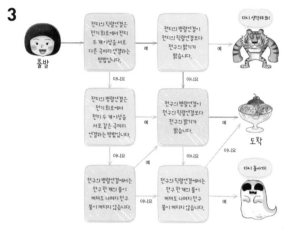

1 전지, 전선, 전구 등 전기 부품을 서로 연결해 전기 가 흐르도록 한 것을 전기 회로라고 합니다.

2 도체는 전류가 잘 흐르는 물질로, 철, 구리, 흑연 등이 있고, 전구의 꼭지는 전류가 잘 흘러야 하기 때문에 도체로 이루어져 있습니다.
- 전류가 잘 흐르지 않는 물질입니다.(×) ➡ 전 류가 잘 흐르지 않는 물질은 부도체입니다.
- 종이, 나무, 유리는 도체입니다.(×) ➡ 종이, 나무, 유리는 부도체입니다.

3 전지의 직렬연결은 전기 회로에서 전지 두 개 이 상을 서로 다른 극끼리 연결하는 방법입니다.
　—예→ 전지의 병렬연결이 전지의 직렬연결보다 전구의 밝기가 밝습니다. —아니요→ 전구의 병렬 연결이 전구의 직렬연결보다 전구의 밝기가 밝 습니다. —예→ 도착
- 전구의 직렬연결에서는 전구 한 개의 불이 꺼 져도 나머지 전구 불이 꺼지지 않습니다.(×) ➡ 전구 한 개의 불이 꺼지면 나머지 전구 불도 꺼집니다.

1 주원

2

3
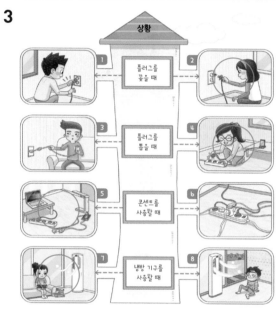

7542

1
전류가 흐르는 전선은 자석과 같은 성질을 나타 내기 때문에 나침반 주위에 놓으면 나침반 바늘이 움직입니다.
- 나리 —사다리→ 꽝!(왼쪽) ➡ 전류가 흐르는 전선 을 나침반 주위에 놓으면 나침반 바늘이 움직 입니다.
- 연희 —사다리→ 꽝!(오른쪽) ➡ 전지 여러 개를 직렬연결해야 전류의 세기가 세져 나침반 바늘이 더 크게 움직입니다.

2 전류가 흐를 때에만 자석의 성질이 나타나는 것은 전자석입니다.

3 • 플러그를 꽂을 때 ─────▶ **2** 마른 손으로 플러그 머리를 잡고 꽂아야 합니다.
• 플러그를 뽑을 때 ─────▶ **4** 플러그 머리를 잡고 뽑아야 합니다.
• 콘센트를 사용할 때 ─────▶ **5** 콘센트 한 개에 플러그 여러 개를 꽂아 사용하지 않습니다.
• 냉방 기구를 사용할 때 ─────▶ **7** 창문을 닫고 사용해야 합니다.
2, 4, 5, 7을 한 번씩만 사용하여 만들 수 있는 수 중 가장 큰 수는 높은 자리부터 큰 수를 차례대로 쓴 7542입니다.

개념 잡는 생각 그물! 104~105쪽

❶ 전기 회로 **❷** 전류 **❸** 도체
❹ 부도체 **❺** 도체 **❻** 직렬
❼ 병렬 **❽** 전류 **❾** 극
❿ 콘센트

개념 잡는 수행 평가! 106~107쪽

1 📝 전기 부품의 도체 부분끼리 끊기지 않게 연결하고, 전구를 전지의 (+)극과 (−)극에 각각 연결해 전류가 전기 회로를 따라 흐르기 때문이다.

2 (1) ⓛ, ⓔ (2) ⓒ, ⓒ

3 (1) 📝 전지 두 개가 직렬연결되어 있다. / 전지 두 개가 서로 다른 극끼리 연결되어 있다.
(2) 📝 전지 두 개가 병렬연결되어 있다. / 전지 두 개가 서로 같은 극끼리 연결되어 있다.

4 📝 전류가 흐를 때에만, 📝 전류가 흐르지 않아도

5 <

6 📝 전류의 방향이 바뀌기 때문에 전자석의 극이 바뀌어 나침반 바늘이 가리키는 방향이 바뀐다.

[1~3] 평가 목표 : 전기 회로에서 전구에 불이 켜지는 까닭과 전지의 연결 방법에 따른 전구의 밝기를 비교하여 서술할 수 있습니다.

1 전구에 불이 켜지려면 전기 부품의 도체 부분끼리 끊기지 않게 연결해야 하고, 전구를 전지의 (+)극과 (−)극에 각각 연결해야 합니다.

채점 기준
전구의 불이 켜지는 까닭을 전기 부품의 연결과 전구와 전지의 극 사이의 연결과 관련지어 바르게 썼다.

2 전지 두 개를 직렬연결한 ⓛ, ⓔ 전기 회로의 전구가 전지 두 개를 병렬연결한 ⓒ, ⓒ 전기 회로의 전구보다 밝기가 더 밝습니다.

3 전구의 밝기가 밝은 전기 회로는 전지 두 개가 직렬연결되어 있고, 전구의 밝기가 어두운 전기 회로는 전지 두 개가 병렬연결되어 있습니다.

채점 기준
전구의 밝기를 비교하여 전지의 연결 방법을 각각 바르게 썼다.

[4~6] 평가 목표 : 전자석의 성질을 영구 자석과 비교하여 서술할 수 있습니다.

4 전자석은 전류가 흐를 때에만 자석의 성질이 나타나지만, 막대자석과 같은 영구 자석은 전류가 흐르지 않아도 자석의 성질이 나타납니다.

채점 기준
전자석과 막대자석을 비교하여 자석의 성질이 나타나는 때를 모두 바르게 썼다.

5 전자석은 직렬연결한 전지의 개수가 많아지면 자석의 세기가 세집니다.

6 전기 회로에서 전류의 방향이 바뀌면 전자석의 극이 바뀌므로, 전지의 극을 반대로 하면 나침반 바늘이 가리키는 방향이 반대가 됩니다.

채점 기준
전류의 방향이 바뀌면 전자석의 극이 바뀌고, 그에 따라 나침반 바늘이 가리키는 방향이 바뀐다고 바르게 썼다.

6. 계절의 변화

110~111쪽

이 단원을 들어가기 전에

계절의 변화를 나타낸 그림입니다.
집안에 숨은 그림은 몇 개인지
알아맞혀 보세요.

답 6개

▌그림 설명 ▌

- 남자아이가 추운 겨울 추억 사진을 보고 있는 모습

[**116쪽 25** 계절별 태양의 남중 고도에 영향을 받아! 낮의 길이와 기온.]에서 계절에 따라 태양의 남중 고도가 달라지면 낮의 길이와 기온이 변한다는 것을 배웁니다.

- 여자아이가 더운 여름 추억 사진을 보고 있는 모습

- 네 가족이 사계절 추억 사진을 보고 있는 모습

[**118쪽 26** 자전축이 기울어진 채 공전하기 때문에 생겨! 계절의 변화.]에서 지구의 자전축이 기울어진 채 태양 주위를 공전하기 때문에 계절의 변화가 생기는 것을 배웁니다.

1 태양 고도

2 선혁

3 ❶ 그림자 길이, ❷ 태양 고도, ❸ 기온

1 태양 고도는 태양이 지표면과 이루는 각으로, 태양 고도를 이용하면 태양의 높이를 정확하게 나타낼 수 있습니다.

2 하루 중 태양이 가장 높이 뜨는 때는 태양이 정남쪽에 위치했을 때로, 태양이 남중했다고 하며 낮 12시 30분 무렵입니다. 태양이 남중할 때는 그림자 길이가 가장 짧습니다.

3

(그래프: 측정 시각(시:분), 9:30 10:30 11:30 12:30 13:30 14:30 15:30, ❶ ❷ ❸ 그래프)

- ❶번 그래프가 나타내는 것: ❷번 그래프와 모양이 다르고, 한낮에 가장 짧으므로 그림자 길이입니다.
- ❷번 그래프가 나타내는 것: 태양의 높이와 관련이 있는 그래프로, 낮 12시 30분 무렵 가장 높은 것은 태양 고도입니다.
- ❸번 그래프가 나타내는 것: ❷번 그래프와 모양이 비슷하지만, 가장 높은 시각이 ❷번 그래프보다 약 두 시간 뒤인 것은 기온입니다. 태양 고도가 높아지면 지표면이 데워지고, 공기가 데워져야 하기 때문에 시간 차이가 납니다.

1 ❸

2 여름 요정 – 1, 4 겨울 요정 – 2, 3

3

1

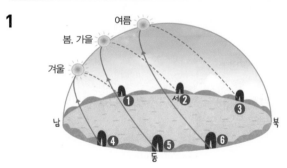

태양이 지는 방향은 서쪽 방향이므로 ❶, ❷, ❸번 나무 아래 보물이 있습니다. 태양의 남중 고도가 가장 높고 낮의 길이가 가장 긴 계절은 여름이므로 ❶, ❷, ❸ 중 여름의 태양의 위치 변화를 나타낸 곳을 찾으면 ❸번 나무 아래 보물이 있습니다.

2 여름에는 1 태양의 남중 고도가 높아 ➡ 4 기온이 높습니다. 따라서 여름 요정의 마법봉은 1, 4입니다.
겨울에는 2 태양의 남중 고도가 낮아 ➡ 3 기온이 낮습니다. 따라서 겨울 요정의 마법봉은 2, 3입니다.

3 지구의 자전축이 공전 궤도면에 대해 기울어진 채 태양 주위를 공전하기 때문에 계절이 변합니다.

- 지구가 자전하기 때문에 계절이 변합니다.(×)
  ➡ 지구가 자전하면 낮과 밤이 변합니다.
- 지구의 자전축이 수직인 채 태양 주위를 공전하기 때문에 계절이 변합니다.(×) ➡ 지구의 자전축이 수직인 채 태양 주위를 공전하면 계절이 변하지 않습니다.
- 지구가 공전하지 않아도 자전축만 기울어져 있으면 계절이 변합니다.(×) ➡ 지구가 공전하지 않으면 계절이 변하지 않습니다.

개념 잡는 생각 그물! 122~123쪽

❶ 지표면　❷ 태양의 남중 고도
❸ 그림자 길이　❹ 기온　❺ 두(2)
❻ 여름　❼ 겨울
❽ 태양의 남중 고도　❾ 자전축
❿ 공전

개념 잡는 수행 평가! 124~125쪽

1 태양 고도 그래프, 기온 그래프

2 예 그림자 길이는 짧아지고, 기온은 높아진다.

3 예 지표면은 더 많이 데워지지만 지표면이 데워져 공기의 온도가 높아지는 데에는 시간이 걸리기 때문에 태양 고도가 가장 높은 때보다 약 두 시간 정도 뒤에 기온이 가장 높다.

4

지구의의 자전축이 수직인 채 공전할 때				구분	지구의의 자전축이 기울어진 채 공전할 때			
(가)	(나)	(다)	(라)	위치	(가)	(나)	(다)	(라)
52°	52°	52°	52°	태양의 남중 고도	52°	76°	52°	29°

5 예 지구의 자전축이 공전 궤도면에 대해 기울어진 채 태양 주위를 공전하기 때문에 지구의 위치에 따라 태양의 남중 고도가 달라져 계절이 변합니다.

[1~3] 평가 목표 : 하루 동안 태양 고도, 그림자 길이, 기온의 관계를 서술할 수 있습니다.

1 태양 고도 그래프와 기온 그래프는 위로 볼록한 모양으로 비슷하지만, 그림자 길이 그래프는 모양이 다릅니다.

2 태양 고도가 높아지면 지표면이 데워지면서 기온이 높아지지만, 그림자 길이는 짧아집니다.

채점 기준
태양 고도가 높아지면 기온은 높아지지만, 그림자 길이는 짧아진다고 바르게 썼다.

3 태양 고도가 높아지면 지표면이 데워지면서 기온이 높아지는데, 기온이 높아지는 데에는 시간이 걸리기 때문에 태양 고도가 가장 높은 때와 기온이 가장 높은 때의 시간 차이가 납니다.

채점 기준
태양 고도가 높아지면 지표면이 데워지면서 기온이 높아지는데, 지표면을 데우는 데 시간이 걸려 시간 차이가 난다고 바르게 썼다.

[4~5] 평가 목표 : 계절이 변하는 까닭을 지구의 공전과 관련지어 서술할 수 있습니다.

4 지구의의 자전축을 수직으로 하여 공전시키면 태양의 남중 고도가 어느 위치에서나 일정하지만, 지구의의 자전축을 기울여 공전시키면 지구의의 위치가 바뀔 때마다 태양의 남중 고도가 변합니다.

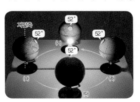 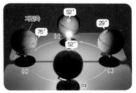

▲ 지구의의 자전축이 수직인 채 공전할 때 태양의 남중 고도　▲ 지구의의 자전축이 기울어진 채 공전할 때 태양의 남중 고도

5 지구의 자전축이 공전 궤도면에 대해 기울어진 채 태양 주위를 공전하면 지구의 위치에 따라 태양의 남중 고도가 달라져 계절이 변합니다.

채점 기준
지구의의 자전축이 수직인 채 공전할 때는 태양의 남중 고도가 변하지 않고, 지구의의 자전축이 기울어진 채 공전할 때 태양의 남중 고도가 변한 것을 통해 계절의 변화는 지구의 자전축이 기울어진 채 태양 주위를 공전하기 때문이라고 바르게 썼다.

7. 연소와 소화

128~129

이 단원을 들어가기 전에

연소와 소화를 나타낸 그림입니다.
소방 체험관에 숨은 그림을 찾아보세요.

☑ 달 ☑ 왕관
☑ 반지 ☑ 음표
☑ 화분 ☑ 야구공
☑ 종이비행기

정답과 해설은
20쪽에 있어~!

| 그림 설명 |

• 물질이 연소하고 있는 모습 ⟶ [130쪽 ㉗ 물질이 탈 때 발생해. 빛과 열!]에서 물질이 탈 때 나타나는 현상을 배웁니다.

• 소화기를 사용해 불을 끄는 모습 ⟶ [138쪽 ㉚ 소화하려면 없애. 탈 물질, 산소, 발화점!]에서 연소의 조건 중에서 한 가지 이상의 조건을 없애 불을 끄는 소화의 방법과 분말 소화기 사용 방법을 배웁니다.

• 화재 발생 시 대처 방법을 체험하는 모습 ⟶ [140쪽 ㉛ 기억해. 화재 안전 대책!]에서 화재가 발생했을 때 어떻게 대처해야 하는지 배웁니다.

1 산소, 빛(열), 열(빛)

2 발화점

3

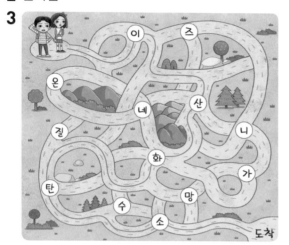

이산화 탄소

1

연소란 물질이 산소와 빠르게 반응하여 빛과 열을 내는 현상입니다. 우리는 물질이 타면서 발생하는 빛과 열로 어두운 곳을 밝히거나 난방을 하고, 요리를 하는 데 이용합니다.

2 암호 풀이표를 이용해 빈칸에 들어갈 말을 풀면 다음과 같습니다.
- ζοδ ➡ ㅂ, ㅏ, ㄹ 이므로 '발'
- ξтο ➡ ㅎ, ㅗ, ㅏ 이므로 '화'
- ıpε ➡ ㅈ, ㅓ, ㅁ 이므로 '점'

따라서 빈칸에 들어갈 말은 발화점입니다. 발화점이란 물질이 불에 직접 닿지 않아도 타기 시작하는 온도로, 발화점은 물질마다 다릅니다.

3 초가 연소한 후에 생기는 기체는 이산화 탄소로, 기체를 모은 집기병에 석회수를 붓고 흔들었을 때 석회수가 뿌옇게 흐려지는 것을 통해 확인할 수 있습니다.

1 소화　　　　　**2** (가), (라), (다), (나)

3 나은

1

발화점 이상 온도	탈 물질 공급	산소 공급	발화점 이상 온도	탈 물질 공급	산소 공급	탈 물질 공급	발화점 이상 온도	산소 공급	발화점 이상 온도
탈 물질 공급	산소 공급 막기	발화점 이상 온도	탈 물질 없애기	산소 공급	산소 공급	산소 공급	산소 공급	탈 물질 공급	산소 공급
발화점 미만 온도	산소 공급	탈 물질 없애기	발화점 이상 온도	탈 물질 없애기	발화점 미만 온도	탈 물질 없애기	발화점 이상 온도	탈 물질 없애기	탈 물질 공급
산소 공급 막기	탈 물질 공급	발화점 미만 온도	산소 공급	탈 물질 공급	발화점 이상 온도	산소 공급	탈 물질 공급	발화점 미만 온도	산소 공급
탈 물질 없애기	발화점 이상 온도	탈 물질 없애기	탈 물질 없애기	발화점 이상 온도	탈 물질 없애기	발화점 이상 온도	탈 물질 공급	발화점 이상 온도	
산소 공급 막기	탈 물질 공급	산소 공급 막기	탈 물질 없애기	산소 공급	산소 공급 막기	탈 물질 공급	발화점 미만 온도	탈 물질 없애기	
탈 물질 없애기	산소 공급	발화점 미만 온도	탈 물질 공급	산소 공급	발화점 미만 온도	탈 물질 없애기	산소 공급	탈 물질 공급	산소 공급
탈 물질 공급	발화점 이상 온도	탈 물질 공급	발화점 이상 온도	발화점 이상 온도	산소 공급	탈 물질 공급	산소 공급	탈 물질 공급	
산소 공급 막기	탈 물질 없애기	산소 공급	산소 공급	산소 공급	산소 공급 막기	발화점 이상 온도	산소 공급 막기	산소 공급	
산소 공급 막기	탈 물질 없애기	발화점 미만 온도	발화점 이상 온도	발화점 이상 온도	발화점 이상 온도	탈 물질 공급	탈 물질 공급	발화점 이상 온도	
산소 공급	발화점 이상 온도	산소 공급	탈 물질 공급	발화점 이상 온도	산소 공급	탈 물질 공급	발화점 이상 온도	산소 공급	

불을 끄는 소화의 세 가지 조건은 탈 물질 없애기, 산소 공급 막기, 발화점 미만으로 온도 낮추기입니다. 탈 물질 공급, 산소 공급, 발화점 이상 온도는 연소의 세 가지 조건입니다.

2

분말 소화기를 사용할 때에는 분말 소화기를 불이 난 곳으로 옮긴 뒤에 안전핀을 뽑고, 바람을 등지고 서서 소화기의 고무관이 불 쪽을 향하도록 하여 손잡이를 움켜쥐고 불을 끕니다.

3 화재가 발생하면 "불이야."라고 큰 소리로 외쳐 주변 사람에게 불이 난 것을 알리고, 신속하게 대피한 뒤에 119에 신고해야 합니다.
- 태윤(×) ➡ 유독 가스를 마시지 않도록 젖은 수건으로 코와 입을 막고 자세를 낮춰 이동해야 합니다.
- 선우(×) ➡ 책상과 같이 나무로 된 가구 아래로 들어가면 나무가 불에 타기 쉬워 위험하고, 갇힌 사람을 찾기 어려워 구조하기 힘듭니다.
- 수지(×) ➡ 화재가 발생하면 정전으로 승강기가 멈출 수 있으므로, 계단으로 대피해야 합니다.

❶ 빛(열)　　❷ 열(빛)　　❸ 발화점
❹ 물　　　　❺ 이산화 탄소　❻ 한
❼ 탈 물질　❽ 안전핀　　❾ 젖은
❿ 119

개념 잡는 **수행 평가!** 146~147쪽

1 (1) 성냥의 머리 부분
(2) 예 물질마다 타기 시작하는 온도인 발화점
이 다르기 때문이다. / 성냥의 머리 부분이 나무
부분보다 발화점이 낮기 때문이다.

2 예 온도를 발화점 이상으로 높이면 물질에 직접
불을 붙이지 않아도 물질을 태울 수 있기 때문
이다. / 볼록 렌즈로 햇빛을 모으면 물질의 온도
가 발화점 이상으로 높아지기 때문에 직접 불을
붙이지 않아도 물질을 태울 수 있다.

3 예 탈 물질, 예 산소, 예 발화점 이상의

4 • 촛불을 입으로 불기: 예 탈 물질 없애기
• 초의 심지를 핀셋으로 집기: 예 탈 물질 없애기
• 촛불을 집기병으로 덮기: 예 산소 공급 막기

5 (1) - ㉡ (2) - ㉡ (3) - ㉠

[1~2] 평가 목표: 물질에 불을 직접 붙이지 않아도 불이 붙는
까닭을 발화점과 관련지어 서술할 수 있습니다.

1 철판이 뜨거워지면서
성냥의 머리 부분과 나
무 부분도 뜨거워집니
다. 성냥의 머리 부분과
나무 부분 중 머리 부분

이 발화점이 더 낮기 때문에 동시에 가열해도 성
냥의 머리 부분에 먼저 불이 붙습니다.

채점 기준
성냥의 머리 부분과 나무 부분 중 먼저 불이 붙는 것을 바르게 고르고, 그 까닭을 발화점이 다르기 때문(성냥의 머리 부분이 성냥의 나무 부분보다 발화점이 낮기 때문)이라고 바르게 썼다.

2 발화점은 물질이 불에 직접 닿지 않아도 타기 시작
하는 온도로, 볼록 렌즈로 햇빛을 모아 발화점
이상으로 온도를 높이면 직접 불을 붙이지 않아
도 물질을 태울 수 있습니다.

채점 기준
온도를 발화점 이상으로 높이면 물질에 불을 직접 붙이지 않아도 물질을 태울 수 있기 때문이라고 바르게 썼다.

평가 목표: 연소가 일어나기 위한 세 가지 조건을 서술할
수 있습니다.

3 연소가 일어나려면 탈 물질과 산소가 공급되어야
하고, 온도가 발화점 이상으로 높아져야 합니다.

채점 기준
연소의 세 가지 조건인 탈 물질 공급, 산소 공급, 발화점 이상의 온도를 바르게 썼다.

[4~5] 평가 목표: 촛불을 끄는 방법에 이용한 소화의 조건과
우리 생활에서 불을 끌 때 이용하는 소화의 조건을 서술
할 수 있습니다.

4 촛불을 입으로 불거나 초의 심지를 핀셋으로 집
으면 탈 물질인 기체 상태의 초가 공급되지 않아
불이 꺼지고, 촛불을 집기병으로 덮으면 산소가
공급되지 않아 불이 꺼집니다.

채점 기준
촛불을 끄는 세 가지 방법에서 이용한 소화의 조건을 모두 바르게 썼다.

5 알코올램프의 뚜껑을 덮으면 산소가 차단되어
불이 꺼지고, 가스레인지의 연료 조절 밸브를
잠그면 탈 물질인 가스가 차단되어 불이 꺼집니다.

8. 우리 몸의 구조와 기능

150~151쪽

이 단원을
**들어가기
전에**

우리 몸의 구조와 기능을
나타낸 그림입니다.
몸속 기관 체험관에 숨은 그림은
몇 개인지 알아맞혀 보세요.

답 7개

소화 기관
나라

뼈와 근육
나라

┃그림 설명┃

- 남자아이가 뼈와 근육 모형을 보고 놀라는 모습 [152쪽 **32** 움직임에 관여해. 운동 기관!]에서 우리 몸을 구성하는 뼈와 근육의 생김새와 하는 일, 우리가 몸을 움직일 수 있는 까닭을 배웁니다.

- 여자아이가 소화 기관인 입으로 들어가는 모습

  [154쪽 **33** 음식물을 분해해. 소화 기관!]에서 여러 가지 소화 기관의 생김새와 하는 일, 음식물이 소화되는 과정을 배웁니다.

- 아빠가 소화 기관인 항문으로 나오는 모습

1

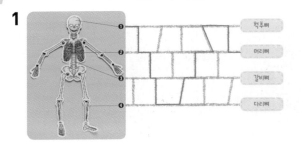

척추뼈
머리뼈
갈비뼈
다리뼈

머리뼈

2

작	배	설	귀	항
폐	은	기	관	문
근	육	창	콩	팥
방	심	장	자	코
광	식	도	혈	관

3 541

1 • ❶ ──사다리──▶ 머리뼈: 바가지 모양으로 둥글고, 뇌를 보호합니다.

• ❷ ──사다리──▶ 척추뼈(×) ➡ 갈비뼈: 휘어진 뼈가 좌우로 둥글게 연결되어 공간을 만들고, 이 공간이 심장과 폐를 보호합니다.

• ❸ ──사다리──▶ 다리뼈(×) ➡ 척추뼈: 짧은뼈가 이어져 기둥을 이루며, 몸을 지지합니다.

• ❹ ──사다리──▶ 갈비뼈(×) ➡ 다리뼈: 팔뼈보다 더 길고 두꺼우며, 아래쪽 뼈는 긴뼈 두 개로 이루어져 있습니다.

2 음식물을 잘게 쪼개 우리가 생활하는 데 필요한 에너지와 영양소를 얻는 과정을 소화라고 하며, 소화 기관에는 입, 식도, 위, 작은창자, 큰창자, 항문 등이 있습니다.

3 • ❷ 기관은 나뭇가지처럼 생겼으며, 기관지와 폐를 이어 줍니다. (×) ➡ 기관은 굵은 관 모양으로 코에 연결되어 있고, 공기가 이동하는 통로입니다.

• ❸ 폐는 가슴 부분에 주먹 모양으로 한 개 있습니다. (×) ➡ 폐는 가슴 부분에 좌우 한 쌍으로 부풀어 있는 모양입니다.

• ❻ 숨을 들이마실 때와 내쉴 때 공기가 지나가는 기관의 순서는 같습니다. (×) ➡ 숨을 들이마실 때는 코 → 기관 → 기관지 → 폐를 거쳐 산소가 들어오고, 숨을 내쉴 때는 폐 → 기관지 → 기관 → 코의 순서로 공기가 나갑니다. 따라서 공기가 지나가는 기관의 순서는 반대입니다.

1

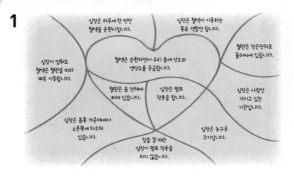

2 콩팥

3

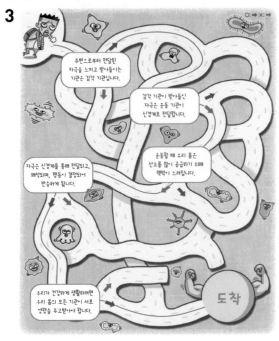

1 순환 기관은 혈액의 이동에 관여하는 심장과 혈관이 있습니다. 심장은 자신의 주먹만하고 몸통 가운데에서 왼쪽에 치우쳐 있으며, 펌프 작용으로 혈액을 온몸으로 순환시킵니다. 심장은 잠을 잘 때에도 계속 혈액을 순환시키며, 심장이 멈추면 혈액도 이동하지 않습니다. 혈관은 몸 전체

24

에 퍼져 있으며, 혈액이 이동하는 통로입니다. 혈액은 순환하면서 우리 몸에 산소와 영양소를 공급합니다.

2 우리 몸에서 하수 처리장과 같이 혈액에 있는 노폐물을 걸러 내는 역할을 하는 기관은 콩팥입니다. 근육은 뼈에 붙어 몸을 움직이게 하고, 폐는 호흡과 관련된 기관이며, 심장은 펌프 작용으로 혈액을 순환하게 하는 기관입니다.

3 감각 기관이 주변으로부터 자극을 받아들이면 신경계를 통해 전달되고, 해석되며, 행동이 결정되어 운동 기관에 전달된 뒤 반응합니다. 운동할 때 우리 몸은 산소를 많이 공급하기 위해 맥박과 호흡이 빨라집니다.

• 감각 기관이 받아들인 자극은 운동 기관이 신경계로 전달합니다. (×) ➡ 감각 기관이 받아들인 자극은 신경계가 운동 기관으로 전달합니다.
• 운동할 때 우리 몸은 산소를 많이 공급하기 위해 맥박이 느려집니다. (×) ➡ 운동할 때 우리 몸은 산소를 많이 공급하기 위해 심장이 펌프 작용을 활발하게 하므로 맥박이 빨라집니다.

개념 잡는 생각 그물!   164~165쪽

❶ 근육   ❷ 위   ❸ 큰창자
❹ 기관지   ❺ 폐   ❻ 심장
❼ 콩팥   ❽ 오줌   ❾ 신경계
❿ 맥박

개념 잡는 수행 평가!   166~167쪽

1 • 납작한 빨대: 뼈 • 비닐봉지: 근육
2 (1) 예 비닐봉지가 부풀어 오르면서 길이가 줄어들어 납작한 빨대가 구부러지고, 손 그림이 납작한 빨대를 따라 올라간다.
(2) 예 팔 안쪽 근육이 줄어들거나 늘어나면서 뼈를 움직이게 하기 때문이다.

---

3 • 예 호흡과 맥박이 빨라진다.
• 예 체온이 올라가고 땀이 난다.
4 (1) 예 음식물을 소화해 영양소를 흡수한다.
(2) 예 우리 몸에 필요한 산소를 제공하고 이산화 탄소를 몸 밖으로 내보낸다.
(3) 예 영양소와 산소를 온몸에 전달하고, 이산화 탄소와 노폐물을 각각 호흡 기관과 배설 기관으로 전달한다.

[1~2] 평가 목표 : 뼈와 근육 모형을 만들어 보고, 팔을 구부리고 펼 수 있는 까닭을 서술할 수 있습니다.

1 뼈와 근육 모형에서 납작한 빨대는 뼈 역할을 하고, 비닐봉지는 근육 역할을 합니다.

2 뼈와 근육 모형에 바람을 불어 넣으면 근육 역할을 하는 비닐봉지가 부풀어

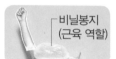
비닐봉지
(근육 역할)

오르면서 비닐봉지의 길이가 줄어들어 뼈 역할을 하는 납작한 빨대가 구부러집니다. 따라서 납작한 빨대에 붙인 손 그림이 팔을 굽히는 것처럼 올라갑니다. 팔을 구부리고 펼 수 있는 까닭은 팔 안쪽 근육의 길이가 줄어들거나 늘어나면서 뼈를 움직이게 하기 때문입니다.

채점 기준
뼈와 근육 모형에 바람을 불어 넣었을 때 비닐봉지와 손 그림의 변화를 바르게 쓰고, 이 결과로 알 수 있는 팔을 구부리고 펼 수 있는 까닭을 바르게 썼다.

[3~4] 평가 목표 : 운동할 때 우리 몸에서 나타나는 변화와 몸의 각 기관이 하는 일을 서술할 수 있습니다.

3 줄넘기와 같은 운동을 하면 호흡과 맥박이 빨라지고, 체온이 올라가며, 땀이 나기도 합니다.

채점 기준
운동할 때 우리 몸에서 나타나는 변화를 두 가지 모두 바르게 썼다.

4 운동을 하면 평소보다 더 많은 영양소와 산소가 필요하기 때문에 여러 기관이 각각의 기능을 잘 수행해야 합니다.

채점 기준
운동할 때 우리 몸의 각 기관이 하는 일을 모두 바르게 썼다.

9. 에너지와 생활

170~171쪽

이 단원을
들어가기 전에

에너지와 생활을 나타낸 그림입니다.
놀이공원에 숨은 채소를 찾아보세요.

☑ 당근   ☑ 호박
☑ 배추   ☑ 고추
☑ 가지   ☑ 콩
☑ 옥수수

정답과 해설은
26쪽에 있어!

| 그림 설명 |

- 아빠와 딸이 간식을 먹어 에너지를 얻는 모습 → [172쪽 **39** 필요해. 다양한 형태의 에너지!]에서 에너지의 다양한 형태와 에너지를 얻는 방법, 에너지가 필요한 까닭을 배웁니다.

- 여러 가지 놀이 기구가 다양한 형태의 에너지로 바뀌며 움직이는 모습 → [174쪽 **40** 에너지 형태가 바뀌어. 에너지 전환!]에서 다양한 형태의 에너지가 전환되는 예와 에너지 전환 과정을 배웁니다.

- 태양 빛이 비추고, 그 빛을 이용하는 태양 전지 가로등이 설치된 모습 → [176쪽 **41** 모든 에너지의 시작. 태양의 빛에너지!]에서 우리가 생활에서 이용하는 모든 에너지의 시작이 태양의 빛에너지이고, 태양의 빛에너지가 다양한 에너지로 전환되어 이용되는 과정을 배웁니다.

1 ❶ 에너지　❷ 빛, 화학　　**2** 태민

3

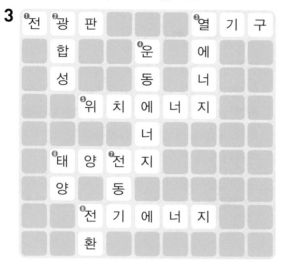

전광판 / 열기구 / 합성 / 운동 / 에너 / 위치에너지 / 너 / 태양전지 / 양 / 동 / 전기에너지 / 환

1 기계를 움직이거나 생물이 살아가는 데에는 에너지가 필요합니다. 에너지의 형태 중 어두운 곳을 밝게 비춰 주는 에너지는 빛에너지이고, 사람의 생명 활동에 필요한 에너지는 화학 에너지입니다.

2
준영 / 벌새가 나는 것은 전기 에너지가 운동 에너지로 전환되면서 움직여.
태민 / 롤러코스터는 운동 에너지가 열에너지로 전환되면서 움직여.
하늘 / 떨어지는 낙하 놀이 기구는 위치 에너지가 운동 에너지로 전환되면서 떨어져.

• 태민 ──사다리──▶ 꽝 ➡ 롤러코스터는 전기 에너지가 운동 에너지와 위치 에너지로 전환되면서 움직입니다.

• 준영 ──사다리──▶ 아이스크림
• 하늘 ──사다리──▶ 케이크

1 광수

2 (1) 겨울눈 (2) 겨울잠 (3) 이중창

3

발광 다이오드, 높은

1 에너지를 얻을 때 필요한 자원은 한정되어 있기 때문에 에너지를 효율적으로 이용해야 하며, 전기 에너지 등을 발생시키는 과정에서 환경 오염이 발생하기도 하므로 에너지를 효율적으로 이용하면 환경을 보호할 수 있습니다.

2 겨울눈은 식물이 추운 겨울에 열에너지가 빠져나가는 것을 막는 방법이고, 겨울잠은 동물이 추운 겨울에 화학 에너지를 적게 쓰게 하는 방법입니다. 이중창은 건축물을 지을 때 집 안의 열에너지가 빠져나가지 않도록 하는 방법입니다.

3 에너지를 효율적으로 이용하기 위해 발광 다이오드[LED]등과 같이 에너지 효율이 높은 전등을 사용하고, 에너지 소비 효율 등급이 1등급인 전기 기구나 에너지 절약 표시가 붙어 있는 전기 기구를 사용합니다.

❶ 에너지　　❷ 열에너지　　❸ 빛에너지
❹ 운동 에너지　❺ 형태(에너지)　❻ 운동 에너지
❼ 열에너지　　❽ 태양　　❾ 겨울눈
❿ 이중창

1 (1) ⓔ 전기 에너지 → 빛에너지

(2) ⓔ 위치 에너지 → 운동 에너지

(3) ⓔ 전기 에너지 → 운동 에너지

2 ⓔ 화학 에너지를 가진 연료에 불을 지피면 열에너지로 전환되고, 열에너지는 열기구를 움직이게 하는 운동 에너지로 전환된 뒤에 운동 에너지가 위치 에너지로 전환되면서 열기구가 높이 떠오른다.

3 태양의 빛에너지

4 ⓔ 태양의 빛에너지가 태양 전지에서 전기 에너지로 전환된 뒤에 전동기를 돌리는 운동 에너지로 다시 전환되기 때문에 태양광 해파리가 돌아간다.

5 ⓔ 에너지 효율이 높은 전기 기구나 전등을 사용한다. 이중창을 설치한다.

[1~2] **평가 목표:** 우리 주변에서 일어나는 에너지 전환의 예와 에너지 전환 과정을 서술할 수 있습니다.

1 반짝이는 전광판은 전기 에너지가 빛에너지로 형태가 바뀌고, 떨어지는 낙하 놀이 기구는 위치 에너지가 운동 에너지로 형태가 바뀌며, 움직이는 범퍼카는 전기 에너지가 운동 에너지로 형태가 꿉니다.

채점 기준
반짝이는 전광판과 떨어지는 낙하 놀이 기구, 움직이는 범퍼카의 에너지 전환 과정을 모두 바르게 썼다.

2 열기구는 연료의 화학 에너지로부터 시작하여 연료에 불을 지펴 발생하는 열에너지 → 운동 에너지 → 위치 에너지로 전환되기 때문에 떠오를 수 있습니다.

채점 기준
놀이공원의 열기구가 떠오를 수 있는 까닭을 에너지 전환과 관련지어 바르게 썼다.

[3~4] **평가 목표:** 우리 생활에서 이용하는 에너지는 어떤 에너지로부터 전환되었는지 서술할 수 있습니다.

3 우리가 생활에서 이용하는 모든 에너지는 태양의 빛에너지로부터 전환되었습니다.

4 태양의 빛에너지 → 태양 전지의 전기 에너지 → 전동기의 운동 에너지로 전환되면서 태양광 해파리가 돌아갑니다. 태양광 해파리가 태양을 향하지 않으면 태양의 빛에너지를 받지 못해 태양 전지가 전기 에너지를 전환시킬 수 없어 태양광 해파리가 돌아가지 않습니다.

채점 기준
태양광 해파리가 태양을 향할 때 나타나는 변화를 에너지의 전환과 관련지어 바르게 썼다.

평가 목표: 에너지를 효율적으로 이용하는 방법을 서술할 수 있습니다.

5 전기 기구에 부착된 에너지 소비 효율 등급이나 에너지 절약 표시를 통해 에너지를 효율적으로 이용하는 전기 기구임을 알 수 있습니다. 의도하지 않은 방향으로 전환되는 에너지의 비율이 가장 낮은 발광 다이오드[LED]등을 사용하면 다른 전등을 사용하는 것보다 에너지를 효율적으로 이용할 수 있습니다. 건축물에 이중창을 설치하면 손실되는 열에너지의 양을 줄일 수 있습니다.

▲ 에너지 소비 효율 등급 표시(1등급)

▲ 에너지 절약 표시

▲ 발광 다이오드[LED]등

▲ 이중창

채점 기준
우리가 가정에서 에너지를 효율적으로 이용할 수 있는 방법을 바르게 썼다.

1. 지구와 달의 운동

1 ⓛ   **2** ②

3 예 지구가 서쪽에서 동쪽으로 자전하기 때문에 달은 동쪽 하늘에서 남쪽 하늘을 지나 서쪽 하늘로 움직이는 것처럼 보인다.

4 ④   **5** ㉠ 태양 ㉡ 공전

6 ④, ⑤

7 (1) – ㉢ (2) – ㉡ (3) – ㉠ (4) – ㉣

8 예 지구가 가을철 위치에 있을 때 봄철 별자리는 태양과 같은 방향에 있어 태양 빛 때문에 볼 수 없다.

9 ③   **10** 승유

1 지구는 자전축을 중심으로 서쪽에서 동쪽(시계 반대 방향)으로 자전합니다.

2 지구의 자전으로 하루 동안 태양은 동쪽 하늘에서 남쪽 하늘을 지나 서쪽 하늘로 움직이는 것처럼 보입니다.

3 지구가 서쪽에서 동쪽으로 자전하기 때문에 하루 동안 달은 동쪽 하늘에서 남쪽 하늘을 지나 서쪽 하늘로 움직이는 것처럼 보입니다.

채점 기준
하루 동안 관측한 달의 위치 변화와 그 까닭을 지구의 자전과 관련지어 바르게 썼다.

4 지구의를 돌리면 전등 빛을 받는 쪽이 달라지기 때문에 관측자 모형은 우리나라가 낮일 때만 전등 빛을 받습니다.

5 지구는 태양을 중심으로 일 년에 한 바퀴씩 서쪽에서 동쪽(시계 반대 방향)으로 공전합니다.

6 지구의 자전 방향과 공전 방향은 모두 시계 반대 방향(서쪽에서 동쪽)입니다.

7 지구가 태양 주위를 공전하기 때문에 계절에 따라 보이는 별자리가 달라집니다.

8 지구가 가을철 위치에 있을 때 태양과 같은 방향에 있는 봄철 별자리는 태양 빛 때문에 볼 수 없습니다.

채점 기준
태양과 같은 방향에 있어 태양 빛 때문에 볼 수 없다고 바르게 썼다.

9 ㉠은 왼쪽이 불룩한 모양의 하현달로 음력 22~23일 무렵에 볼 수 있습니다. 왼쪽부터 초승달은 음력 2~3일 무렵에 볼 수 있고, 상현달은 음력 7~8일 무렵에 볼 수 있으며, 둥근 공 모양인 보름달은 음력 15일 무렵에 볼 수 있습니다. 가장 오른쪽의 그믐달은 음력 27~28일 무렵에 볼 수 있습니다.

10 달은 서쪽에서 동쪽으로 날마다 조금씩 위치를 옮겨 가면서 그 모양도 달라집니다.

1 ③   **2** ㉠ 자전축 ㉡ 자전

3 ①, ②   **4** 밤

5 예 지구가 하루에 한 바퀴 자전하면서 태양 빛을 받는 쪽이 달라지기 때문에 지구에서 태양 빛을 받는 쪽은 낮, 태양 빛을 받지 못하는 쪽은 밤이 된다.

6 (1) 예 다르다.

(2) 예 지구의가 전등을 중심으로 회전하기 때문에 지구의가 놓인 위치에 따라 우리나라가 한밤일 때 향하는 곳이 달라지기 때문이다.

7 ②   **8** ㉠, 그믐달

9 ㉠ 서 ㉡ 동   **10** ③

1 지구의가 회전하는 방향(서쪽에서 동쪽)과 관측자 모형이 본 전등이 움직이는 방향(동쪽에서 서쪽)은 서로 반대가 된다는 것을 알 수 있습니다.

2 지구는 자전축을 중심으로 하루에 한 바퀴씩 서쪽에서 동쪽(시계 반대 방향)으로 자전합니다.

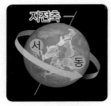

3 지구가 서쪽에서 동쪽으로 자전하기 때문에 하루 동안 태양과 달은 동쪽에서 서쪽으로 움직이는 것처럼 보입니다.

4 우리나라는 태양 빛을 받지 못하는 쪽에 있으므로 밤입니다.

5 지구가 자전하면서 태양 빛을 받는 쪽은 낮이 되고, 태양 빛을 받지 못하는 쪽은 밤이 됩니다.

채점 기준
지구가 하루에 한 바퀴 자전하면서 태양 빛을 받는 쪽이 달라지기 때문이라고 바르게 썼다.

6 실험으로 지구가 공전하면서 지구의 위치에 따라 한밤에 향하는 곳이 달라지기 때문에 보이는 천체의 모습이 달라진다는 것을 알 수 있습니다.

채점 기준
지구의가 놓인 위치에 따라 관측자 모형에게 보이는 교실의 모습이 다르다고 바르게 쓰고, 그 까닭을 지구의가 전등을 중심으로 공전하여 우리나라가 한밤일 때 향하는 곳이 다르기 때문이라고 바르게 썼다.

7 별자리들은 한 계절에만 보이는 것이 아니라 두 계절이나 세 계절에 걸쳐 보입니다.

8 음력 27~28일 무렵에는 그믐달(초승달의 반대 모양의 달)을 볼 수 있습니다. ⓛ 초승달은 음력 2~3일 무렵에 볼 수 있고, ⓒ 하현달은 음력 22~23일 무렵에 볼 수 있으며, ⓔ 보름달은 음력 15일 무렵에 볼 수 있습니다.

9 여러 날 동안 달은 서쪽에서 동쪽으로 날마다 조금씩 위치를 옮겨 갑니다.

10 초승달을 서쪽 하늘에서 관측한 5~6일 뒤에는 상현달을 남쪽 하늘에서 볼 수 있습니다.

2. 여러 가지 기체

1회

204~205쪽

1 ㉠ 묽은 과산화 수소수 ㉡ 이산화 망가니즈

2 ⑤   **3** 산소

4 (1) 이산화 탄소

　　(2) ⓔ 석회수가 뿌옇게 된다.

5 ⑤   **6** ⓒ   **7** ②

8 ②   **9** 공기

10 ⓔ 식품의 내용물을 보존하거나 신선하게 보관하는 데 이용된다. 혈액이나 세포를 보존할 때 이용된다. 비행기 타이어나 자동차 에어백을 채우는 데 이용된다.

1 묽은 과산화 수소수와 이산화 망가니즈가 만나면 산소가 발생합니다.

2 산소는 색깔과 냄새가 없고 금속을 녹슬게 합니다. 산소는 스스로 타지 않지만 다른 물질이 타는 것을 돕습니다.

3 산소는 우리가 숨을 쉴 때 필요하므로 응급 환자의 호흡 장치, 잠수부나 소방관이 사용하는 압축 공기통 등에 이용됩니다.

4 진한 식초와 탄산수소 나트륨이 만나면 이산화 탄소가 발생합니다. 이산화 탄소는 석회수를 뿌옇게 만드는 성질이 있습니다.

채점 기준
진한 식초와 탄산수소 나트륨이 만나면 생기는 기체를 바르게 쓰고, 집기병에 모은 기체에 석회수를 넣고 흔들었을 때의 변화를 바르게 썼다.

5 이산화 탄소는 물질이 타는 것을 막는 성질이 있기 때문에 소화기에 이용됩니다.

6 기체(공기)는 압력을 약하게 가하면 부피가 조금 작아지고, 압력을 세게 가하면 부피가 많이 작아집니다. 액체(물)는 압력을 가해도 부피가 거의 변하지 않습니다.

7 ㉠ 뜨거운 물에 삼각 플라스크를 넣어 온도가 높아지면 기체의 부피가 커져 고무풍선이 부풀어 오르고, ㉡ 얼음물에 삼각 플라스크를 넣어 온도가 낮아지면 기체의 부피가 작아져 고무풍선이 오그라듭니다.

8 음식이 식어 비닐 랩 안 공기의 온도가 낮아져 공기의 부피가 작아지므로 비닐 랩이 오목하게 들어가고, 물이 조금 담긴 페트병의 입구를 막아 냉장고에 넣으면 온도가 낮아져 페트병 속 기체의 부피가 작아지므로 페트병이 찌그러집니다.

9 공기는 여러 가지 기체가 섞여 있는 혼합물입니다.

10 질소는 식품을 보존하거나 보관할 때, 혈액이나 세포를 보존할 때 이용되고, 비행기 타이어나 자동차 에어백을 채울 때에도 이용됩니다.

▲ 질소 충전 포장   ▲ 비행기 타이어 충전

2회   206~207쪽

1 예 색깔과 냄새가 없다. 다른 물질이 타는 것을 돕는다. 금속을 녹슬게 한다.
2 ③, ④   **3** ②   **4** ㉡, ㉢
5 승수   **6** (1) 하늘 (2) 땅
7 (1) ㉠
(2) 예 온도가 높아지면 기체의 부피는 커지고, 온도가 낮아지면 기체의 부피는 작아진다.
8 ①, ⑤   **9** ②
10 (1) - ㉡ (2) - ㉢ (3) - ㉠

1 묽은 과산화 수소수와 이산화 망가니즈가 만나면 산소가 발생합니다.

채점 기준
색깔과 냄새가 없고, 다른 물질이 타는 것을 도우며, 금속을 녹슬게 하는 산소의 성질 중에서 두 가지를 바르게 썼다.

2 드라이아이스와 탄산음료는 이산화 탄소가 이용되는 예입니다.

3 탄산수소 나트륨과 진한 식초가 만나면 이산화 탄소가 발생합니다.

4 이산화 탄소는 색깔과 냄새가 없습니다. 또 물질이 타는 것을 막고, 석회수를 뿌옇게 만드는 성질이 있습니다.

5 액체는 압력을 가해도 부피가 거의 변하지 않지만, 기체는 압력을 가한 정도가 클수록 부피가 많이 작아집니다.

6 비행기 안의 압력은 땅보다 하늘에서 더 낮기 때문에, 비행기 안에 있는 과자 봉지는 땅에 있을 때보다 하늘을 나는 동안 더 많이 부풀어 오릅니다.

7 플라스틱 스포이트를 뜨거운 물에 넣으면 기체의 부피가 커져 물방울이 처음보다 위로 올라가고, 얼음물에 넣으면 기체의 부피가 작아져 물방울이 처음보다 아래로 내려갑니다.

채점 기준
뜨거운 물과 얼음물 중 플라스틱 스포이트를 넣었을 때 물방울이 처음보다 위로 올라가는 것을 바르게 고르고, 실험 결과를 통해 알 수 있는 온도 변화에 따른 기체의 부피 변화를 바르게 썼다.

8 깊은 바닷속에서 잠수부가 내뿜는 공기 방울이 올라가면서 커지는 것, 에어 농구화의 공기가 뛰어올랐다가 착지할 때 부피가 작아지는 것, 높은 산 위에서 빈 페트병을 마개로 닫은 뒤 산 아래로 내려오면 페트병이 찌그러지는 것은 모두 압력 변화에 따라 기체의 부피가 달라지는 예입니다.

9 수소는 청정 연료로, 수소 발전소에서는 수소 기체를 이용해 전기를 만듭니다.

10 질소는 식품의 내용물을 보존하고 포장하는 데 쓰이고, 헬륨은 비행선이나 풍선을 띄우는 데 쓰입니다. 또 네온은 조명 기구나 네온 광고에 쓰입니다.

3. 식물의 구조와 기능

1 ㉠   **2** ②, ⑤

3 예 고구마는 뿌리에 양분을 저장하기 때문이다.

4 ⑤   **5** ㉠ 빛 ㉡ 광합성

6 ②   **7** ㉠

8 (1) – ㉢ (2) – ㉠ (3) – ㉡

9 (1) ㉠ 껍질 ㉡ 씨

  (2) 예 어린 씨를 보호하고, 씨가 익으면 멀리

퍼뜨리는 일을 한다.

10 ②

---

1 식물 세포는 세포막과 세포벽으로 둘러싸여 있고, 그 안에 핵이 있습니다. 동물 세포는 식물 세포와 다르게 세포벽이 없습니다.

2 실험에서 양파 뿌리의 유무만 제외하고 다른 조건은 모두 같게 해야 하며, 실험 결과 양파 뿌리가 물을 흡수하기 때문에 ㉠ 비커의 물이 더 많이 줄어듭니다.

3 고구마나 당근, 무 등은 뿌리에 양분을 저장하기 때문에 다른 식물에 비해 뿌리가 굵습니다.

채점 기준
뿌리에 양분을 저장하기 때문이라고 바르게 썼다.

4 백합 줄기를 세로로 자른 단면에서 붉게 색소 물이 든 부분은 물이 이동한 통로입니다. 이 실험으로 줄기는 물이 이동하는 통로 역할을 한다는 것을 알 수 있습니다.

5 식물이 빛과 이산화 탄소, 뿌리에서 흡수한 물을 이용하여 스스로 양분(녹말)을 만드는 것을 광합성이라고 합니다.

6 증산 작용은 잎에 도달한 물이 기공을 통해 식물 밖으로 빠져나가는 것입니다. 증산 작용을 통해 뿌리에서 흡수한 물을 식물의 꼭대기까지 끌어 올릴 수 있고, 식물의 온도를 조절할 수 있습니다.

7 수술은 꽃가루를 만들고, 꽃잎은 암술과 수술을 보호하며, 꽃받침은 꽃잎을 보호합니다.

8 꽃가루받이는 새, 곤충, 바람, 물 등의 도움으로 이루어집니다.

9 열매는 씨와 씨를 둘러싼 껍질 부분으로 되어 있습니다. 열매는 안에 있는 어린 씨를 보호하고, 씨가 익으면 씨를 멀리 퍼뜨리는 일을 합니다.

채점 기준
사과 열매의 구조를 바르게 쓰고, 열매가 하는 일을 씨를 보호하고 씨가 익으면 멀리 퍼뜨린다고 바르게 썼다.

10 박주가리는 바람에 날려서, 도깨비바늘은 동물의 털이나 사람의 옷에 붙어서, 연꽃은 물에 떠서, 단풍나무는 날개가 있어 빙글빙글 돌며 날아가서 씨가 퍼집니다.

---

1 ⑤   **2** 흡수 기능

3 ㉠ 뿌리털 ㉡ 양분

4 (1) • 가로 단면: ㉡ • 세로 단면: ㉢

  (2) 예 줄기는 물이 이동하는 통로 역할을 한다.

5 ⑤   **6** ②, ④

7 ㉠, 예 뿌리에서 흡수한 물이 잎을 통해 식물 밖으로 빠져나갔기 때문이다.

8 ㉠, ㉢   **9** ①, ②

10 (1) – ㉠ (2) – ㉢ (3) – ㉡ (4) – ㉣

---

1 여러 개의 세포로 이루어져 있는 식물도 있고, 한 개의 세포로 이루어져 있는 동물도 있습니다.

2 실험 결과 뿌리를 자르지 않아 물을 흡수한 양파 쪽 비커의 물이 더 많이 줄어들었으므로, 뿌리는 물을 흡수하는 기능이 있습니다.

3 뿌리는 물을 흡수하고, 양분을 저장하기도 합니다.

4 백합 줄기의 단면에서 색소 물이 든 부분은 물이 이동한 통로입니다.

채점 기준
백합 줄기의 가로 단면과 세로 단면을 바르게 고르고, 실험을 통해 줄기가 물이 이동하는 통로 역할을 한다는 것을 알 수 있다고 바르게 썼다.

5 줄기의 겉은 꺼칠꺼칠하거나 매끈한 껍질로 싸여 있어 식물을 보호합니다.

소나무

백합

6 빛을 받은 잎만 청람색으로 변하는 것으로 보아, 빛을 받은 잎에서만 녹말이 만들어진다는 것을 알 수 있습니다.

빛을 받지 못한 잎	빛을 받은 잎
색깔 변화가 없음.	청람색으로 변함.

7 잎이 있는 모종에 씌운 비닐봉지 안에만 물이 생긴 것으로 보아, 물이 잎을 통해 식물 밖으로 빠져나갔다는 것을 알 수 있습니다.

채점 기준
비닐봉지 안에 물이 생긴 모종을 바르게 고르고, 그 까닭을 잎의 증산 작용과 관련지어 바르게 썼다.

8 물을 흡수하는 것은 뿌리가 하는 일이고, 식물을 지지하여 쓰러지지 않게 하는 것은 뿌리와 줄기가 하는 일입니다. 잎은 광합성을 통해 스스로 양분을 만들고, 뿌리에서 흡수하여 광합성에 사용하고 남은 물을 기공을 통해 식물 밖으로 내보내는 일을 합니다.

9 꽃은 씨를 만드는 일을 하고, 식물은 스스로 꽃가루받이를 하지 못하기 때문에 곤충, 새, 바람, 물 등의 도움을 받아야 합니다. 씨를 퍼뜨리는 일을 하는 것은 열매입니다.

10 연꽃은 씨가 물에 떠서 퍼지고, 벗나무는 동물에게 먹힌 뒤 씨가 똥과 함께 나와 퍼집니다. 또 가벼운 솜털이 있는 민들레는 바람에 날려서 씨가 퍼지고, 도깨비바늘은 동물의 털이나 사람의 옷에 붙어서 씨가 퍼집니다.

4. 빛과 렌즈

1회   212~213쪽

1 ⑤   **2** ㉠
3 ㉠ 굴절 ㉡ 예 비스듬히
4 ㉠, 예 공기와 물의 경계에서 빛이 굴절하기 때문이다.
5 ⑤   **6** ㉢
7 예 빛이 볼록 렌즈의 가운데 부분을 통과하면 꺾이지 않고 그대로 나아가고, 가장자리를 통과하면 볼록 렌즈의 두꺼운 가운데 부분으로 꺾여 나아간다.
8 ④   **9** ②   **10** ㉡

1 햇빛이 프리즘을 통과하면 하얀색 도화지에 여러 가지 빛깔로 나타납니다. 이를 통해 햇빛이 여러 가지 빛깔로 이루어져 있음을 알 수 있습니다.

2 빛을 수면에 비스듬하게 비추면 빛이 공기와 물의 경계에서 꺾여 나아가고, 수직으로 비추면 빛이 공기와 물의 경계에서 꺾이지 않고 그대로 나아갑니다.

3 빛은 비스듬히 나아갈 때 서로 다른 물질의 경계에서 굴절합니다.

4 물고기에 닿아 반사된 빛이 물속에서 공기 중으로 나올 때 물과 공기의 경계에서 굴절해 사람의 눈으로 들어옵니다. 사람은 눈으로 들어온 빛의 연장선에 물고기가 있다고 생각하기 때문에 물고기가 실제 위치보다 떠올라 보입니다.

채점 기준
정우가 생각하는 물고기의 위치를 바르게 고르고, 그 까닭을 빛이 물과 공기의 경계에서 굴절하여 사람 눈으로 들어오기 때문이라고 바르게 썼다.

5 볼록 렌즈는 가운데 부분이 가장자리보다 두꺼운 렌즈입니다.

6 볼록 렌즈는 빛을 굴절시키는 성질이 있기 때문에 볼록 렌즈로 물체를 보면 실제 물체보다 크게 보일 때도 있고, 상하좌우가 바뀌어 보일 때도 있습니다.

7 빛이 볼록 렌즈의 가장자리를 통과하면 가운데 부분으로 꺾여 나아가고, 볼록 렌즈의 가운데 부분을 통과하면 꺾이지 않고 그대로 나아갑니다.

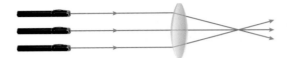

▲ 볼록 렌즈를 통과한 레이저 지시기의 빛이 나아가는 모습

8 볼록 렌즈는 햇빛을 굴절시켜 모을 수 있고, 볼록 렌즈로 햇빛을 모은 곳은 주변보다 온도가 높습니다.

9 간이 사진기의 겉 상자에 붙인 ㉠ 볼록 렌즈는 빛을 굴절시켜 속 상자에 붙인 ㉡ 기름종이에 물체의 모습을 만듭니다.

10 우리 생활에서 빛을 굴절시키고 모을 수 있는 볼록 렌즈를 이용해 사진기, 현미경, 망원경 등과 같은 기구를 만들어 다양한 용도로 사용합니다.

2회 214~215쪽

1 ㉡
2 예 빛은 공기와 유리가 만나는 경계에서 굴절하기 때문이다.

3 빛의 굴절   **4** ③   **5** ③, ⑤
6 (1) ㉠ 평면 유리 ㉡ 볼록 렌즈
　(2) 예 볼록 렌즈는 평면 유리와 달리 햇빛을 굴절시켜 모을 수 있다.
7 ⑤
8 ㉠ 볼록 렌즈 ㉡ 굴절 ㉢ 기름종이
9 볼록 렌즈   **10** ③

1 하얀색 도화지에 여러 가지 빛깔로 나타나고, 이를 통해 햇빛이 여러 가지 빛깔로 이루어져 있다는 것을 알 수 있습니다.

2 비스듬히 나아가는 빛은 공기와 기름 등과 같이 공기와 다른 물질이 만나는 경계에서 굴절합니다.

3 빛이 공기와 물의 경계에서 굴절하기 때문에 물을 부었을 때 컵 속의 젓가락이 꺾여 보입니다.

4 볼록 렌즈는 가운데 부분이 가장자리보다 두꺼운 렌즈입니다. 볼록 렌즈의 가운데 부분을 통과한 빛은 꺾이지 않고 그대로 나아가고, 가장자리를 통과한 빛은 가운데 부분으로 꺾여 나아갑니다.

5 물방울, 유리 막대, 물이 담긴 어항은 가운데 부분이 가장자리보다 두껍고, 빛을 통과시킬 수 있어 볼록 렌즈와 같은 구실을 할 수 있는 물체들입니다.

6 볼록 렌즈는 햇빛을 굴절시켜 한곳으로 모을 수 있지만, 평면 유리는 햇빛을 모을 수 없습니다.

7 간이 사진기로 글자를 보면 상하좌우가 바뀌어 보입니다.

8 간이 사진기에 있는 볼록 렌즈가 물체에서 오는 빛을 굴절시켜 기름종이에 상하좌우가 다른 물체의 모습을 만들기 때문에 물체의 상하좌우가 바뀌어 보입니다.

9 확대경, 사진기, 휴대 전화 사진기는 모두 볼록 렌즈를 이용해 만든 기구입니다. 볼록 렌즈를 이용하면 빛을 모으거나 작은 물체를 확대해 볼 수 있어 편리합니다.

10 현미경의 대물렌즈에 이용한 볼록 렌즈는 물체에서 온 빛을 모이게 하여 물체의 모습을 거꾸로 크게 맺히게 하고, 접안렌즈에 이용한 볼록 렌즈는 맺힌 물체의 모습을 확대합니다.

5. 전기의 이용

1 ②, ③   **2** ㉠ 전류 ㉡ 도체

3 (1) ㉡

  (2) **예** ㉠ 전기 회로의 전구가 ㉡ 전기 회로의 전구보다 밝기가 더 밝다.

4 ④   **5** ㉠   **6** ④

7 ㉢, ㉺   **8** <   **9** ②

10 **예** 전기를 안전하게 사용하거나 절약하기 위해서 사용한다.

---

1 전기 회로에서 전지, 전선, 전구를 끊기지 않게 연결하고, 전구는 전지의 (+)극과 전지의 (−)극에 각각 연결해야 전구에 불이 켜집니다.

2 전기 회로에 흐르는 전기를 전류라고 합니다. 전류가 잘 흐르는 물질을 도체, 전류가 잘 흐르지 않는 물질을 부도체라고 합니다.

3 스위치를 닫았을 때 ㉠ 전지 두 개를 직렬연결한 전기 회로의 전구가 ㉡ 전지를 두 개를 병렬연결한 전기 회로의 전구보다 더 밝습니다.

> **채점 기준**
> 전지 두 개가 서로 같은 극끼리 연결되어 있는 전기 회로를 바르게 고르고, 전기 회로의 스위치를 닫았을 때 전구의 밝기를 비교하여 바르게 썼다.

4 ㉡은 전구 두 개를 한 줄로 연결한 전구의 직렬연결로 전구 한 개를 빼내고 스위치를 닫으면 나머지 전구 불이 켜지지 않습니다.

5 전구 두 개를 병렬연결한 전기 회로에서는 전구 한 개를 빼내도 나머지 전구 불은 꺼지지 않습니다.

6 전지의 극을 반대로 연결하여 전류가 흐르는 방향을 바꾸어 주면 나침반 바늘이 움직이는 방향도 바뀝니다.

7 전지 여러 개를 직렬로 연결하거나 전선을 나침반 위에 최대한 가까이 놓으면 나침반 바늘이 더 크게 움직입니다.

8 전지 두 개를 직렬로 연결한 것이 전자석에 흐르는 전류의 세기가 더 세기 때문에 시침바늘이 더 많이 붙습니다.

9 나침반은 항상 자석의 성질이 나타나는 영구 자석을 이용한 것입니다.

10 콘센트 덮개는 감전 사고를 예방하고 과전류 차단 장치는 누전 사고를 예방하며, 발광 다이오드[LED]등은 일반 전구보다 전기를 절약할 수 있습니다.

> **채점 기준**
> 우리 생활에서 콘센트 덮개, 과전류 차단 장치, 발광 다이오드[LED]등을 사용하는 까닭을 전기의 안전한 사용과 절약을 관련지어 바르게 썼다.

---

1 ②   **2** ㉡   **3** ②

4 **예** 전지 두 개가 직렬로 연결되어 있다.

5 (1) ㉠ (2) ㉡ (3) ㉠ (4) ㉡ (5) ㉡

6 ①

7 **예** 전류가 흐르는 전선 주위에 자석의 성질이 나타나기 때문이다.

8 ㉠ N극 ㉡ S극 **9** ㉢, ㉣   **10** ④

---

1 전지 끼우개의 양 끝은 금속으로 되어 있어 도체이고, 플라스틱으로 이루어져 있는 몸통은 부도체입니다.

구분	도체	부도체
뜻	전류가 잘 흐르는 물질	전류가 잘 흐르지 않는 물질
예	철, 구리, 알루미늄, 흑연 등	종이, 유리, 비닐, 나무 등

2 전기 회로에서 전지, 전선, 전구가 끊기지 않게 연결하고, 전구는 전지의 (+)극과 전지의 (−)극에 각각 연결해야 전구에 불이 켜집니다.

3 스위치를 닫았을 때 전지 두 개를 직렬연결한 전기 회로(②)의 전구가 전지 두 개를 병렬연결한 전기 회로(①, ③, ④)의 전구보다 더 밝습니다.

4 전지 두 개가 서로 다른 극끼리 연결되어 있으므로 전지의 직렬연결입니다.

채점 기준
전지 두 개가 서로 다른 극끼리 연결된 직렬연결이라고 바르게 썼다.

5 스위치를 닫았을 때 전구 두 개를 병렬연결한 전기 회로(ⓒ)의 전구가 전구 두 개를 직렬연결한 전기 회로(㉠)의 전구보다 더 밝습니다.

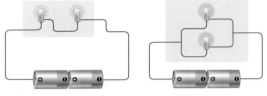

▲ 전구의 직렬연결   ▲ 전구의 병렬연결

6 전지의 극을 반대로 연결하여 전류가 흐르는 방향을 바꾸어 주면 나침반 바늘이 움직이는 방향도 바뀝니다.

7 전류가 흐르는 전선 주위에는 자석의 성질이 나타나기 때문에 나침반 바늘이 움직입니다.

채점 기준
전류가 흐르는 전선 주위에 자석의 성질이 나타나기 때문에 나침반 바늘이 움직인다고 바르게 썼다.

8 나침반 바늘의 N극이 가리키는 ㉠은 전자석의 S극이고, 나침반 바늘의 S극이 가리키는 ⓒ은 전자석의 N극입니다. 그런데 전지의 극을 반대로 연결하면 전류의 방향이 바뀌므로 전자석의 극도 바뀝니다.

9 전자석은 직렬로 연결한 전지의 개수를 다르게 하면 전자석의 세기를 조절할 수 있습니다. 전자석은 전류가 흐르면 영구 자석처럼 N극과 S극이 나타납니다.

10 물 묻은 손으로 플러그를 꽂지 않고, 물에 젖은 물체를 전기 제품에 걸쳐 놓지 않습니다. 또 사용하지 않는 전기 제품의 전선을 길게 늘어트리면 전선에 걸려 넘어질 수 있으므로 주의해야 합니다. 콘센트 한 개에 플러그 여러 개를 한꺼번에 꽂아서 사용하지 않습니다.

6. 계절의 변화

1회   **220~221쪽**

1 ㉣   **2** ①, ⑤

3 ㉠ 그림자 길이 ⓒ 태양 고도 ⓒ 기온

4 ②

5 ⑩ 태양의 남중 고도가 높아지면 낮의 길이가 길어지고, 태양의 남중 고도가 낮아지면 낮의 길이가 짧아진다.

6 ①   **7** ①   **8** 많아, 높아

9 (1) ⓒ

(2) ⑩ 지구의 자전축이 공전 궤도면에 대해 기울어진 채 태양 주위를 공전하기 때문에 계절이 변한다.

10 ⓒ

---

1 지표면과 태양이 이루는 각을 태양 고도라고 합니다.

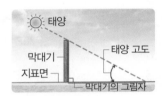

2 태양이 남중했을 때 그림자는 정북쪽을 향하고, 우리나라에서는 낮 12시 30분 무렵입니다.

3 낮 12시 30분까지 점점 높아지다가 그 이후에는 낮아지는 ⓒ이 태양 고도이며, 태양 고도가 높아지면 그림자 길이(㉠)는 짧아지고, 기온(ⓒ)은 높아집니다.

4 여름에 태양의 남중 고도가 가장 높고, 겨울에 태양의 남중 고도가 가장 낮으며, 봄과 가을에 태양의 남중 고도는 여름과 겨울의 중간 정도입니다. 또 계절에 따라 태양이 보이기 시작하는 위치도 달라집니다.

5 태양의 남중 고도가 높아질수록 낮의 길이가 길어집니다.

채점 기준
태양의 남중 고도 변화에 따른 낮의 길이 변화를 바르게 썼다.

6 7월부터 12월까지 태양의 남중 고도는 낮아지고 낮의 길이는 짧아집니다.

7 전등과 모래가 이루는 각은 태양의 남중 고도를 나타냅니다. 실험 결과 ㉠ 이 ㉡보다 모래의 온도가 더 많이 올라가는 것을 통해 태양의 남중 고도가 높을수록 기온이 높아진다는 것을 알 수 있습니다.

8 태양의 남중 고도가 높을수록 기온이 높아집니다.

9 지구의 자전축이 공전 궤도면에 대해 기울어진 채 공전하면 태양의 남중 고도가 달라지고, 계절이 변합니다.

채점 기준
두 실험 중 지구의의 위치에 따라 태양의 남중 고도가 변하는 경우를 바르게 고르고, 실험 결과 알 수 있는 계절의 변화가 생기는 까닭을 지구의 공전과 관련지어 바르게 썼다.

10 우리나라가 있는 북반구에서는 여름(㉠)에 태양의 남중 고도가 높고, 겨울(㉡)에 태양의 남중 고도가 낮습니다.

2회   222~223쪽

1 ㉠ 태양의 남중 고도 ㉡ 높 ㉢ 짧

2 ⑤

3 예 태양 고도가 높아지면, 그림자 길이는 짧아지고, 기온은 높아진다.

4 ㉠   **5** ③   **6** 여름

7 ㉢   **8** ③   **9** ②

10 예 지구가 공전하지 않고 자전만 한다면 매일 같은 하루가 반복된다. 따라서 태양의 남중 고도가 달라지지 않아 계절의 변화가 생기지 않는다.

---

1 태양이 남중했을 때(태양이 정남쪽에 위치할 때) 태양 고도가 가장 높고 그림자 길이가 가장 짧으며, 이때의 태양 고도를 태양의 남중 고도라고 합니다.

2 하루 중 기온이 가장 높은 때는 14시 30분 무렵입니다.

3 그래프 모양을 비교해 보면 알 수 있듯이, 태양 고도가 높아지면 그림자 길이는 짧아지고, 기온은 높아집니다.

채점 기준
2번 문제의 그래프를 보고, 태양 고도, 그림자 길이, 기온이 서로 어떤 관계가 있는지 바르게 썼다.

4 겨울(㉠)에 태양의 남중 고도가 가장 낮습니다. ㉡은 봄과 가을, ㉢은 여름에 해당합니다.

5 태양의 남중 고도는 6~7월(여름)에 가장 높고, 12~1월(겨울)에 가장 낮습니다.

6 낮의 길이는 6~7월(여름)에 가장 길고, 12~1월(겨울)에 가장 짧습니다.

7 태양의 남중 고도를 의미하는 전등과 모래가 이루는 각만 다르게 하고 나머지 조건(모래의 종류와 양, 전등을 켜 놓는 시간, 전등과 모래 사이의 거리 등)은 같게 해야 합니다.

8 계절에 따라 태양의 남중 고도가 달라지기 때문에 기온이 달라집니다.

9 지구의의 자전축 기울기만 다르게 하고 나머지 조건은 같게 해야 합니다. 실험 결과 ㉠은 태양의 남중 고도가 변하지 않고, ㉡은 지구의 위치에 따라 태양의 남중 고도가 변합니다. 이를 통해 지구의 자전축이 기울어진 채 태양 주위를 공전하기 때문에 계절이 변한다는 것을 알 수 있습니다.

10 지구의 자전축이 기울어진 채 태양 주위를 공전하기 때문에 계절의 변화가 생깁니다.

채점 기준
지구의 자전축은 기울어져 있지만 지구가 공전하지 않는다면 계절이 변하지 않을 것이라고 바르게 썼다.

7. 연소와 소화

1 ⑤   **2** 민우

3 (1) ㉠

     (2) 예 초가 탈 때 산소가 필요하기 때문이다.

4 발화점   **5** ①, ④   **6** ⑤

7 ㉠, ㉣

8 예 산소가 공급되지 않기 때문에 촛불이 꺼진다.

9 (1) 안전핀 (2) ㉡, ㉠, ㉣, ㉢   **10** ④

1 초가 타면 점점 초의 길이가 짧아지고, 무게가 줄어듭니다.

2 작은 아크릴 통 속 공기의 양이 더 적기 때문에 ㉡의 촛불이 먼저 꺼집니다.

3 초가 타면서 산소를 사용했기 때문에 초가 타고 난 후 비커 속 산소 비율이 줄어들었습니다.

채점 기준
기체 검지관의 산소 비율을 바르게 비교하여, 산소 비율이 줄어든 까닭을 초가 연소하려면 산소가 필요하기 때문이라고 바르게 썼다.

4 물질이 타려면 온도가 발화점 이상이 되어야 합니다. 발화점은 물질마다 다릅니다.

5 연소가 일어나려면 탈 물질과 산소가 있어야 하고, 온도가 발화점 이상이 되어야 합니다.

6 무색투명했던 석회수가 뿌옇게 흐려지는 것으로 보아, 초가 연소한 후에 이산화 탄소가 생긴다는 것을 알 수 있습니다.

7 초가 연소한 후에는 물과 이산화 탄소가 생깁니다. 물이 생긴 것은 푸른색 염화 코발트 종이를 이용해 확인할 수 있고, 이산화 탄소가 생긴 것은 석회수를 이용해 확인할 수 있습니다.

8 촛불을 집기병으로 덮어 산소 공급을 막으면 촛불이 꺼집니다.

채점 기준
촛불을 집기병으로 덮으면 꺼지는 까닭을 연소의 조건 중 산소의 공급을 막았기 때문이라고 바르게 썼다.

9 소화기는 화재 초기 단계에서 불을 끌 수 있는 유용한 도구이므로 사용 방법을 잘 알아 두어야 합니다.

10 화재 피해를 줄이려면 소방 기구의 위치를 알아 두고 정기적으로 점검해야 하며, 건물에 화재 감지기, 옥내 소화전과 같은 소방 시설을 설치해야 합니다. 화재가 발생했을 때 비상구 공간에 물건을 쌓아 놓으면 비상구로 대피할 때 방해가 되므로 비상구 공간에 물건을 쌓아 놓지 않습니다.

1 ③   **2** ㉡

3 예 큰 아크릴 통 속 공기의 양이 많기 때문이다.

4 ②, ⑤   **5** ㉠ 예 붉게 ㉡ 물

6 예 초가 물과 이산화 탄소로 변했기 때문이다.

7 ①   **8** ㉣, ㉤

9 (1) – ㉡ (2) – ㉢ (3) – ㉠   **10** ②

1 알코올이 탈 때에는 연기나 그을음이 생기지 않습니다. 연기나 그을음은 초가 탈 때 볼 수 있습니다.

2 물질이 탈 때에는 빛과 열이 발생하고, 주변이 밝고 따뜻해지며, 물질의 무게나 길이가 줄어듭니다.

3 '작은 아크릴 통 속 공기의 양이 적기 때문이다.'라고 써도 정답으로 인정합니다. 초가 탈 때 공기를  이루는 산소가 필요하기 때문에 공기의 양이 많은 큰 아크릴 통 속 초가 더 오래 탑니다.

4 성냥의 머리 부분이 나무 부분 보다 발화점이 낮기 때문에 먼저 불이 붙습니다.

5 푸른색 염화 코발트 종이는 물에 닿으면 붉게 변하는 성질이 있습니다.

▲ 물에 닿기 전 ➡ ▲ 물에 닿은 후

6 초가 연소하면서 다른 물질(물, 이산화 탄소 등)로 변했기 때문에 크기가 줄어듭니다.

7 연소가 일어나려면 탈 물질과 산소가 있어야 하고, 온도가 발화점 이상이 되어야 합니다.

8 ㉠, ㉡, ㉴은 탈 물질을 없애 불을 끄는 방법이고, ㉰은 산소 공급을 막아 불을 끄는 방법입니다.

9 (1)은 산소 공급을 막아 불을 끄는 방법이고, (2)는 발화점 미만으로 온도를 낮추어 불을 끄는 방법입니다. (3)은 탈 물질을 없애 불을 끄는 방법입니다.

10 나무는 불에 타기 쉬워 위험하므로 나무로 된 가구 밑에 들어가지 않습니다.

8. 우리 몸의 구조와 기능

1회 228~229쪽

1 ③
2 (1) 예 몸의 형태를 만들고 몸을 지지하며, 심장, 폐, 뇌 등을 보호한다.
 (2) 예 뼈에 연결되어 있어 몸을 움직이게 한다.
3 ㉣, 작은창자
4 (1) ㉠ 기관 ㉡ 기관지 ㉢ 폐 (2) 경준
5 ④
6 펌프 – ㉢ 관 – ㉡ 붉은 색소 물 – ㉠
7 ① 　　　　　**8** ㉡, ㉢, ㉠
9 (1) 신경계
 (2) ㉠ 예 공이 날아온다는 자극을 전달한다.
 ㉡ 예 공을 잡으라는 명령을 운동 기관에 전달한다.
10 ④, ⑤

1 척추뼈는 짧은뼈가 이어져 기둥을 이룹니다. 좌우로 둥글게 연결되어 공간을 만드는 것은 갈비뼈의 특징입니다.

2 근육의 길이가 줄어들거나 늘어나면서 근육과 연결된 뼈가 움직이기 때문에 우리가 몸을 움직일 수 있습니다.

3 ㉠은 식도, ㉡은 간, ㉢은 위, ㉣은 작은창자, ㉤은 항문입니다.

4 ㉡ 기관지는 기관과 폐를 이어 주는 관으로, 공기가 이동하는 통로입니다. 기관지가 나뭇가지처럼 생긴 까닭은 코로 들이마신 공기를 폐로 잘 전달되게 하기 위해서입니다.

5 숨을 내쉴 때 몸속의 공기는 폐, 기관지, 기관, 코를 거쳐 몸 밖으로 나갑니다.

6 순환 기관이 하는 일을 알아보는 실험을 할 때 주입기의 펌프는 심장, 주입기의 관은 혈관, 붉은 색소 물은 혈액과 같은 역할을 합니다.

7 ⊙은 심장, ⓛ은 혈관입니다. 심장은 주먹 모양으로 크기도 자신의 주먹과 비슷하며, 몸통 가운데에서 왼쪽으로 약간 치우쳐 있습니다.

8 콩팥은 혈관에 있는 노폐물을 걸러 냅니다. 노폐물이 걸러진 혈액은 다시 혈관을 통해 순환하고, 걸러진 노폐물은 오줌이 되어 방광에 저장되었다가 관을 통해 몸 밖으로 나갑니다.

9 공이 날아오는 것을 보고 자극을 전달하는 신경계가 자극을 전달하고, 행동을 결정하는 신경계가 공을 잡겠다고 결정하면 명령을 전달하는 신경계가 공을 잡으라는 명령을 운동 기관에 전달합니다.

채점 기준
빈칸에 공통으로 들어갈 말을 바르게 쓰고, ⊙과 ⓛ의 역할을 모두 바르게 썼다.

10 운동을 하면 심장 박동이 빨라져 혈액 순환이 빨라지며, 체온이 올라갑니다.

2회 230~231쪽

1 ④ **2** ④ **3** ⓛ
4 (1) ○ (2) ○ (3) × (4) ○
5 예 혈액이 이동하는 빠르기가 빨라지고 혈액의 이동량이 많아진다.
6 ② **7** (1) ⓛ (2) ⓔ (3) ⊙ (4) ⓒ
8 ③ **9** ⓛ, ⓜ, ⓒ, ⓔ, ⊙
10 예 체온이 올라가고 맥박 수가 증가한다.

1 뼈와 근육 모형에 바람을 불어 넣으면 비닐봉지가 부풀어 오르면서 비닐봉지의 길이가 줄어들어 납작한 빨대가 구부러집니다.

2 ⊙ 식도는 음식물을 위로 이동하는 통로이고, ⓛ 위는 소화를 돕는 액체를 분비하여 음식물과 섞고 음식물을 더 잘게 쪼개는 부분입니다. ⓒ 작은창자는 소화를 돕는 액체를 분비하여 음식물을 분해하고 영양소를 흡수하며, ⓜ 항문은 소화되지 않은 음식물 찌꺼기를 배출합니다.

3 우리 몸속에 들어간 음식물은 입, 식도, 위, 작은창자, 큰창자의 순서로 이동하면서 잘게 쪼개져 영양소와 수분은 몸속으로 흡수되고 나머지는 항문으로 배출됩니다.

4 폐는 기관지와 연결되어 있으며, 갈비뼈로 둘러싸여 있습니다.

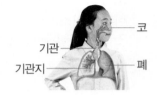

5 심장이 빨리 뛸수록 혈액이 빠르게 이동하고 많이 이동합니다.

채점 기준
심장이 빨리 뛰면 우리 몸에는 어떤 일이 일어나는지 혈액이 이동하는 빠르기와 혈액의 이동량과 관련지어 바르게 썼다.

6 ⊙ 콩팥은 강낭콩 모양이고, ⓛ 방광은 작은 공처럼 생겼으며 콩팥에서 걸러진 노폐물을 모아 두었다가 몸 밖으로 내보냅니다. (가)는 온몸을 돌아 노폐물이 많아진 혈액이고, (나)는 콩팥을 거친 노폐물을 걸러 낸 혈액입니다.

7 콩팥은 혈액에 있는 노폐물을 걸러 내고, 걸러진 노폐물은 오줌이 되어 방광에 저장되었다가 관을 통해 몸 밖으로 나갑니다.

8 새우튀김의 맛을 느끼는 감각 기관은 혀, 선인장의 가시가 따갑다는 것을 느끼는 감각 기관은 피부, 신호등이 초록색으로 바뀌는 것을 보는 감각 기관은 눈, 친구가 내 이름을 부르는 소리를 듣는 감각 기관은 귀입니다.

9 감각 기관이 받아들인 자극은 신경계를 통해 전달되고 신경계는 행동을 결정하여 운동 기관에 명령을 전달하며, 운동 기관은 이를 수행합니다.

10 운동을 하면 체온이 올라가고 맥박 수가 증가하는데, 운동한 후 휴식을 취하면 체온과 맥박 수가 운동하기 전과 비슷해집니다.

채점 기준
운동을 하면 체온과 맥박 수가 어떻게 변하는지 바르게 썼다.

9. 에너지와 생활

1 에너지   **2** ①   **3** ㉣

4 ⑤

5 ⑩ 전기 에너지가 운동 에너지로 형태가 바뀐다.

6 ㉢, ㉣

7 ㉠ 전기 에너지 ㉡ 운동 에너지

8 ④

9 (1) ㉡

    (2) ⑩ 의도하지 않은 방향으로 전환된 에너지
(열에너지)의 비율이 더 낮기 때문이다.

10 ⑤

1 기계를 움직이거나 생물이 살아가는 데에는 에너지가 필요합니다.

2 벼는 광합성을 하여 만든 양분으로 스스로 에너지를 얻는 식물입니다. 반면 개구리, 매, 토끼, 사자는 식물이나 다른 동물을 먹이로 하여 먹음으로써 에너지를 얻는 동물입니다.

3 나무는 화학 에너지, 신호등은 전기 에너지와 빛에너지, 교통 표지판은 위치 에너지와 관련이 있습니다.

4 폭포, 스키 점프하여 높이 떠오른 선수와 같이 높은 곳에 있는 물체는 위치 에너지를 가지고 있습니다.

5 범퍼카는 전기를 이용해 자동차를 움직이는 놀이기구입니다.

채점 기준
범퍼카가 움직일 때 에너지 형태가 어떻게 바뀌는지 바르게 썼다.

6 롤러코스터가 철길을 올라갈 때 운동 에너지는 위치 에너지로, 철길을 내려올 때 위치 에너지는 운동 에너지로 전환됩니다. 열기구는 화학 에너지가 열에너지로, 열에너지가 운동 에너지, 위치 에너지로 전환되는 예입니다.

7 태양광 해파리에서 태양의 빛에너지는 태양 전지를 통해 전기 에너지로 전환되고, 전기 에너지는 전동기를 통해 운동 에너지로 전환됩니다.

8 우리 생활의 모든 에너지 전환 과정은 태양에서 공급된 에너지에서 시작되었다는 공통점이 있습니다.

9 의도하지 않은 방향으로 전환된 에너지(열에너지)의 비율이 더 낮은 발광 다이오드[LED]등이 형광등보다 에너지 효율이 더 높습니다.

채점 기준
형광등과 발광 다이오드[LED]등 중 에너지 효율이 더 높은 것을 바르게 골라 기호를 쓰고, 그 까닭을 의도하지 않은 방향으로 전환되어 손실되는 에너지와 관련지어 바르게 썼다.

10 에너지를 효율적으로 이용하려면 백열등보다 에너지 효율이 높은 발광 다이오드[LED]등을 이용하는 것이 좋습니다.

1 (1) – ㉡ (2) – ㉢ (3) – ㉠ (4) – ㉣

2 ⑩ 밤에 전등을 켤 수 없어 깜깜하게 생활하게 된다. 자동차를 탈 수 없어 걸어 다녀야 한다.

3 ⑤   **4** ①   **5** 운동 에너지

6 ㉢   **7** ②

8 ⑩ 태양 전지가 태양을 향할 때는 태양광 해파리가 돌아가지만, 태양을 향하지 않을 때는 태양광 해파리가 천천히 돌거나 돌지 않는다.

9 ④   **10** 정현

1 기계를 움직이거나 생물이 살아가는 데 에너지가 필요하고, 기계와 생물은 각각 다른 방법으로 에너지를 얻습니다.

2 이밖에도 휴대 전화를 사용할 수 없고, 난방이나 냉방을 할 수 없으며, 공장에서 기계로 물건을 만드는 일도 할 수 없습니다.

> **채점 기준**
> 전기나 기름에서 더는 에너지를 얻을 수 없을 때 우리 생활에 생길 어려움을 에너지의 필요성과 관련지어 두 가지 모두 바르게 썼다.

3 전기 에너지는 여러 전기 기구들을 작동하게 하는 에너지이고, ⑤ 생물의 생명 활동에 필요한 에너지는 화학 에너지입니다.

4 태양, 가로등, 스마트 기기 화면과 공통으로 관련된 에너지 형태는 빛에너지입니다.

5 롤러코스터는 전기 에너지로 출발하거나 멈춥니다. 또 롤러코스터가 움직이는 동안 철길의 높낮이가 달라짐에 따라 운동 에너지와 위치 에너지가 서로 바뀝니다.

6 뛰어 노는 아이는 화학 에너지가 운동 에너지로 전환됩니다.

7 에너지 전환 과정은 ① 불이 켜진 전등: 전기 에너지 → 빛에너지+열에너지, ③ 달리는 자동차: 화학 에너지 → 운동 에너지, ④ 반짝이는 전광판: 전기 에너지 → 빛에너지, ⑤ 불꽃놀이: 화학 에너지 → 빛에너지+열에너지입니다.

8 태양광 해파리의 태양 전지에서 태양의 빛에너지가 전기 에너지로 전환되고, 전동기에서 전기 에너지가 운동 에너지로 전환되어 태양광 해파리가 움직입니다.

> **채점 기준**
> 태양광 해파리가 태양을 향했을 때와 향하지 않았을 때 태양광 해파리의 움직임을 모두 바르게 썼다.

9 창문은 건물 안의 열에너지가 빠져나가지 않도록 단창 대신 이중창을 설치합니다.

이중창 ▶

10 에너지를 효율적으로 이용하면 의도하지 않은 방향으로 전환되어 손실되는 에너지의 양을 줄일 수 있습니다.